L'EXCEPTION CULTURELLE

Culture et pouvoirs sous la Ve République

DU MÊME AUTEUR

DÉBAT SUR LA FRANCE DE DEMAIN, Julliard, 1961.
LA CULTURE POUR VIVRE, Gallimard, 1975.
LIBRE CULTURE, Gallimard, 1990.
MIROIR DES MOTS, Robert Laffont, 1991.
LES INSTITUTIONS ADMINISTRATIVES FRANÇAISES (*2 vol.*), Presses de la Fondation nationale des sciences politiques et Dalloz, en collaboration avec Xavier Delcros, 1984-1986.
LE BÉNÉFICE DE L'ÂGE, Grasset, 1993.

JACQUES RIGAUD

L'EXCEPTION CULTURELLE

Culture et pouvoirs sous la Ve République

BERNARD GRASSET
PARIS

Chapitre premier

LETTRE À DES AMIS EUROPÉENS

Il vous arrive d'être irrités par un certain discours français sur la culture. Vous avez du mal à comprendre qu'un pays qui se fait une si haute idée de lui-même adopte souvent des attitudes crispées. Vous vous étonnez qu'il prétende faire partager par l'Europe entière une conception de la culture qui vous paraît archaïque par son curieux mélange d'étatisme et de corporatisme. Vous trouvez bizarre que certains créateurs pourtant convaincus de leur valeur semblent ne rêver que d'aides et de protections et que les hommes politiques, ministres en tête, épousent docilement leurs thèses. Vous regrettez de voir la France s'isoler ainsi de ses partenaires par ces positions intransigeantes alors que vous attendez d'elle un rôle moteur dans la défense et l'illustration d'une idée de l'Europe où il y a, en fin de compte, plus de culture que de politique.

Je comprends votre étonnement et vos agacements ; et comme Français, j'ai même des motifs supplémentaires d'enrager. Ayant la chance de vivre depuis plus de quinze ans dans une entreprise européenne, je n'ai guère de mérite à être un peu moins que d'autres prisonnier de préjugés hexagonaux ; je mesure chaque jour combien une certaine forme d'arrogance française peut ternir l'image de mon pays. Le paradoxe est qu'elle s'accompagne d'une frilosité qui contredit ce sentiment de supériorité affiché par nos gens de culture.

On a vu, il y a quelques années, une grande prêtresse de

l'engagement culturel se répandre en imprécations contre Eurodisneyland en quoi elle voyait un « Tchernobyl culturel » ; et elle n'était pas seule à clamer que ce parc d'attractions menaçait de mort la culture française. On constate aujourd'hui que Mickey Mouse n'a pas mangé le Petit Chaperon Rouge et que le Futuroscope de Poitiers, initiative bien française, est en meilleure santé que l'enclave américaine de l'Est parisien. On n'en reste pas moins sur le qui-vive... On invente des lois, avec sanctions pénales à la clé, pour défendre notre langue. La culture française développe une mentalité d'assiégée.

J'assiste, consterné, à un festival de surenchères à propos de la révision de la directive européenne « télévision sans frontières » où la France tente d'imposer à ses partenaires de l'Union sa position sur les quotas de diffusion d'œuvres nationales et européennes imposés aux chaînes de télévision. Le débat ne porte pas sur les finalités : tout le monde souhaite que les télévisions européennes programment le plus grand nombre possible d'œuvres conçues et produites par nos pays ; il y a même un accord d'ensemble pour que les chaînes de télévision soient incitées, voire contraintes, à financer ce genre de productions ; mais les professionnels français ont voulu davantage. Ils ont réussi à persuader le gouvernement d'exiger la seule garantie qui vaille à leurs yeux : le quota de diffusion d'œuvres nationales et européennes par les chaînes, le respect de cette contrainte horaire étant en effet beaucoup plus commode à vérifier que celui d'une obligation financière. Que cette exigence soit contraire, par son simplisme et sa rigidité, à la philosophie qui préside au fonctionnement de la télévision dans la plupart des pays d'Europe ne trouble apparemment personne en France, où l'on est convaincu de défendre, dans l'incompréhension du monde entier, les droits sacrés de la culture.

Il est paradoxal que les meilleurs esprits accusent la télévision d'envahir tout le temps libre par des émissions médiocres, mais admettent que le seul débat culturel porte sur l'origine nationale des dramatiques et des séries diffusées sur les chaînes, lesquelles peuvent impunément, et dans l'indifférence générale, réduire la part des émissions propres à encourager l'éveil culturel, la curiosité au sujet des livres, du théâtre, de la musique, des arts plastiques, de l'architecture et du patrimoine. On est en pleine confusion.

Je me refuse à ajouter à cette confusion, dans un débat sommaire où l'on s'obstine à mêler des objectifs légitimes et des moyens discutables. Je suis autant que d'autres attaché à la survie et plus encore à la relance de la création française et européenne dans le domaine des images animées. J'ai la plus grande estime pour l'œuvre télévisuelle de Jean Prat, Bluwal et autres Santelli, même si je ne la situe pas au même niveau que celle des grands réalisateurs de films, de Carné à Téchiné en passant par Resnais. Je sais ce que la création française, au cinéma et à la télévision, doit à l'État et aux mécanismes de protection et de soutien qu'il a mis en place, à divers moments, depuis la guerre. J'ai pris une part active, quand j'exerçais des responsabilités publiques, à la gestion de ces systèmes dont je reconnais la légitimité passée et présente. Sans eux, je sais que le cinéma français aurait disparu, comme dans d'autres pays d'Europe, et je crois que tout doit être fait pour maintenir le film cinématographique comme œuvre vivante, offerte au jugement du public dans les salles. Ce serait le condamner que d'en faire un produit banal destiné à alimenter seulement les programmes de télévision. Je redoute comme d'autres l'invasion des produits américains, et je ne suis guère éloigné d'une position d'anti-américanisme primaire, alors que bien des responsables publics et professionnels se croient obligés de proclamer leur sympathie pour le cinéma américain. Je ne l'aime guère dans son état actuel, s'il a enchanté ma jeunesse. J'apprécie encore moins la façon dont le système américain traite les œuvres de l'esprit, à commencer par le film. Aux États-Unis, tout ce qui est culture est assimilé, soit à des produits marchands, soit à des activités de bienfaisance livrées à la générosité des entreprises et des particuliers. La culture n'est pas, pour les Américains, une activité d'intérêt public au sujet de laquelle un gouvernement devrait avoir des idées et un plan d'action. Elle n'entre pas dans l'univers mental des dirigeants politiques d'outre-Atlantique, qui voient en elle une industrie du divertissement. D'ailleurs, si l'on parle culture à l'un d'eux, il répond immanquablement « entertainment ». L'administration américaine nous a montré, dans les négociations du GATT en 1993 et depuis lors, son incapacité à prendre une position autre que celle qui lui était dictée par les groupes de pression de l'industrie de l'image. Entre Jack Valenti, leur porte-parole, et Mickey Kantor, négociateur des États-Unis, il n'y avait rien — sinon une ligne téléphonique ; en tout cas aucune administration de la culture habilitée à faire l'analyse des intérêts particuliers en présence et à définir, pour l'arbitrage du président, ce que pourrait être l'intérêt général de la nation américaine. J'en veux d'autant plus à ces dirigeants qu'ils ont ainsi encouragé le gouvernement de mon pays à adopter une attitude symétrique en se faisant les commissionnaires d'une industrie.

J'en viens par là, amis européens, à ce qui me conduit à vous alerter. La construction européenne est partie d'une idée pratique, qui était la seule capable de contourner les préjugés ancestraux et tout ce qui risquait de rendre nos nations durablement irréconciliables : l'union économique, à partir d'un Marché commun, devenu en 1992 un Marché unique. C'est une Europe marchande que nous avons faite, à la satisfaction générale. Elle aspire maintenant à se transformer, non sans mal, en une Europe politique. Elle y parviendra, avec le temps. Cette Europe, telle qu'elle est, avec ses principes, ses règles conçus à l'époque où elle n'était qu'une union marchande, éprouve de grandes difficultés à traiter de la culture, qui n'entre pas dans ses catégories originelles. Nous savons pourtant, nous autres, que les cultures européennes n'ont pas attendu les traités de Rome et de Maastricht pour communiquer entre elles et s'interpénétrer. Kundera et Semprun, Peter Brook et Mortier, Liebermann et Strehler peuvent témoigner que, dans une large mesure, l'Europe de la culture existe dans les faits, même s'il reste beaucoup à accomplir pour assurer une meilleure connaissance mutuelle, renforcer les échanges et développer les coopérations. Nous n'avons guère besoin de directives de Bruxelles pour y parvenir.

L'Union européenne, en revanche, a besoin de la culture,

de son prestige, de ses symboles, pour faire passer la construction européenne du stade d'un marché unique à celui d'une véritable Union et lui conférer sa pleine légitimité. Jacques Delors l'avait pressenti, lorsqu'il consulta, à plusieurs reprises, les meilleurs cerveaux d'Europe ; mais la technostructure européenne, avec ses gros sabots, ne peut aborder le dossier culturel qu'à sa façon. Les négociations du GATT lui en ont fourni le prétexte en obligeant à se demander si les biens et produits culturels devaient être soumis, dans les échanges commerciaux, aux mêmes règles que l'acier, la viande et les produits d'entretien. Je n'ai jamais su si, en affirmant avec la plus grande sincérité que les biens culturels n'étaient pas « des marchandises comme les autres », Jacques Delors pensait rappeler une évidence ou découvrir, tel Archimède, un principe. Quoi qu'il en soit, il est bien vrai qu'en Europe, en dépit de la différence des systèmes politiques, il existe une conviction commune en ce domaine. Le plus obtus des politiques reconnaît qu'une œuvre de l'esprit — qu'elle soit tableau, pièce de théâtre, sculpture ou film — mérite un sort spécial dans les échanges internationaux. Si les négociateurs français ont pu alors obtenir qu'un consensus s'établisse sur ce que l'on a appelé, dans ce contexte, « l'exception culturelle », c'est bien parce que, du plus libéral au plus étatiste, tous les dirigeants européens adhéraient à cette philosophie assez sommaire mais néanmoins cohérente qui confère à la culture et à ses œuvres un caractère singulier par rapport à tous les biens et services dont on fait ordinairement commerce. L'intransigeance des négociateurs américains, la brutalité de leurs thèses directement inspirées, non des plus subtils écrivains ou artistes d'Amérique, mais des producteurs d'images — ceux-là mêmes qui achètent les scénarios et les négatifs des films et ne reconnaissent aux auteurs aucun autre droit, fût-il moral, que celui d'être payés pour leur travail —, n'ont pas peu contribué à rendre un temps les Européens solidaires sur ce front de l'exception culturelle.

Ayant perdu une bataille, les Américains, comme on l'a vu par la suite, ont jugé qu'ils n'avaient pas perdu la guerre. On les voit aujourd'hui décidés à obtenir par tous les moyens le démantèlement des systèmes nationaux protecteurs du cinéma et de la création audiovisuelle, ainsi que l'abaissement de toutes les barrières qui peuvent entraver la libre diffusion en Europe de leurs images. C'est là que la « victoire française » de l'exception culturelle, tant claironnée pour des raisons politiques, fin 1993, par le gouvernement Balladur, risque d'avoir un goût amer et d'être en définitive une victoire à la Pyrrhus. Car l'exception culturelle, telle qu'on l'a admise à Bruxelles, a un fondement extrêmement fragile et l'idée que l'on s'en fait en France est, jusqu'à nouvel ordre, mal comprise par nos partenaires.

En d'autres temps, il ne serait venu à l'esprit d'aucun philosophe de définir la culture comme une « marchandise pas comme les autres ». Il y a là un raisonnement d'épicier ou de douanier, dépourvu de toute force conceptuelle, et radicalement étranger à l'idée que toute l'Europe se fait, depuis des siècles, des œuvres de l'esprit.

Il faut vraiment être prisonnier des schémas de pensée de notre Europe marchande pour arriver à ce beau résultat qui consiste à classer les produits, les biens et les services culturels comme une catégorie à part de « marchandises ». On n'a pas vu qu'en se plaçant sur ce terrain, on se mettait sans le vouloir à la merci des Américains selon qui la culture, répétons-le, n'a le choix, en ce qui concerne son financement, qu'entre le marché et la générosité, le prix payé et l'offrande consentie.

L'Europe n'a pas attendu le capitalisme américain pour découvrir que la culture avait son coût et qu'elle entretenait avec l'économie, depuis l'Antiquité, des relations ni honteuses, ni clandestines, mais tout à fait ouvertes. Les progrès de la culture, dans tous les domaines, ont toujours été liés à la prospérité matérielle. Ce n'est pas un hasard si les villes de la Hanse et les cités italiennes de la Renaissance ont été des foyers de création artistique. C'est en Europe qu'est né un marché de la culture, à partir du moment où écrivains, peintres, gens de théâtre, musiciens, architectes ont acquis un droit patrimonial sur leurs œuvres et où celles-ci ont commencé à faire l'objet d'une appropriation privée et donc d'échanges sur un « marché ». Même dans les pays comme la France où les subsides de la Couronne ont nourri les créateurs et où de grandes institutions culturelles ont procédé de la volonté de l'État, la culture a vécu de flux de richesses provenant, soit du marché, soit du mécénat. Il y a eu des artistes pensionnés comme Molière ou La Fontaine, voire domestiqués comme Mozart ou Haydn ; on a connu des artistes riches comme Rubens, et pauvres comme Van Gogh. Au XIXe siècle, alors que s'épanouit le capitalisme et que s'organise la société bourgeoise et où, même en France, l'État intervient peu en matière culturelle, la vie intellectuelle et artistique s'est soumise comme naturellement aux lois générales de l'économie. À une nuance près, qui est de taille : c'est que, partout en Europe, il ne serait venu à l'esprit de personne d'assimiler la culture à une marchandise, même d'une « essence particulière ». Tout comme les Églises qui ont besoin d'argent pour construire des édifices et faire fonctionner le service du culte, la vie intellectuelle et artistique dépend des conditions de son fonctionnement matériel, mais sans s'y réduire. Cela est si vrai que, dans tous nos pays, a été progressivement reconnu aux créateurs un droit moral sur leurs œuvres, qui est indépendant des transactions et des aliénations dont ces dernières peuvent faire l'objet. C'est bien la preuve que la culture transcende l'économie. Elle peut être traitée *comme* une marchandise. Elle n'*est pas* une marchandise, car elle participe d'une fonction qu'il faut oser appeler sacrée.

Même dans nos sociétés, matérialistes par tant d'aspects, tout, en effet, n'est pas négociable ni monnayable. Depuis toujours, l'Église condamne la simonie. Le législateur contemporain déclare le corps humain inaliénable et proscrit que l'on fasse commerce des organes. La culture n'a jamais été jusqu'à revendiquer ce statut d'exception. Les gens de culture et l'opinion en général admettent fort bien que les lois de l'économie s'appliquent à la production et à la circulation des biens culturels dès lors que seul l'aspect matériel de la culture se trouve ainsi concerné, sa part immatérielle étant laissée hors d'atteinte du marché et la puissance publique disposant de moyens, allant du classement jusqu'à l'interdiction d'exporter en passant par toutes les formes d'aide publique, pour faire prévaloir sa spécificité et celle des biens et services qu'elle produit.

Là est le vrai fondement de l'exception culturelle. Celle-ci n'a jamais revêtu autant d'importance qu'à notre époque où la rationalité économique s'étend à tous les domaines et où les activités culturelles, même soutenues par la puissance publique, n'échappent pas à la nécessité de l'esprit d'entreprise et de la rigueur de gestion. C'est parce que l'économie pénètre de plus en plus la culture que cette dernière doit justement être placée au-dessus de l'économie et non pas classée comme une activité économique à statut spécial mais condamnée à se banaliser. Ce qui est vrai dès à présent le sera encore plus demain, avec le développement de ce que l'on appelle la « civilisation de l'immatériel » où beaucoup d'échanges ne se feront plus physiquement mais par la transmission instantanée et universelle de données et où la valeur ajoutée du travail de l'esprit se substituera à la valeur ajoutée du travail physique au sens où l'entendait Marx. Il sera alors d'autant plus nécessaire, mais aussi délicat, de préserver le caractère spécifique des plus hautes œuvres de l'esprit.

On voit que les enjeux dépassent de beaucoup le cadre d'une négociation commerciale au niveau mondial ou de l'élaboration d'une norme européenne pour les programmes de télévision. L'exception culturelle, invoquée à la va-vite comme un argument de négociation, exprime en réalité une philosophie de la culture qui est propre à l'Europe et dont on voudrait espérer qu'elle a l'aval de tous les Européens, États et citoyens mêlés.

Rien n'est moins sûr, cependant. Je crains qu'il n'y ait des dirigeants européens pour qui, même s'ils n'adhèrent pas aux thèses américaines, la culture n'est rien d'autre qu'un agrément de la vie, une fleur de la prospérité, un cadeau de la Providence qu'il n'est dans le mandat d'aucun pouvoir d'engendrer, de protéger et de favoriser.

Nous autres Français, nous avons cru pouvoir interpréter un silence général comme un consentement tacite à notre conception de la culture et nous avons estimé que nos partenaires, en adhérant du bout des lèvres à l'« exception culturelle », ratifiaient cette conception. Nous commençons à déchanter. Et je crains fort qu'une affirmation circonstancielle et maladroite de l'exception culturelle, dans un esprit de revendication corporative bêtement soutenue par des politiciens légers, ne compromette une cause infiniment plus noble et qui engage tout le champ de la culture, bien au-delà du sort, assurément digne de considération, des fabricants d'images.

*
* *

Il est vrai que nous nous faisons en France une certaine idée collective de la culture. Pas depuis M. Mitterrand. Pas même depuis Malraux ou Pompidou. Depuis des siècles. À travers notre histoire pourtant si heurtée, il y a une constante de l'idée de culture dont nous savons qu'elle est une composante irremplaçable de notre identité nationale et de la vocation de notre pays à rayonner au-dehors, et qu'elle implique une certaine responsabilité de l'État. En ce sens, l'exception culturelle, qui procède en droite ligne de cette idée enracinée au plus profond de notre conscience nationale, est pour nous Français un impératif catégorique, même si l'on peut diverger sur les voies et moyens de sa réalisation. Vous comprenez maintenant mon embarras : un combat douteux en faveur d'une cause circonstancielle mal présentée met en jeu un principe auquel m'attachent tout l'héritage dont je suis porteur et un engagement d'un quart de siècle au service de la culture.

La façon dont la France traite les affaires de la culture n'est pas transposable dans les autres pays d'Europe, même les plus proches. Vous le savez mieux que personne, amis européens, si familiers de notre pays. Vous connaissez les différences de mentalités, de philosophies politiques, de structures institutionnelles qui caractérisent nos identités nationales et, à travers elles, l'incomparable et chatoyante personnalité de l'Europe entière. On ne saurait recommander un modèle qui ne se justifie et ne tient que par les particularités françaises ; mais puisque désormais nos sorts sont liés et que, dans tant de domaines, de la sécurité à la monnaie et de l'emploi à l'environnement, nous ne pouvons plus résoudre nos problèmes dans le cercle étroit de chacune de nos nations, il importe de s'interroger aussi sur la culture.

Je ne prétends pas que la France détient en ce domaine la solution. Bien au contraire. Mon pays a eu une politique culturelle qui a réussi plus qu'on ne le pense généralement ; mais son succès n'a rien réglé.

J'aurai, dans ce livre, l'occasion de montrer qu'une idée politique de la culture, conçue au temps de la croissance en fonction d'une volonté généreuse de partage d'un bien théoriquement commun, n'est plus adaptée en une époque de fractures, de détresses et de doutes d'une nation qui cherche ses repères et ne les trouve plus et qui commence à comprendre qu'elle ne peut plus compter sur sa seule réputation pour exercer le rayonnement international auquel elle continue à aspirer. Il ne s'agit pas bien sûr de réinventer la culture, mais au moins de refonder la politique culturelle afin de donner un sens nouveau à cette exception française dix fois reformulée depuis le XVIe siècle.

La France ne saurait donc se présenter comme une donneuse de leçons, ainsi qu'elle aime tant à le faire. Je suggère seulement que le bilan qu'elle doit dresser de sa politique culturelle et les conclusions qu'elle peut en tirer pour l'avenir ne s'établissent pas en circuit fermé, de façon hexagonale. Je vous convie à ce débat, amis européens, non comme arbitres mais comme témoins. C'est pourquoi ce livre vous est dédié. En vous invitant à réfléchir sur le cas français, peut-être découvrirons-nous ensemble ce que peut être, pour l'Europe entière, le vrai sens partagé de l'exception culturelle.

On est loin, vous le voyez, des quotas et d'une directive sur la télévision. Non que ces enjeux soient négligeables ; mais à ne considérer qu'eux, comme on s'obstine à le faire dans les débats actuels, on en viendrait à oublier qu'il ne s'agit que d'un chapitre, certes voyant mais limité et presque anecdotique, d'un plus vaste dossier dont dépend tout bonnement l'avenir même de la culture européenne.

Chapitre II

LES RACINES DE L'EXCEPTION CULTURELLE FRANÇAISE

S'il est un monument qui, à lui seul, symbolise l'exception culturelle française, dans ses ambiguïtés comme dans sa grandeur, c'est bien le palais du Louvre, au cœur de Paris capitale.

Orienté comme une cathédrale avec ses bras immenses ouverts sur l'ouest de la ville, point focal d'où part une perspective triomphale ponctuée par des monuments majeurs, le Louvre, dans sa somptueuse et lisible harmonie, peut sembler au visiteur étranger qui ignorerait tout de notre histoire comme le produit miraculeux d'une inspiration unique de l'État, relayée d'un siècle à l'autre depuis la fin du XIIe. L'histoire nous enseigne pourtant de quels aléas cette harmonie finale est le fruit. Le Louvre que nous voyons n'est en rien l'accomplissement tardif du rêve d'une lignée de monarques ou de l'un quelconque d'entre eux, même si ce que l'on a appelé « le grand dessein » s'est poursuivi de règne en règne. Ce qui est avéré, c'est qu'aucun roi n'a pu imaginer le Louvre tel qu'il s'offre aujourd'hui à nous dans sa jeunesse retrouvée.

Que de signes de l'identité française se trouvent ici rassemblés ! De Philippe-Auguste à François Mitterrand, ce palais (avec les Tuileries qui s'y raccordaient depuis Henri IV et que l'on aurait fort bien pu reconstruire après l'incendie de la Commune si les Républicains n'y avaient vu le symbole de l'Empire défait et des Bourbons chassés) aura été constamment un lieu de pouvoir, avec les deux éclipses du xve siècle et du siècle de la monarchie versaillaise. Bon nombre des grands événements de notre histoire y ont eu lieu. Si l'on a mis tant de soin de nos jours à dégager et mettre en valeur les vestiges enfouis de la forteresse de Philippe-Auguste et du château de Charles V, c'est que l'on a vu là, dans une optique très française, l'affirmation originelle de l'État, comme volonté et comme représentation. Il y a dans cette monstrance comme une sacralisation de l'État ; bien que le Louvre soit désormais affecté à la seule fonction de musée d'art, on n'entend pas effacer son caractère de lieu de mémoire, ni renier son passé de haut lieu du pouvoir. Ce n'est pas par simple commodité que ses vastes locaux, souvent délaissés par les monarques, furent utilisés pour les besoins de l'État. Napoléon III, résidant aux Tuileries, se sert du Louvre comme d'une annexe et fait réaliser par Visconti et par Lefuel des agrandissements qui, tout à la fois, achèvent l'ensemble en lui conférant sa symétrie et permettent de loger le ministère de la Maison de l'Empereur ainsi que les écuries impériales et d'autres commodités domestiques de la cour. La IIIe République y installe dès ses débuts le ministère des Finances ; cette localisation auguste n'a jamais déplu à cette prestigieuse administration et aux ministres qui l'ont dirigée pendant plus d'un siècle, au point que l'on désespérait de jamais les en déloger.

Lieu de pouvoir, le Louvre n'a cependant cessé à aucun moment d'être aussi lieu de culture. Cette double vocation est même, à travers les âges, sa caractéristique fondamentale. On regarde comme hautement symbolique que Charles V y ait installé sa bibliothèque. De François Ier à Louis XIV, les rois ont convié à y travailler les plus grands artistes et, de nos jours, Braque fut invité à y décorer un plafond.

Il y a plus. Le Louvre hébergea longtemps l'Imprimerie nationale ainsi que les Monnaies et Médailles. Soufflot fut chargé, à la fin du règne de Louis XV, d'y concevoir l'implantation de la Bibliothèque royale. À partir de Louis XIV, le Louvre fut le siège des Académies et, dès 1667, les meilleurs artistes furent invités à présenter leurs œuvres au Salon Carré, ouvrant ainsi une longue tradition et consacrant à l'occasion la dénomination du « salon » de peinture, annuel à partir du XVIIIe siècle. C'est Henri IV qui, le premier, décida de faire du Louvre un lieu de résidence pour des artistes protégés par la Couronne, ce qu'il fut pendant deux siècles. Les collections royales y furent en partie exposées au XVIIIe siècle ainsi que, dès Louis XIV, la collection des plans-reliefs avant que la Convention qui siégeait près de là, dans les jardins des Tuileries, y installât le Muséum national, constitué à partir des peintures et des sculptures de la Couronne, désormais dévolues à la nation.

Pendant deux siècles, l'ensemble palatial vivra ainsi concurremment, et sans que personne y trouve à redire, cette double vocation de lieu de pouvoir et de culture. En vérité, à part le Vatican et, dans une moindre mesure, la Hofburg de Vienne, je ne connais pas en Europe et dans le monde, un édifice où, depuis si longtemps, la vie du pouvoir et celle des arts se soient trouvées aussi étroitement et durablement réunies. C'est pourquoi la décision prise dès septembre 1981 par François Mitterrand de destiner l'ensemble du palais à la fonction muséale, au prix d'une restructuration fondamentale admirablement conçue par l'architecte Pei, est un acte majeur de notre histoire qui, par sa signification et sa portée, est d'une tout autre nature que les décisions prises par le même président ou ses prédécesseurs au sujet d'autres grands travaux. Ce qu'il aura fallu d'énergie et de constance pour imposer cette mutation, en dépit de toutes les inerties, comme on le vit lors de la cohabitation de 1986-1988, montre assez combien en France une volonté d'État, au plus haut niveau, est indispensable pour la réalisation d'un grand dessein culturel jusque dans ses plus petits détails. J'en fus le témoin direct lorsque, responsable de la construction du musée d'Orsay, François Mitterrand me fit part de sa volonté d'extraire du Louvre la Direction des Musées de France qu'on logea, à proximité, rue des Pyramides afin qu'il fût clair que le palais devrait être tout entier consacré au musée et à ses strictes dépendances, sans exception. Aucune administration, même culturelle, n'y aurait plus sa place.

*
* *

Si j'ai tenu à mettre en exergue l'exemple du Louvre, ce n'est pas seulement en raison de son caractère éclatant et de sa symbolique, c'est à cause de son ambiguïté. On pourrait en effet conclure que, de Charles V à François Mitterrand, il y a une continuité de ce que certains ont appelé « l'État culturel [1] » et que, pour le meilleur et pour le pire, c'est décidément l'État qui, depuis des siècles, oriente et régit la vie de la culture en France.

La réalité est loin d'être aussi simple. Il est vrai que le pouvoir ne s'est jamais, chez nous, désintéressé de la vie intellectuelle et artistique, mais on pourrait en dire autant de l'Espagne, de l'Angleterre, du Saint Empire, des pays et des cités, principautés et duchés d'Italie et d'Allemagne. La circonstance qu'un État unitaire centralisé existe en France depuis plus longtemps qu'ailleurs ne suffit pas davantage à caractériser une exception culturelle française. Celle-ci est d'une autre nature, et il serait erroné de la réduire à son aspect le plus visible, qui est en effet une longue tradition d'intervention de l'État dans la vie culturelle.

Il y a toujours eu en France, c'est l'évidence, un rapport plus étroit qu'ailleurs entre la culture et le pouvoir. Un rapport fait de méfiance et de fascination mutuelles, alternées ou simultanées. Un rapport tissé de multiples liens matériels et moraux, juridiques ou honorifiques qui relient les intellectuels et les artistes à l'État dont ils sont souvent les commis, par l'attribution de fonctions officielles, et à la personne même du Prince dont ils sont les historiographes, les courtisans ou les valets. Un regard inspiré de Saint-Simon ne manquerait pas de trouver plus d'une similitude, à trois siècles d'intervalle, entre Versailles et l'Élysée de François Mitterrand, sur ce chapitre.

Cependant, il serait hasardeux de tirer de ces rapproche-

---

1. Marc Fumaroli, *l'État culturel, essai sur une religion moderne,* Éditions de Fallois, 1991.

ments, savoureux mais anecdotiques, la conclusion que les rapports entre le pouvoir et la culture (et les gens de culture) ont toujours obéi aux mêmes raisons et fonctionnent selon des constantes ; ils s'inspirent en réalité, selon les époques et les régimes, de considérations fort différentes. Les variations l'emportent, et de loin, sur les continuités.

Il est vrai que, depuis la naissance de notre État, aucun monarque ne s'est désintéressé des valeurs de l'esprit. De règne en règne, la marque du Prince s'est imprimée sur les styles de l'architecture, du mobilier et des objets d'art. Il est significatif que, de Henri II à Napoléon III, tous les styles en France portent le nom du monarque. Il y a bien, en Angleterre, le style « Regency » et, à la rigueur, un style victorien, mais on n'a jamais entendu parler d'un fauteuil Philippe II, d'une commode Frédéric ou d'un bureau Marie-Thérèse.

C'est de l'initiative royale que procède la création d'institutions comme le Collège de France, l'Académie française et ses sœurs cadettes[2], la Comédie-Française, l'Académie royale de Musique, les Manufactures des Gobelins, de la Savonnerie, de Beauvais et de Sèvres, l'Académie de France à Rome, toutes institutions qui, au prix de multiples mutations, sont parvenues jusqu'à nous. De Léonard de Vinci à Molière, Racine et Lully, la protection royale s'est étendue sur maints artistes. De Henri IV créant la place Royale et de Louis XIV dessinant la place des Victoires jusqu'aux intendants du XVIIIe siècle comme Turgot et Tourny, à Haussmann sous Napoléon III et à Delouvrier sous de Gaulle, le visage de nos villes est encore marqué par de grands gestes d'État. Nos musées seraient bien pauvres si les confiscations italiennes, de François Ier à Bonaparte, les commandes royales, les trafics et les legs de Richelieu et Mazarin n'en avaient pas constitué les fonds. Il n'est pas interdit de voir dans la surintendance générale des Bâtiments du Roi, Arts et Manufactures, créée par Colbert en 1664, l'ancêtre de l'administration de la culture.

---

2. L'Académie royale de Peinture et de Sculpture (devenue de nos jours l'Académie des Beaux-Arts), l'Académie des Inscriptions et Belles-Lettres et l'Académie des Sciences.

Cependant, si cette longue série d'initiatives de tous ordres donne une forte impression de cohérence et de continuité, ne serait-ce qu'en raison de l'héritage somptueux qu'elles nous ont laissé, il faut bien admettre qu'elles sont le fruit de raisonnements, de calculs et d'impulsions qui n'ont pas grand-chose à voir avec ce qui fait la substance de la politique culturelle moderne. S'y mêlent en effet le souci de la gloire et de l'exaltation du pouvoir royal, la recherche de l'agrément, le culte avoué du caprice et l'organisation des « menus plaisirs », la passion de l'enrichissement, fût-ce aux frais de l'État, la volonté aussi d'assujettir ou de surveiller des esprits forts et de les convertir en chantres zélés de la grandeur royale, tous motifs qui, lorsqu'on les retrouve dans certains choix publics contemporains, apparaissent plutôt suspects et révélateurs d'une tentation monarchique qui est le vice, incurable jusqu'ici, de notre République. Sous cette dernière réserve, on est loin des fondements politiques, moraux et sociaux de la politique culturelle de la démocratie moderne.

Au demeurant, l'attitude du pouvoir à l'égard de la culture varie considérablement selon les époques. Ainsi observe-t-on un profond contraste entre le XVIIe et le XVIIIe siècle.

Au XVIIe siècle, l'initiative royale, le mécénat des princes et des intendants, la vie de cour elle-même sont au cœur de la création littéraire et artistique : Molière et Racine, mais aussi Madame de Sévigné, Bossuet, Fénelon, Perrault, Le Vau, Le Brun, Mansart, Coysevox, Lully et Charpentier sont des acteurs de premier plan de la scène royale. Par contraste, des créateurs majeurs comme Puget, Poussin, La Fontaine, Descartes qui ont pris leurs distances et suivi des itinéraires singuliers apparaissent presque comme des marginaux, et l'on n'en trouvera plus guère de cette espèce à la fin du siècle, lorsque l'ordre moral des trente dernières années du règne se sera imposé.

La situation est différente au XVIIIe siècle. La vie intellectuelle et artistique s'émancipe, dès la Régence, par rapport à la Couronne ; elle s'enracine, à travers les salons, dans la ville plutôt qu'à la cour, et devient cosmopolite. Si la plume caresse encore le sceptre, c'est à Potsdam ou à Saint-Pétersbourg plutôt qu'à Versailles. Chardin, Fragonard, Rameau, comme Diderot, Voltaire ou Rousseau illustrent, par leur personnalité, par leur façon de vivre comme par leurs œuvres, ce passage à une culture bourgeoise émancipée — j'allais écrire laïcisée — par rapport au pouvoir. Il n'est pas indifférent que la plus grande initiative culturelle du temps, l'Encyclopédie, ait été réalisée par souscription de particuliers et ne doive rien à une volonté ou même à une aide de l'État — bien au contraire. C'est encore par les Académies que s'entretient le lien entre une culture de cour et une culture de ville de plus en plus dissociées et vivant chacune selon sa propre logique. Il est révélateur que les grandes institutions culturelles que l'Ancien Régime nous a léguées remontent toutes au XVIe et au XVIIe siècle, et aucune au XVIIIe, si éclatant qu'ait été ce siècle par son esprit et par ses œuvres, sans parler du point de perfection où il a porté notre langue. C'est au XVIIIe siècle que s'établit un certain rapport conflictuel, dans les deux sens, entre la culture et le pouvoir — non plus par la résistance d'un milieu spirituel étroit comme les jansénistes au siècle précédent, mais par le fait de toute la société civile (où l'inspiration janséniste a d'ailleurs sa part). Bastille, cabinet noir, censure, procès, cabales, exils, surveillance policière : tout un arsenal d'État est mis en œuvre contre un pouvoir intellectuel naissant qui confère au XVIIIe siècle, tel que nous le voyons, sa modernité.

La Révolution et l'Empire poursuivront cette pratique conflictuelle, tout en restaurant la tradition d'un État organisateur et gestionnaire de la culture et fondateur d'institutions. Si la République n'a pas besoin de savants et les envoie à l'occasion à l'échafaud, en compagnie de poètes, et laisse dilapider et détruire une bonne part de notre patrimoine national, la Convention crée le musée du Louvre et fonde l'Institut de France après avoir, dans un premier temps, supprimé les Académies comme on l'avait fait auparavant des corporations et des parlements. Napoléon donne de Moscou son statut à la Comédie-Française et installe à la Villa Médicis l'Académie de France à Rome.

S'il commence sous les espèces abâtardies d'un despotisme plus ou moins éclairé, le XIXe siècle voit naître progressivement certaines des formes modernes de l'intervention de l'État dans le domaine de la culture. Il y aura bien, sous le Second Empire, une sorte de retour délibéré et quasi mimétique à l'esprit de cour, au mécénat monarchique, avec un mélange d'esprit répressif dont Baudelaire et Hugo furent les victimes les plus notoires, et de protection éclairée dont le Salon des Refusés, voulu par l'Empereur, est le signe le plus spectaculaire. Là n'est pas, toutefois, le plus important. Ce qui compte, c'est la façon dont, avec l'industrialisation et l'ensemble des progrès économiques et sociaux qu'elle engendre, la société moderne, qui naît à partir des années 1840, traite les affaires de la culture.

Certains ont idéalisé le modèle d'« État modeste » que représenterait en ce domaine la IIIe République. D'autres, comme Jeanne Laurent dans *la République et les Beaux-Arts* ont à l'inverse voué aux gémonies cet appareil public de la culture bourgeoise enfermé, selon eux, dans l'académisme et axé sur la reproduction d'un modèle social condamnable parce que conformiste et élitaire.

Il me semble que ces présentations sont également injustes, ne serait-ce que parce que, selon un travers bien français, elles placent l'État au centre de tout, que ce soit pour l'exalter ou pour l'abhorrer. Je voudrais tenter une approche plus sereine et plus large, dénuée de toute rancune, et analyser la situation de la culture au XIXe siècle, non comme un modèle archaïque à repousser ou un paradis perdu à retrouver, mais comme un moment, parmi d'autres, de l'exception culturelle française.

Parlons d'abord de l'État puisqu'il est, comme on dit aujourd'hui, incontournable. Après deux tentatives éphémères d'un ministère des Arts, à partir de 1862 sous Napoléon III et avec le grand ministère Gambetta de 1884, on voit s'installer dans les structures gouvernementales de la République un portefeuille ministériel de la Culture, modeste mais durable, sous la forme d'un sous-secrétariat aux Beaux-Arts placé auprès du ministre de l'Instruction publique. Il subsistera sous la IVe République avec le titre de secrétariat d'État aux Arts et Lettres rattaché au ministère de l'Éducation nationale. Là n'est pas l'essentiel. Ce qui est décisif, c'est le fait que se constitue progressivement une administration de la culture dont la matrice est la Commission des monuments historiques créée sous la monarchie de Juillet à l'initiative de Guizot et dont Vitet puis Mérimée furent les animateurs. Dans ce domaine comme dans d'autres secteurs du patrimoine, musées et archives, on voit naître et se développer des corps d'agents publics à haute compétence scientifique, qui vont progressivement constituer une mémoire, une expertise et même une éthique de la conservation et de la mise en valeur de l'héritage monumental, historique et artistique de la nation [3].

Parallèlement, l'administration des Beaux-Arts, issue de quelques bureaux longtemps dispersés entre plusieurs ministères, se dote des moyens d'exercer une action de tutelle, modeste elle aussi, sur les grands établissements culturels que sont les conservatoires, les théâtres nationaux d'art dramatique, lyrique et chorégraphique ainsi que les musées.

Sans éclat, avec patience et intégrité, cette administration de la culture qui, contrairement à d'autres, ne doit pratiquement rien à l'héritage des bureaux et offices de l'Ancien Régime, va ainsi prendre sa place dans les institutions de la République et l'on peut affirmer que Malraux n'aurait pu créer un ministère des Affaires culturelles s'il n'avait eu d'entrée de jeu à sa disposition cette administration riche d'une expérience de plus d'un siècle.

Ce serait toutefois faire preuve de simplisme que de réduire l'organisation publique de la vie culturelle à ce modeste appareil gouvernemental.

Notons d'abord qu'il y eut d'autres initiatives politiques, comme les expositions universelles qui, exaltant la prospérité nationale sous toutes ses formes, furent des stimulants pour la création artistique en tous domaines, de l'architecture à l'opéra, et pour l'accès d'un public populaire à la culture vivante. Dans le domaine de l'Université, le déve-

3. On en trouve un bel exemple avec Philippe de Chennevières dont les *Souvenirs d'un directeur des Beaux-Arts* ont été réédités par Arthéna en 1979.

loppement des activités de recherche, notamment dans l'ordre de l'histoire, de la linguistique et de l'archéologie, dota la France d'un corps de spécialistes qui, essaimant à travers le monde jusqu'à l'Extrême-Orient, poursuivirent la tradition de Denon et de Champollion et firent de la France, avec l'Angleterre et l'Allemagne, l'un des carrefours universels de l'étude et de la confrontation de toutes les cultures, nos écrivains et nos artistes trouvant là de nouvelles sources d'inspiration. Dans un autre ordre d'idées, les grandes opérations d'urbanisme, notamment sous le Second Empire, stimulèrent, elles, la création architecturale et ses prolongements dans les arts décoratifs.

En vérité, toute la vie intellectuelle et artistique de la France du XIXe siècle s'est organisée, non par rapport à un centre unique constitué par ce qui tenait lieu alors d'administration de la culture au sens actuel du terme, mais autour de multiples pôles publics en même temps que de lieux d'initiative privée, fruits de la société bourgeoise et marchande.

En premier lieu, les Académies. Reconstituées en 1795 et regroupées en un Institut de France, les Académies vont jouer un rôle central dans la vie intellectuelle et artistique au XIXe siècle et dans la première moitié du XXe, rôle qui n'a son équivalent en autorité et en prestige dans aucun pays d'Europe. Il s'agit certes d'institutions publiques dont le statut relève de l'État mais qui bénéficient d'une large autonomie, ne sont en aucune manière des dépendances du pouvoir et a fortiori de l'administration, qu'elles traitent d'ailleurs de fort haut. Recrutées par cooptation, bénéficiaires de maints dons et legs dont celui du duc d'Aumale à Chantilly n'est que le plus illustre, les Académies, fortunées et longtemps respectées, auront une immense influence sur la vie intellectuelle, scientifique et artistique du pays, concourant par bien des aspects à la gestion de véritables services publics culturels mais sans relever d'une quelconque dépendance hiérarchique par rapport à la bureaucratie d'État. On a tout dit sur les inconvénients qu'a pu avoir à la longue ce système fermé. Le mot d'académisme résume à lui seul la diabolisation dont ces institutions ont été l'objet. On cite à plaisir les écrivains, les artistes qui ont été ignorés, voire rejetés par elles, et à l'inverse, tant d'obscurs, de médiocres qui y trouvèrent place ; mais on ne souligne pas suffisamment qu'à la différence de l'académisme de type soviétique ou d'autres systèmes politiques et sociaux fermés sur eux-mêmes, aucune répression, aucun interdit de droit ou de fait n'a jamais accompagné ces rejets. Mallarmé, Cézanne, Debussy et Rodin ont pu trouver leur public et connaître d'autres formes de consécration, plus durable encore, dans l'ambiance générale d'une société libérale, plus ouverte qu'on ne le croit aujourd'hui à toutes les audaces de l'esprit créateur.

Ce « système des beaux-arts », très structuré avec ses Académies et les autres institutions placées, elles, sous la tutelle directe de l'État, même s'il s'est peu à peu retranché de l'innovation à partir des grandes ruptures esthétiques qu'inaugurent Baudelaire et l'impressionnisme, n'a en rien stérilisé la création. Une bourgeoisie éclairée, des mécènes, voire quelques hommes politiques à l'esprit ouvert pourvoyaient à son soutien. S'il a fallu attendre la période du Front populaire pour que la Comédie-Française s'ouvre aux nouveaux courants de la mise en scène illustrés par le Cartel, si le théâtre privé peut revendiquer l'honneur d'avoir seul découvert Claudel et Giraudoux, si l'Opéra est resté fermé jusqu'à l'après-guerre 1939-1945 aux nouveaux courants chorégraphiques apparus avec Diaghilev dans les premières années du siècle, si le cinéma est né et a connu certaines de ses heures les plus glorieuses jusqu'à la Seconde Guerre mondiale en dehors de toute aide de l'État, c'est quand même sur une scène publique — celle de l'Opéra-Comique — que furent créés *Carmen, Pelléas et Mélisande, l'Heure espagnole, Ariane et Barbe-Bleue.* L'Opéra de Paris, dans le domaine lyrique, a été au cœur des controverses sur Wagner et, en concurrence avec le Théâtre Italien, a consacré Verdi. C'est bien au Conservatoire de la rue de Madrid que les plus novateurs des musiciens de la IIIe et de la IVe République ont, jusqu'à Messiaen, formé des générations d'élèves, Boulez compris. En architecture, et bien avant Malraux, la commande publique, même si elle a ignoré longtemps Le Corbusier et Prouvé, a donné leur chance depuis le début du siècle, pour ne pas remonter plus haut, à des novateurs comme Tony Garnier, Perret, Carlu et Aubert.

En vérité, c'est surtout au XXe siècle que le système des beaux-arts s'est sclérosé, notamment dans le domaine du théâtre et des arts plastiques. Le refus légendaire par les musées nationaux d'une bonne part de la donation Caillebotte, le dédain systématique de nouvelles écoles de peinture, ne sauraient être compensés par le soutien public d'un Clemenceau à Monet et à Rodin, ni par les quelques initiatives éclairées d'un Anatole de Monzie, d'un Georges Huisman et d'un Jean Zay à la fin de la IIIe République.

Il faudrait aussi parler de la province. On oublie trop que, jusqu'à l'effort d'investissement considérable des trente dernières années, la vie culturelle de la province française, qui fut fort active, s'est logée dans les musées, les bibliothèques, les théâtres, les opéras que les villes ont construits à leurs frais au XIXe siècle (à l'exception de quelques salles qui, comme le Grand Théâtre de Bordeaux et le théâtre Graslin de Nantes, remontent au règne de Louis XVI). Culture bourgeoise, certes, mais fort vivante et qui ne devait pratiquement rien à l'État.

Toutes ces initiatives publiques de l'État, des Académies, des villes, si importantes qu'elles fussent, ne représentent cependant, pour la période qui va en gros du milieu du XIXe siècle à celui du XXe (ce que l'on pourrait appeler « le siècle à cheval »), qu'un aspect parmi d'autres d'une vie culturelle proliférante, largement prise en charge par l'initiative privée, sous les deux formes économiques du commerce et du mécénat des grandes fortunes, renouant ainsi, après les tumultes de la Révolution et de l'Empire, avec les usages du XVIIIe siècle [4]. Il y a là une continuité au moins aussi déterminante que celle de l'intervention de l'État, dans la constitution de l'exception culturelle française.

C'est à cette époque que l'on voit se lever une génération de ceux que l'on n'appelait pas encore des « entrepreneurs

---

4. On en trouvera une belle illustration dans une étude de Raymonde Moulin, « les Bourgeois amis des arts : les expositions des Beaux-Arts en province » dans *De la valeur de l'art,* Flammarion, 1995.

culturels » : éditeurs, marchands d'art, directeurs de théâtre, éditeurs de musique et de presse puis, plus tard, producteurs de films ; mais en tous ces domaines, la France n'innove ni plus ni moins que les autres pays d'Europe et d'Amérique du Nord. Elle est à l'unisson d'une vie culturelle désormais soumise pour une bonne part à la logique du marché ; en tout cas, elle n'y fait pas exception, à cette seule réserve qu'elle applique à certains secteurs de la vie culturelle, et notamment le spectacle, la formule juridique de la concession de service public, expérimentée antérieurement pour les chemins de fer et l'énergie ; c'est par exemple sous ce régime que seront exploités jusqu'à la Seconde Guerre mondiale l'Opéra et l'Opéra-Comique et, jusqu'aux années soixante, le TNP, le concessionnaire se voyant confier, à ses risques et périls financiers, l'exploitation d'une scène publique dont les recettes lui reviennent.

Ce modèle libéral, longtemps vivace, a fort bien convenu à une société pour qui la culture n'était affaire publique que sous les formes institutionnelles d'un patrimoine à conserver, de formations propres à faire éclore les vocations artistiques, et d'une tradition académique à maintenir. La République centrait son ambition, dans l'ordre de l'esprit, sur la généralisation de l'instruction publique, considérant que tout être convenablement instruit détenait par là même les clés d'un accès personnel et libre à la culture. De fait, de Jaurès à Guéhenno et Pompidou, la culture fut bien, pour les lauréats de la promotion républicaine, la récompense du savoir, ce qui, comme la grâce pour les chrétiens, est donné par surcroît aux hommes de bonne volonté.

*
* *

De ce survol rapide de la longue histoire française des relations entre le pouvoir et la culture, une conclusion s'impose : ce qui caractérise notre exception culturelle, ce n'est pas une tradition ininterrompue et homogène d'intervention de l'État dans ce domaine. Elle existe certes, mais si composite, si variable, si contradictoire et à bien des égards si lacunaire que l'on hésite à y discerner, sauf à forcer le trait, de réelles constantes. Ce qui marque avant tout notre histoire, c'est plutôt cet aspect très ordonné, officiel, *institutionnel* pour tout dire, de la culture en France. C'est ce qui explique, par exemple, l'étonnante longévité de tant d'institutions, du Collège de France à la Comédie-Française, dans un pays dont le système politique a été si secoué et si changeant. Les Empires et les Républiques passent, la Légion d'honneur et l'Institut restent. C'est en cela précisément que l'Empire constitue la charnière entre l'Ancien Régime et la France moderne. Il a ordonné la société en fonction d'une hiérarchie fondée en principe sur le mérite et garantie par l'État mais qui s'étend à toutes les activités, y compris celles de l'esprit. Taine écrit dans les *Origines de la France contemporaine :* « Selon que la place est plus ou moins haute, elle confère à son possesseur une part plus ou moins grande des biens que tous les hommes désirent et recherchent, argent, autorité, patronage, influence, considération, importance, prééminence sociale ; ainsi, selon le rang que l'on atteint dans la hiérarchie, on est quelque chose ou peu de chose ; hors de la hiérarchie, on n'est rien. »

Tous les talents, qu'ils soient politiques, administratifs, militaires, ou bien de l'industrie, du négoce, des lettres et des arts, se trouvent ainsi mesurés à la même aune, qui n'est pas seulement celle des honneurs officiels, mais de la considération sociale en général. Combien révélateur est le mot de Satie, je crois, au sujet de Ravel : « Il refuse la Légion d'honneur, mais toute sa musique la réclame. » À toute époque, on observe chez nos écrivains, chez nos artistes, ce souci de la reconnaissance d'État ; et une invitation de Napoléon III à Compiègne ou de Mitterrand à l'Élysée valent presque autant qu'une rosette. « Sire, Marly », imploraient les courtisans de Louis XIV au sortir de la messe à la Chapelle Royale de Versailles. « Président, Latché », semblent murmurer en écho les courtisans rameutés par Jack Lang. Quand on voit l'empressement d'une partie, la plus voyante et la plus superficielle, du milieu artistique, surtout celui du spectacle, autour des hommes politiques, spécialement en période d'élections présidentielles, on se dit que nulle part ailleurs le pouvoir n'exerce une telle fascination sur les gens de culture.

De Chateaubriand et Lamartine à Malraux, en passant par Tocqueville, Victor Cousin et Giraudoux, les écrivains ont joué un rôle politique qui ne trouve guère d'équivalent dans d'autres pays, pas plus que l'on n'imagine ailleurs qu'en France un événement populaire comme les funérailles de Victor Hugo. L'influence politique des écrivains et des artistes, de Courbet à Sartre et de Talma à Bernard-Henri Lévy, n'est guère concevable dans d'autres pays. La reconnaissance littéraire demeure le rêve des hommes politiques. L'écrivain fonctionnaire est une spécialité française. Il y a assurément en Europe bien des pays aussi « cultivés » que la France ; il n'en est aucun où la culture ait, au même degré, un « statut ». Les seuls exemples contemporains sont ceux des pays de l'Europe dite de l'Est où la reconnaissance officielle des savants, des écrivains et des artistes — et, symétriquement, le rôle qu'une partie d'entre eux a joué, de Sakharov et Soljenitsyne à Havel, dans la dissidence — a donné à la culture un rôle politique encore plus grand, mais singulièrement plus héroïque et périlleux.

Ce caractère officiel de la vie culturelle française a de quoi étonner les étrangers. Les rares sépultures à Westminster et les titres nobiliaires accordés par la Couronne d'Angleterre à quelques écrivains et artistes dans un Royaume-Uni pourtant pétri de traditions et conscient de la haute valeur de sa culture sont sans commune mesure avec cette tradition française de préséances, d'honneurs et d'institutions. Si, au sens des pratiques individuelles, la culture est, en France comme partout, une activité purement privée, un jardin secret, elle est, dans la cité, une activité officielle. On a pu séparer l'Église de l'État. Il n'est venu à l'idée de personne de voter la séparation de la Culture et de l'État.

Cette tradition n'exclut pas, cela va sans dire, les transgressions, les avant-gardes et pas davantage les conflits ouverts, les censures, les dissidences d'intellectuels ou d'artistes. Toutefois, on n'échappe pas à la logique du système : refuser les honneurs, dédaigner l'Académie sont encore des actions d'éclat, comme l'ont montré les exemples de Sartre, d'Aragon et de Julien Gracq ; mais Boulez entre au Collège de France et Béjart à l'Académie des Beaux-Arts. Belle revanche de l'Institution... Il n'y a guère qu'en France qu'un artiste puisse à lui tout seul être une institution, comme c'est le cas aujourd'hui de Pierre Boulez, en dehors de toute fonction officielle. Au Japon, certains maîtres sont classés « monument national » ; la France, à sa façon, en fait autant, et ce n'est peut-être pas le trait le plus antipathique de notre pays que ce statut auguste conféré à la culture, qui la met d'une certaine façon au-dessus des pouvoirs institués.

C'est ici qu'il faut en revenir à notre vieux Louvre, symbole de la culture française dans le rapport ancestral que celle-ci entretient avec le pouvoir, non comme service public ou comme auxiliaire docile, pas davantage comme contre-pouvoir, mais comme règne de l'esprit devant lequel le pouvoir politique s'incline et dont il attend une reconnaissance et comme une consécration, fût-ce à titre posthume dans la mémoire des hommes. En acceptant de quitter le Louvre, et de réserver le palais à la culture, le pouvoir a consacré la place éminente qu'il reconnaît à celle-ci dans la vie publique, par un geste encore plus ample que celui de Louis-Philippe décidant de faire d'un Versailles délaissé, symbole anachronique d'un pouvoir de droit divin, un musée consacré « à toutes les gloires de la France ». L'idée même de ce rapprochement entre ces deux actes fondateurs, comme la coïncidence, à deux siècles de distance, de la création révolutionnaire du musée du Louvre et de l'ouverture du Grand Louvre montrent combien la culture française est marquée plus qu'aucune autre par ses liens ambigus mais indémêlables avec le pouvoir.

Il y a une logique dans le fait que le régime fondé en 1958 par le général de Gaulle avec une volonté affichée de restaurer l'autorité de l'État se soit inspiré, à travers ses présidents successifs, d'une certaine tradition monarchique de protection et d'exaltation des lettres et des arts. Il y a une logique encore dans le fait qu'à des degrés divers, du général de Gaulle à François Mitterrand et de Malraux à Lang, on a vu réapparaître, sous des formes nouvelles, une relance des commandes publiques, une tendance à l'art officiel, avec l'inévitable retour de l'esprit de cour. Relégitimé, l'État en France a renoué avec sa tradition séculaire de protection des arts et des artistes.

C'est ce que l'on a appelé la politique culturelle. Elle est le sujet de ce livre. Je m'y tiendrai, même si je sais que, pour le lecteur comme d'ailleurs pour moi, il serait plus stimulant de disserter sur la culture en général, ou sur l'évolution des tendances contemporaines de la musique, de la peinture ou du théâtre ; mais je n'ai guère de titres particuliers à en parler, à partir d'une expérience intime d'amateur qui ne vaut pas plus que celle de quiconque. En revanche, je suis engagé depuis de longues années dans l'action pour la culture. C'est à la lumière de cette expérience concrète, multiforme, que je me sens en droit, et peut-être en devoir, de témoigner.

À arpenter ainsi des terrains bien réels, on n'a guère le loisir de philosopher. L'idée que l'on se fait, en marchant, au sujet de la culture, idée tantôt militante, tantôt gestionnaire, traversée d'enthousiasmes et de découragements, porte rarement vers les cimes spéculatives. Au demeurant, on n'est que peu aidé, sur ces chemins, par la pensée des penseurs, si éloignée de nos pauvres réalités, celles du public qui ne vient pas, de l'argent qui manque, et des artistes qu'il faut non seulement soutenir, mais aimer — ce qui est parfois épuisant.

En labourant ainsi des terres ingrates, on acquiert cependant une conviction au sujet de la culture, qui aide à rester debout et à continuer. Jusqu'au jour où l'on se demande si l'on n'a pas épuisé son capital d'idées. À défaut de s'en procurer de nouvelles du côté des théoriciens, les questions auxquelles nous sommes confrontés, dans la dure succession des jours qui passent, nous mettent peut-être sur la voie...

Chapitre III

MALRAUX

Un bilan contrasté et un legs irrécusable (1959-1969)

Que ce que l'on appelle la politique culturelle soit l'œuvre de la Ve République, nul ne peut le contester. Toutefois, l'élan fondateur de l'État gaullien en ce domaine fut moins prémédité, empressé et méthodique qu'on le dit généralement et il serait erroné de croire que l'on a, d'un coup, tout inventé. Pour André Malraux, comme plus tard pour Jack Lang, s'est tôt constituée une sorte de Légende dorée, tranchant avec le prosaïsme attribué aux époques antérieures, et qu'il faut démythifier avant que les historiens ne s'emploient un jour à la mettre en pièces.

Avant d'exposer les circonstances précises de la création, en 1959, d'un ministère des Affaires culturelles, et de souligner l'influence que la pensée d'André Malraux a eue sur la conception de la politique culturelle, il importe de dégager une idée centrale qui dépasse la personne et l'itinéraire singulier de l'auteur des *Conquérants,* même s'il l'a à maintes reprises exprimée et magnifiée dans ce style incantatoire et parfois boursouflé qui était le sien. Cette idée éminemment politique, au bon sens du terme, était que la culture devait être offerte au plus grand nombre afin de mettre un terme à l'injustice que constitue un accès trop limité socialement à ses valeurs, à ses œuvres et à ses pratiques.

Noble et généreux par lui-même, ce dessein n'avait pourtant rien d'évident, et n'a pas manqué de nourrir, depuis les années vingt, un débat qui, aujourd'hui encore, n'est pas clos.

Pour certains, en effet, le problème ne se pose pas, et ne peut donc être soulevé que pour de mauvaises raisons : rien n'interdit à qui que ce soit, surtout de nos jours, l'accès à la culture ; celle-ci n'a rien de censitaire et elle est même, depuis déjà longtemps, l'une des fonctions sociales les moins coûteuses pour ceux qui s'y livrent, car elle bénéficie, plus que le sport, le tourisme et autres activités de loisir, de la gratuité ou de tarifs artificiellement abaissés, subventions aidant, au profit notamment des catégories sociales les plus dignes d'intérêt. Progressivement, tout au long de ce siècle qui s'achève, avec l'école et la généralisation de l'instruction, avec la presse, la radio, le cinéma, puis la télévision, avec l'extension du temps libre, la démocratisation des voyages, bien des facteurs ont joué pour éviter que la culture soit un ghetto. Ainsi ouverte au plus grand nombre, elle n'aurait nullement besoin d'une « politique » qui, sous prétexte de rendre accessible ce qui est devenu naturellement disponible, pour peu que l'on s'en donne la peine, ne pourrait nourrir que d'obscurs desseins.

Ceux qui contestent ainsi la légitimité d'une politique culturelle reconnaissent que l'aile marchante de la création littéraire et artistique ne touche d'abord qu'une frange d'amateurs éclairés ; mais c'est une constante de l'histoire : ce qui s'est vu au temps du Bœuf sur le toit, des Ballets russes, de la NRF et de l'École de Paris était aussi vrai à l'époque de Marivaux, d'Ingres ou de Fauré. Les courants novateurs ne s'adressant jamais qu'à l'élite, l'innovation culturelle se propage ordinairement par un effet plus ou moins rapide de capillarité sociale qui transforme tôt ou tard une renommée en gloire et une mode en style.

Que quiconque doté d'un peu d'altruisme ne puisse se satisfaire de cette fatalité élitaire n'implique pas que l'État doive se mobiliser pour combler ce fossé entre le petit nombre et le grand public. Encore aujourd'hui, il se trouve de bons esprits pour considérer que l'État sort de son rôle en matière culturelle dès qu'il ne se borne pas à gérer le patrimoine et les grandes institutions qu'il a reçus en héritage, tout ce qui concerne la propagation de la culture devant être laissé à la libre initiative de chacun, ainsi qu'à la loi de l'offre et de la demande applicable en ce domaine comme ailleurs. Le seul autre devoir de l'État démocratique, selon les partisans de cette thèse, est d'offrir à tous, par l'école républicaine, le savoir qui permet justement d'acquérir à la fois la capacité et l'envie de cet accès à la culture.

Il s'est cependant trouvé des êtres généreux qui, dès le début du siècle, ne pouvant se résigner à ce « laisser-faire, laisser-cultiver », ont cherché par des voies modestes et empiriques à encourager une plus grande diffusion de la culture. Certains, comme les frères Pottecher à Bussang avec le théâtre du Peuple, ou Firmin Gémier, ont milité pour offrir à un public populaire un théâtre de qualité, comme le feront plus tard les Copiaux en Bourgogne. Des éditions à bon marché, le développement d'un réseau de bibliothèques ont joué un rôle semblable, au temps où l'écrit était encore le principal mode d'accès à la culture. Des municipalités d'esprit progressiste dans les banlieues des grandes villes, des associations d'intérêt général, des communautés philosophiques ou spirituelles ont pris des initiatives méritoires, et souvent mal vues, dans cette perspective — maisons du peuple, universités populaires —, et cela en dehors de toute intervention de l'État. La « République des professeurs » s'accommodait fort bien d'une culture au mérite.

C'est seulement avec le Front populaire, sous l'inspiration d'hommes comme Jean Zay et Léo Lagrange, qu'une politique d'éducation populaire, de loisirs organisés encourage et fédère ce genre d'initiatives et esquisse une politique culturelle. Le temps manquera cependant à Jean Zay pour aller plus loin que quelques gestes, comme la nomination d'Édouard Bourdet à la Comédie-Française, la transformation en établissement public de l'Opéra et de l'Opéra-Comique, et le principe de la création d'un musée national enfin ouvert à l'art moderne non académique.

Mise entre parenthèses pendant l'Occupation, encore qu'entretenue à petit feu par le mouvement Jeune France et les équipes d'Uriage, que certains ont classés un peu vite dans une stricte obédience vichyste, cette inspiration surgit à nouveau dans l'atmosphère généreuse de la Libération, avec Jean Guéhenno, responsable de l'éducation populaire au ministère de l'Éducation nationale [1], et le règne éphémère de Pierre Bourdan, chargé en 1947 d'un ministère de la Jeunesse, des Arts et Lettres [2]. Bientôt, toutefois, la volonté politique s'étiole. La IVe République naissante a d'autres priorités : la reconstruction, la modernisation de l'appareil économique et l'édification d'une démocratie sociale. On chercherait en vain les traces d'une véritable ambition culturelle dans le discours politique et dans l'action des gouvernements de l'après-guerre. L'administration des Beaux-Arts s'était avant tout consacrée, pendant le conflit, à faire vivre non sans courage les théâtres nationaux (qui connurent alors une période brillante), ainsi qu'à disperser dans des lieux sûrs les trésors des musées et à protéger par des sacs de sable les sculptures des cathédrales dont on avait démonté les vitraux les plus précieux. La paix revenue, elle réinstalle ses trésors et reprend, impavide, sa mission classique au service des institutions culturelles.

Celles-ci vont connaître alors une période particulièrement faste. Avec Pierre Dux puis Pierre-Aimé Touchard à la Comédie-Française, Georges Hirsch puis Maurice Lehmann à l'Opéra, Jean Cassou au musée d'Art moderne, effectivement créé après la guerre, Germain Bazin au Louvre, Claude Delvincourt au Conservatoire, Georges Salles aux Musées de France, Charles Braibant aux Archives, Julien Cain à la Bibliothèque nationale, les grands vaisseaux de la culture ont des capitaines de vaste envergure. Dans le choix des responsables, la IVe République aura eu la main heureuse [3]. La Radiodiffusion française, service public, placé sous l'autorité d'hommes éminents comme Wladimir Porché

1. Guéhenno abandonnera vite cette responsabilité qui sera transférée au ministère de la Jeunesse et des Sports dont le personnel, principalement composé d'inspecteurs des sports, était peu préparé à des tâches éducatives.

2. Après sa mort accidentelle en octobre de la même année, ses compétences en matière d'arts et lettres retomberont sous la coupe du ministère de l'Éducation nationale, à l'exception du cinéma qui sera confié au ministère de l'Industrie.

3. On doit aussi à la IVe République la grande loi de 1957 sur la pro-

ou Gabriel Delaunay, connaît alors ses plus belles heures ; rassemblant des talents exceptionnels [4], la Radio nationale va jouer un rôle important et souvent novateur dans la musique, le théâtre, la littérature, contribuant ainsi à une diffusion massive de la culture, dont ma génération a été la première à profiter. Gilbert Cesbron, Pierre Hiegel, Pierre Dumayet font de même à Radio Luxembourg. Au ministère de l'Industrie, un Centre national de la Cinématographie, sorti tout droit du comité d'organisation créé par Vichy pour cette industrie comme pour les autres, élabore en étroite concertation avec la profession une politique active de soutien financier. Parallèlement, les pouvoirs publics s'appliquent à relancer le rayonnement international du cinéma français, par le Festival de Cannes notamment. Dans le domaine du patrimoine, on se consacre essentiellement à réparer les dommages de la guerre ; mais dans les années cinquante, deux initiatives préfigurent l'avenir : un effort de vaste envergure, en prise directe sur l'opinion, est entrepris pour restaurer le château de Versailles, qui menaçait ruine ; en 1952 est inauguré à Chambord le premier « son et lumière » et le développement rapide de la formule incite le grand public à jeter un regard nouveau sur les grands monuments que les débuts du tourisme de masse commencent à rendre plus attractifs. Au Quai d'Orsay, l'association française d'action artistique, brillamment conduite par Philippe Erlanger, s'emploie à diffuser la culture française au-dehors, tandis que se crée, avec A.M. Julien, le théâtre des Nations qui fait de Paris un carrefour mondial du théâtre. De grandes expositions internationales commencent à attirer un public nombreux au Grand et au Petit-Palais, amplifiant ce qu'avait préfiguré la mémorable présentation de l'art italien en 1935.

---

priété littéraire et artistique et la création subséquente de la Caisse nationale des Lettres.

4. Il suffit d'énumérer des noms comme ceux de Manuel Rosenthal, D.E. Inghelbrecht, Pierre Schaeffer, Roland Manuel, François Billetdoux, Jean Witold, Armand Panigel, sans parler des pionniers de la télévision alors naissante.

Il serait exagéré d'opposer un Paris brillant à un désert culturel de la province. Certes, dans la plupart des villes, la vie artistique sommeille ; mais à Strasbourg, à Bordeaux, à Aix-en-Provence, à Prades naissent des festivals de musique et, à Avignon, de théâtre. Sous l'impulsion d'André Farcy, le musée de Grenoble est le premier à s'ouvrir à l'art moderne.

Comme sous la IIIe République, des initiatives privées, complètement indépendantes de l'État, et dont les responsables ne songent même pas à lui demander une aide, contribuent à une étonnante vitalité de la culture : les compagnies de Jouvet, Dullin, Barsacq, Pitoëff, Barrault-Renaud pour le théâtre, du Domaine musical, l'École de Paris activement soutenue par les grandes galeries de peinture. Si la Comédie-Française joue des auteurs vivants mais déjà consacrés comme Claudel, Montherlant, Jules Romains, Gide et Mauriac, c'est le théâtre privé qui révèle Anouilh et Salacrou, mais aussi Ionesco et Beckett. Plusieurs compagnies de ballets se créent. De nouvelles maisons d'édition comme Robert Laffont, Julliard, le Seuil, Minuit relancent le dynamisme et l'esprit de découverte que la place de Paris avait manifestés depuis le début du siècle avec Gallimard, Grasset, Fayard, Albin Michel sans parler de maisons plus anciennes mais toujours actives comme Plon, Flammarion et Calmann-Lévy. On ne saurait oublier le rôle de la presse quotidienne et plus encore hebdomadaire qui, avec de nouveaux magazines comme *France Observateur* et *l'Express,* donne à la vie culturelle, à partir des années cinquante, une place de choix, avec d'illustres signatures, tandis que la *NRF* ressuscitée, rejointe par des cadettes comme *les Temps modernes, Esprit, la Table Ronde,* renoue avec la grande tradition des revues littéraires.

Je n'évoque ces aspects bien connus de la vie intellectuelle et artistique brillante des quinze années de l'après-guerre que pour souligner que cette floraison s'est opérée spontanément, en dehors de tout dessein politique affiché et sans le secours d'une administration culturelle puissante. Ce mode de fonctionnement de la société culturelle paraît beaucoup plus proche de ce qu'il était au XIXe siècle, voire au XVIIIe, que de ce qu'il est aujourd'hui.

Si l'affaissement de la IVe République, livrée au régime des partis, aux secousses et aux humiliations des guerres coloniales, exigeait un sursaut, je n'ai pas le souvenir que quiconque ait appelé de ses vœux un sauveur de la culture française, laquelle s'accommodait fort bien d'un État modeste, où ni les présidents de la République, ni les chefs de gouvernement ne jugeaient utile d'afficher leurs goûts littéraires et artistiques (à supposer qu'ils en eussent), et où des secrétaires d'État sans grand éclat comme MM. Cornu et Bordeneuve, notables rassis, semblaient suffire à la tâche, comme l'excellent Dujardin-Beaumetz au début du siècle.

Dans ce contexte, l'action novatrice mais isolée et vite cantonnée, sinon découragée, de la sous-directrice du Théâtre à la Direction générale des Arts et Lettres, Jeanne Laurent, n'en prend que plus de relief. À elle seule, en quelques années, revient le mérite d'avoir fait éclore, à travers le territoire, des centres dramatiques permanents confiés à des hommes nouveaux comme Jean Dasté, Michel Saint-Denis, Hubert Gignoux, Maurice Sarrazin, et d'avoir soutenu Vilar à Avignon, avant de lui confier le TNP. Figure emblématique, Jeanne Laurent aura, de son propre chef, plaqué les premiers accords de l'action culturelle avant de connaître le sort ingrat des visionnaires.

*
* *

En mai 1958, le moins que l'on puisse dire est que le milieu intellectuel et artistique n'attendait rien du général de Gaulle, dont il vit plutôt d'un mauvais œil le retour au pouvoir par la captation, habile et lourde d'arrière-pensées, d'un mouvement insurrectionnel suscité par l'armée d'Algérie et le petit noyau d'activistes qui l'avaient infiltrée. Il espérait encore moins d'André Malraux, dont les derniers écrits sur l'art semblaient relayer assez pesamment une veine romanesque épuisée. Ni le Général, ni Malraux n'avaient, pas plus à la Libération que dans leur action politique au temps du RPF, émis sur les questions de culture le moindre propos digne d'intérêt. Profondément convaincu de la part de la « pensée française » dans la grandeur nationale, comme en fait foi un discours [5] prononcé à Alger pour le soixantième anniversaire de l'Alliance française, l'homme du 18 Juin ne semblait pas pour autant mettre la culture au premier rang des priorités de son entreprise de restauration de l'État. D'ailleurs, s'il fit entrer Malraux dans son gouvernement, dès juin 1958, ce fut pour lui confier, avec le titre de ministre-délégué à la présidence du Conseil, des fonctions assez vagues, dont celle de porte-parole, qui lui fut retirée après quelques déclarations jugées inopportunes [6]. Georges Pompidou, alors directeur du cabinet du Général, fut chargé de trouver pour Malraux une fonction plus consistante. C'est sans doute sur sa suggestion que de Gaulle, élu président de la République à la fin de l'année, recommanda à Michel Debré, nommé Premier ministre, de créer pour lui un ministère des Affaires culturelles qui « donnerait du relief » à son gouvernement. Il n'est donc pas irrévérencieux d'avancer que le ministère fut créé pour « caser » Malraux.

On faisait un ministre. Restait à créer un ministère. On attribua en principe à l'« ami génial », comme le qualifia le Général dans ses *Mémoires,* les services de l'Éducation nationale jusque-là regroupés sous l'autorité du secrétaire d'État aux Arts et Lettres, mais il fallut attendre six mois de négociations interministérielles fort complexes pour qu'un décret précise enfin la mission et les attributions du ministère.

Création circonstancielle et genèse laborieuse : les origines du ministère, on le voit, furent modestes. Sans être un ministère croupion, le nouveau département qui n'englobait ni les bibliothèques, ni l'audiovisuel, ni l'action socio-cultu-

---

5. Discours du 30 octobre 1943.

6. Un communiqué de Matignon annonce en juillet qu'il reste chargé d'animer et de promouvoir l'étude des problèmes fondamentaux tels que ceux intéressant directement la jeunesse, la recherche scientifique, le rayonnement français, les questions culturelles.

relle laissée au ministère de la Jeunesse et des Sports[7], n'était rien d'autre que l'ancien secrétariat d'État, grossi seulement du Centre du Cinéma, retiré à l'Industrie ; il perdait toute articulation avec le ministère de l'Éducation nationale, maison puissante et rancunière, qui ne se soucia guère de faciliter la tâche de la nouvelle administration tirée, sans trop d'égards, de ses flancs.

Héritant à la fois du rang prestigieux de ministre d'État et d'un ministère chétif, assuré de la confiance et même de l'admiration du Général, persuadé que son rôle d'inspirateur de la politique et de chantre du régime primait la gestion d'un portefeuille dont les arcanes administratifs n'excitaient guère son appétit, Malraux avait le choix. Il aurait pu se borner à donner de l'éclat, du « ragoût » aurait dit de Gaulle, à une politique des beaux-arts qui serait restée classique dans ses objectifs et dans ses méthodes. Il pouvait aussi, à l'inverse, marquer d'entrée de jeu une rupture radicale, même non préméditée, et profiter de sa position personnelle unique pour constituer, à partir du maigre lot de services et de moyens qui lui avaient été dévolus, un grand ministère.

Ne choisissant pas vraiment, il tenta tout cela à la fois. C'est pourquoi, avec le recul, son règne de dix années apparaît composite, heurté, tantôt hésitant, tantôt inspiré, à la fois verbeux et concret, tour à tour audacieux et timoré. Les épreuves personnelles, qui ne lui furent pas épargnées pendant ce temps, son peu de goût pour l'administration, son scrupule à user de son prestige pour jouer les pourvoyeurs de crédits, les contradictions d'une nature à la fois chaleureuse et distante qui ont souvent rendu difficiles ses relations avec ses plus proches collaborateurs pourtant dévoués corps et âme, tout cela explique ce bilan contrasté, aussi brillant par certains aspects que décevant par d'autres. Du moins, en dépit de sa part d'échecs et de velléités, Malraux

---

7. En principe, tout ce qui concernait ce secteur, ainsi que l'éducation populaire devait être rattaché aux Affaires culturelles, mais rien de concret ne se fit et il ne semble guère que Malraux se soit battu pour cette cause.

a-t-il joué un rôle fondateur. Ses successeurs, on le verra, approfondiront et infléchiront son héritage ; aucun d'eux ne le répudiera.

Malraux n'est pas le premier artiste qui, en France ou ailleurs, ait exercé des fonctions politiques ; mais il est l'un des très rares qui aient eu à gérer le domaine culturel en ayant mené auparavant une longue réflexion sur l'art en général et sur le rapport que l'homme peut avoir avec les œuvres de l'esprit. D'autres que lui se seraient fait une idée plus pragmatique de leur mission. Pour Malraux, l'art était le substitut de toutes les transcendances. On a de lui cent citations qui exaltent cette fonction sacrée de l'art vue par « un esprit religieux sans la foi ». L'idée qu'il se fait de la culture, à ce stade de sa vie, est le fruit d'une sorte d'exaltation mystique au regard de laquelle la misère, la précarité, les pesanteurs de l'action politique ne pouvaient qu'engendrer des déceptions et cette mélancolie dont Gide disait qu'elle est de « la ferveur retombée ». D'un autre que Malraux, on retiendrait la puissance des intuitions, la fulgurance des vues. Chez lui, on observe le décalage entre la hauteur des conceptions et ce qu'il y a d'inachevé, d'imparfait dans l'action. Il est difficile de n'être pas injuste envers Malraux [8].

Il prit la plume lui-même pour définir, dans un décret de juillet 1959, la mission de son ministère : « Rendre accessibles les œuvres capitales de l'humanité, et d'abord de la France, au plus grand nombre possible de Français, assurer la plus vaste audience à notre patrimoine culturel et favoriser la création des œuvres de l'art et de l'esprit qui l'enrichissent. » L'œuvre, on le voit, est la notion centrale et sa fréquentation par le plus grand nombre possible est l'objectif. C'est par là que la vision mystique de Malraux rejoint la politique car, pour lui, « la culture change de nature quand c'est toute la nation qui la partage ». C'est en cela que l'on peut rattacher les vues de Malraux au gaullisme, à la fois par un certain esprit social et par l'exaltation de la nation ;

---

8. On peut aussi l'être avec talent : c'est le cas du livre passionné, souvent véhément, mais fort documenté et plein de verve de Pierre Cabanne, *le Pouvoir culturel sous la Ve République,* Olivier Orban, 1981.

mais d'autres aspects font voir une parenté avec une tradition de gauche longtemps familière à Malraux et dont il ne s'était pas entièrement dépris.

C'est à ce point qu'il faut insister sur l'importance exceptionnelle que revêt l'entourage de Malraux. Chez aucun de ses successeurs, l'équipe n'aura autant compté ; d'abord parce qu'elle avait la rude tâche de traduire en actes de gestion les vues inspirées d'un ministre hors du commun, ensuite parce que cette synthèse entre le gaullisme et l'esprit de gauche appliqués à la culture ne pouvait être le fait que d'une équipe apte, par ses sensibilités et ses expériences, à en maîtriser toutes les composantes. De fait, Malraux sut s'entourer, à côté d'un noyau fidèle de vieux compagnons, d'hommes comme Gaëtan Picon, Pierre Moinot, André Holleaux, Émile Biasini, Francis Raison qui, sans être des militants de gauche, étaient des esprits progressistes en phase avec les courants intellectuels les plus avancés de leur temps. Combinant une forte capacité intellectuelle avec (sauf pour Picon) une solide expérience des affaires publiques et un sens de l'État à toute épreuve, ces hommes sans préjugés qui n'étaient pas des spécialistes des beaux-arts n'eurent pas de peine à faire de l'accès du plus grand nombre à la culture un véritable credo politique en même temps qu'un objectif ambitieux, mais raisonnable, d'action administrative. Formés, pour les plus mûrs d'entre eux, dans l'ambiance de la Résistance et de la Libération, ils croyaient comme beaucoup d'hommes de leur génération au rôle conducteur, voire messianique de l'État. Ils se lancèrent sans états d'âme dans une marche conquérante où ils eurent tôt fait de reprendre l'inspiration de Jeanne Laurent qui, dans leur excusable impréparation, leur tint lieu, sinon de doctrine, du moins de référence. Si le résultat ne fut pas toujours à la hauteur de leurs espérances, on ne saurait en blâmer cette équipe valeureuse. Elle travailla dans des conditions artisanales, voire misérables comme l'atteste Pierre Moinot [9], avec un ministre

9. *Cf.* Pierre Moinot, *Tous comptes faits,* Éd. Quai Voltaire, 1993 — et notamment les chapitres VII et IX sur « les années Malraux ».

dont la combativité était à éclipses et dans un environnement administratif et humain sceptique, quand il n'était pas hostile, le tout dans une période mouvementée où le sort du régime fut plusieurs fois menacé.

Une inspiration très haute mais difficile à traduire rapidement en actes, une administration à refaire dans ce qu'elle avait d'archaïque et, pour le reste, à inventer, le tout avec des moyens financiers comptés : la tâche de Malraux et de son équipe n'était pas simple et si le discours du ministre a été constamment fort, enrichi de formules brillantes et parfois truculentes, l'action, elle, a connu bien des à-coups, des hésitations, voire des contradictions. On a, un peu partout, ajouté sans retrancher, inventé plus que rénové. On pourrait livrer maints exemples de ces accumulations et de ces contradictions. Ainsi, on a donné l'Odéon, devenu Théâtre de France, à Jean-Louis Barrault et Madeleine Renaud, couple attachant d'éternels vagabonds du théâtre, qui n'était pas une révélation ; par chance, ils ne se bornèrent pas à voir dans cette promotion une consécration officielle et menèrent pendant dix ans une aventure théâtrale brillante et souvent inventive. Toutefois, dans le même temps, on nommait un ambassadeur à la Comédie-Française, avant de le révoquer brutalement et de confier la maison à son doyen Maurice Escande, dont on ne pouvait guère attendre de grandes audaces. On organisait de grandes expositions sans toucher au système napoléonien des Musées de France et sans apporter au vieux Louvre d'autres améliorations que la reconquête, de haute lutte, du pavillon de Flore restitué de mauvaise grâce par le ministère des Finances, ce qui permit une certaine extension des cimaises et l'installation à peu près décente du laboratoire des Musées de France auquel Malraux tenait à juste titre ; mais c'est en dehors de l'immuable administration des musées, voire contre elle, que l'on instituera un service de la création artistique, confié à Bernard Anthonioz qui, pour reprendre une expression de Pierre Moinot, « va très vite transformer l'attitude élitiste de l'État envers les artistes en un compagnonnage amical ». On n'hésitera pas cependant à lui rattacher des institutions vénérables, comme les manufactures nationales [10] ainsi que le Mobilier national. Grâce à ce nouvel ensemble composite mais dynamique, les artistes les plus novateurs vont enfin bénéficier de commandes publiques prestigieuses, y compris en matière de mobilier [11], et d'un flux régulier de travaux grâce à la généralisation à toutes les constructions publiques du 1 % précédemment organisé pour les seules constructions scolaires. C'est sous l'égide de ce même service que sera créé en 1967 le Centre national d'art contemporain, qui fut à plus d'un titre la préfiguration du Centre Pompidou, mais toujours en dehors du système des musées. Étrange obstination qui ferait croire que, pour Malraux, seul un « musée imaginaire » pouvait s'ouvrir à l'art vivant. S'il n'y avait pas eu alors, notamment au musée national d'Art moderne du Palais de Tokyo [12], une génération de conservateurs éclairés, très ouverts à l'art contemporain, sous l'égide notamment de Jean Leymarie, on eût risqué de faire manquer au monde des musées le rendez-vous avec l'art de son temps. Au demeurant, si Malraux eut l'idée d'un musée du xxe siècle qu'il voulait faire réaliser par Le Corbusier à la Défense, il ne fit rien pour transformer ce rêve en projet. C'est Georges Pompidou qui le réalisera sous une autre forme, à Beaubourg.

On observe une autre contradiction dans le domaine du cinéma. Avec Jacques Flaud, puis André Holleaux, la politique de soutien au cinéma devient plus ambitieuse et se tourne davantage vers la création, notamment avec la mise en place du système de l'avance sur recettes et les encouragements au circuit des salles d'art et d'essai ; mais Malraux,

---

10. Les Gobelins, la Savonnerie, Beauvais et Sèvres.

11. La création, malgré l'opposition des syndicats, d'un atelier de création au Mobilier national apportera une satisfaction posthume à Jean Giraudoux qui écrivait : « La République se contente de vivre en meublé. Elle n'a guère d'autre installation que des utilisations ou des adaptations du domaine impérial ou royal. Elle s'est installée dans la nation, non en maîtresse et en architecte souveraine, mais petitement, avec quelque honte, comme une acheteuse de biens nationaux. »

12. Et aussi dans certains musées de province, plus libres de leurs mouvements.

qui alliait un tempérament fougueux à une prudence de chat, se garda bien de revendiquer la gestion du système de contrôle des films, laissé au ministre de l'Information dont certains actes de censure firent grand bruit et entravèrent longtemps la liberté des créateurs, ce dont le ministre des Affaires culturelles se lavait les mains. Cette attitude, jointe à la maladresse de l'équipe Malraux dans la nécessaire remise en ordre de la Cinémathèque française, créée par Henri Langlois, contribua dans les dernières années à dresser contre le pouvoir le milieu intellectuel, bien au-delà des professions du cinéma.

Bien que l'action de Malraux dans le domaine du patrimoine soit un des aspects les plus positifs de sa politique, elle n'en est pas moins contrastée. À l'actif, il faut mettre d'abord deux lois de programme successives qui permirent la réalisation sur plusieurs années de vastes chantiers de restauration de monuments majeurs [13]. La création des « secteurs sauvegardés » marque une avancée décisive du concept même de patrimoine. Au-delà des grands édifices, il s'étend désormais aux ensembles urbains caractéristiques qui constituent ce que l'on pourrait appeler le « tissu conjonctif » du patrimoine. Dans ces zones, la méthode d'intervention de la puissance publique s'affine : jusque-là, elle se bornait à classer, ce qui revenait à subordonner au contrôle étroit de l'administration, moyennant d'éventuelles subventions, tous travaux de restauration et d'aménagement. Dans les secteurs sauvegardés, un « plan de sauvegarde et de mise en valeur » définit des normes architecturales qui laissent aux propriétaires une marge d'initiative plus grande, sous la surveillance néanmoins de l'administration, avec des incitations fiscales qui complètent ou relaient les subventions publiques. Ce système, plus dynamique, a rendu possible dans de nombreuses villes [14] une véritable résurrection des quartiers

13. Versailles, Vincennes, Fontainebleau, Chambord, les cathédrales de Reims et de Strasbourg, l'abbaye de Fontevraud furent les premiers bénéficiaires de ces lois de programme.

14. Citons le Marais à Paris, Sarlat, Colmar, Chartres, Bordeaux, le quartier Saint-Jean à Lyon, Montpellier.

anciens. Tout aussi importante fut la création [15] de l'inventaire général des richesses artistiques de la France, vaste entreprise scientifique d'identification systématique à travers tout le territoire du patrimoine immobilier et mobilier, canton par canton, destinée à conserver la trace, au minimum graphique ou photographique, de tout fragment, si modeste soit-il, de notre héritage culturel.

À côté de ces aspects positifs, il y a cependant des zones d'ombre. À l'époque, le ministre des Affaires culturelles avait en charge non seulement le patrimoine mais l'architecture dans son ensemble, enseignement compris. Or l'administration Malraux ne s'occupa guère de l'évolution de la profession d'architecte et de la préparation à ce métier, doublement menacé par le poids croissant des grands promoteurs et bâtisseurs et par l'influence montante des ingénieurs et des bureaux d'études, familiers des technologies avancées et de l'industrialisation de la construction. De même, investi en principe d'une responsabilité en matière de création architecturale, pour laquelle avait été créé un service spécialisé au sein de la direction de l'Architecture, le ministère ne joua qu'un rôle modeste dans ce domaine où il y avait tant à faire pour imposer, fût-ce par le simple exemple, une exigence de qualité et d'innovation. Pour les monuments historiques enfin, on se préoccupa davantage de la restauration en soi que d'une doctrine d'usage et de revitalisation des monuments, même si Malraux laissa la Caisse nationale des Monuments historiques tenter en la matière quelques expériences à l'initiative de Roland Cadet puis d'Yves Malécot et de Jean Salusse.

Malraux était trop familier de l'histoire de l'art pour ignorer le rôle qu'en tout temps avait joué le mécénat. Sous l'influence de Michel Pomey, il comprit qu'un mécénat moderne pouvait contribuer à la mise en œuvre d'une politique culturelle. Malheureusement, plutôt que de favoriser le mécénat des entreprises, une inspiration encore trop

---

15. Sous l'égide d'une commission nationale présidée par Julien Cain et animée par André Chastel.

exclusivement étatiste et en tout cas très institutionnelle le conduisit à susciter la création, sous l'égide de l'État et avec le concours, principalement, de grandes entreprises publiques, d'une Fondation de France dont le rôle en matière culturelle restera longtemps marginal et peu novateur.

Malraux et son entourage étaient radicalement hostiles au « système des beaux-arts » qui avait prévalu jusqu'à la fin de la IVe République et qui, de fait, plaçait l'administration de la culture sous la coupe des Académies ; mais pendant de longues années, il contourna ce système et rusa avec lui plus qu'il ne le contesta. Ce n'est qu'à la fin de ce long règne que furent prises les mesures les plus radicales de remise en cause de ce qui subsistait de ce système, tandis que les plus fidèles des disciples de Malraux s'étaient éloignés, à la suite de malentendus ou de désaveux mal gérés par un cabinet moins soudé que dans les premières années et peu à même de suppléer par son rayonnement et son autorité les absences de plus en plus fréquentes du ministre. On vit alors, dans un désordre et une logorrhée gauchisants, le ministre rompre brutalement avec l'Académie des Beaux-Arts, supprimer les Prix de Rome et les concours du Conservatoire, faire éclater l'École des Beaux-Arts et laisser l'enseignement de l'architecture partir en lambeaux. Vingt-cinq ans plus tard, on ressent encore — sauf peut-être en matière de musique — les conséquences néfastes de cette rupture. Une politique culturelle d'État ne saurait assurément être conduite par une Académie, même prestigieuse et ouverte aux créateurs les plus originaux, ce qui est rarement le cas ; mais elle ne pourrait que gagner à ne pas vivre exclusivement sur les ressources intellectuelles d'une technostructure, même très compétente, et à s'appuyer tant sur l'Université que sur les Académies.

Le ministère Malraux ne s'est pas seulement coupé du milieu académique. Il est resté très marginal dans l'ensemble de l'appareil gouvernemental. Ministre atypique isolé par son incomparable prestige, Malraux n'était guère regardé comme un collègue par les autres membres du gouvernement. Son rapport exclusif et singulier avec le général de Gaulle l'isolait même du Premier ministre. Ce fut manifeste avec Michel Debré, et même avec Georges Pompidou, qui était loin d'être indifférent à la culture et qui avait de l'amitié pour Malraux. Pendant les six ans de son séjour à Matignon, il s'obligea, en ce domaine, à une extrême discrétion.

À la fois signe et conséquence de cet isolement politique et administratif, le ministère des Affaires culturelles, tel qu'il fut du temps de Malraux, était à ce point préoccupé d'exister pour lui-même qu'il négligea de nouer des liens de coopération avec d'autres instances publiques dont dépendaient pourtant, à la longue, les succès d'une politique culturelle digne de ce nom.

Malraux s'abstint d'exercer vraiment les responsabilités qui lui avaient été en principe reconnues dans le domaine socioculturel, laissé aux animateurs de l'administration de la Jeunesse et des Sports. Cette erreur de départ ne fut jamais corrigée et l'on verra combien la politique culturelle souffrit de rester confinée durablement dans un ensemble d'institutions qui, même rénovées et aussi ouvertes que possible, sont hors d'état de toucher le plus grand nombre. Ce fut d'autant plus regrettable que beaucoup des pionniers de l'action culturelle venaient précisément de ce monde de l'éducation populaire et de l'animation socioculturelle, qui se vit ainsi dépouillé des plus motivés de ses militants, lesquels ne furent jamais remplacés.

J'ai dit combien avaient été tendues, dès le départ, les relations entre le ministère des Affaires culturelles et celui de l'Éducation nationale. Un esprit politique plus conciliant que Malraux eût tenté de renouer les liens, tant il est peu concevable d'imaginer une politique culturelle qui ne soit pas fortement articulée avec une politique de l'éducation. Malraux n'eut pas cette souplesse. Au reste, pour lui, l'Université, et l'institution scolaire en général, était le domaine du pur savoir, bien distinct de celui de la culture selon l'idée quasi mystique qu'il se faisait de celle-ci. Là encore, et pour longtemps, un fossé s'est creusé, que tous les efforts de ses successeurs, sans exception, ne sont pas parvenus à combler — ce qui est, j'y reviendrai, l'échec le plus grave de la politique culturelle.

Enfin, la télévision : c'est son poids politique, et la pratique ouvertement interventionniste et partisane que suivait le pouvoir à son sujet, qui conduisirent Malraux à se tenir soigneusement à l'écart de tout ce qui concernait l'audiovisuel. Sans doute, à l'heureuse époque du monopole et d'avant l'audimat, les chaînes publiques programmaient-elles spontanément et hardiment, à des heures de grande écoute, des émissions de qualité, souvent fort ambitieuses que, faute d'un choix plus étendu, le grand public absorbait, apparemment sans rechigner ; mais sans faire de la télévision une maison de la culture à domicile — ce qui fut plus tard la prétention, d'ailleurs théorique, de certains socialistes —, on se prend à rêver à ce que Malraux aurait pu réaliser si, hors de tout esprit de tutelle ou de contrôle, il avait fait de son ministère un inspirateur de la télévision, dans l'ordre de la création et de la diffusion de la culture. Certains de ses discours font voir qu'il avait pressenti cette vocation de la télévision ; mais il ne se soucia pas de les traduire en faits. Ses successeurs, là encore, tenteront de corriger le tir ; mais le mauvais pli était pris et aucun d'eux n'eut l'autorité intellectuelle et politique nécessaire pour insuffler à l'audiovisuel une ambition culturelle que l'on ne saurait imposer par décret, mais que le charisme de Malraux eût pu durablement susciter.

Action socioculturelle, éducation nationale, audiovisuel : ces trois rendez-vous manqués ont pesé lourd, non seulement sur la politique culturelle au temps de Malraux, mais sur toute la suite. Il s'en est pourtant fallu de si peu, en termes d'obstination et d'initiative, que l'on a du mal à pardonner ces carences.

*
* *

On voit que, par bien des aspects, le bilan de l'administration de Malraux est sombre ou du moins en demi-teinte. Intuitions justes bientôt dévoyées, occasions manquées, hésitations, brutalités, maladresses, défaillances de la gestion, isolement, sont à mettre en parallèle avec une grande inspiration et bon nombre d'actions ambitieuses et novatrices. Pourtant, ce ministère demeure un moment capital de l'histoire culturelle française, un de ceux dont on peut dire que, grâce à eux, rien ne devait plus être comme avant. Ce qu'on lui doit l'emporte de loin sur les reproches et les regrets, et pas seulement à cause de discours étincelants.

Bien que constitué de bric et de broc, le ministère auquel Malraux apporta l'atout de son prestige fut un ministère de plein exercice. Par là s'est opérée la reconnaissance politique de la culture comme affaire de l'État, même si l'on n'en a pas immédiatement tiré toutes les conséquences. Après de Gaulle et Malraux, aucun président, aucun Premier ministre n'envisagera de délaisser cette responsabilité de l'État. Au contraire, les présidents successifs chercheront, chacun dans son style, à s'affirmer dans ce domaine.

Il est un autre legs qu'il serait injuste de passer sous silence. En dépit de ses faiblesses dans l'ordre de la gestion, de son isolement, de ses aspects improvisés ou désordonnés, le ministère Malraux a su ouvrir l'administration culturelle à la modernité. Du temps des beaux-arts, les bureaux disposaient d'un arsenal étroit de prérogatives de puissance publique : classements, interdictions, tutelle, subventions. Avec Malraux, les méthodes commencent à s'affiner : contrats et conventions, avantages fiscaux, mesures sélectives d'incitation, concertation avec les collectivités locales, cofinancements. L'équipe de Malraux obtint, pour la première fois avec le IVe Plan, que la culture entre dans le champ de la réflexion sur l'avenir national ce qui, compte tenu des mentalités de la technostructure de l'époque, était la plus sûre des consécrations. Administrer la culture peut paraître, vu de l'extérieur, une activité plaisante, voire un divertissement. Il faut avoir pratiqué cet exercice pour en mesurer toute l'austérité et la complexité car, si l'objet est en effet plus aimable que la gestion de la dette publique ou des investissements hospitaliers, la constante synthèse que l'on est conduit à faire entre les exigences des saltimbanques et celles des géomètres, l'ingrate conciliation entre les rêves des gens de culture et les rigueurs de l'action publique, entre la très forte affectivité des premiers et l'inévitable froideur de la seconde, tout cela exige beaucoup de patience, de sérénité et aussi d'ingéniosité. C'est pourquoi tous ceux qui, depuis trente ans, ont eu des responsabilités dans l'administration de la culture conservent une dette de reconnaissance envers les pionniers de l'équipe Malraux qui, au milieu de tant d'embûches, ont su frayer des voies nouvelles.

On doit aussi à Malraux la fin d'une discrimination entre les formes d'art consacrées, et reconnues par l'État, et une « avant-garde » jusque-là marginalisée et abandonnée aux hasards du marché et au soutien d'une frange d'amateurs éclairés. Certes, faire des obsèques nationales à Braque et à Le Corbusier n'avait rien d'héroïque, appeler Chagall et Masson à décorer les plafonds de l'Opéra et de l'Odéon, organiser une grande rétrospective Picasso ou nommer Balthus à la Villa Médicis ne pouvait passer, dans ces années soixante, pour révolutionnaire. Et pourtant... Il y eut, dans ces gestes tardifs mais symboliques, l'expression d'un remords de la nation. Ce furent autant d'actes de réparation de la longue indifférence de l'État envers les plus originaux des artistes du temps. Par les acquisitions et les commandes, l'institution culturelle retrouvait ainsi le chemin de l'art vivant. On a même versé, en ce temps-là, dans l'excès contraire, et bien des artistes « académiques », pourtant fort honorables, ont pu souffrir alors de se sentir exclus.

Plus méritoire encore fut une attitude que seul un homme du calibre de Malraux pouvait imposer dans le contexte particulier d'un régime à bien des égards pudibond et rigide, voire autoritaire : l'exclusion de tout critère politique, au sens partisan du terme, dans les choix et dans les aides de la politique culturelle. La défense de Jean Genet à l'occasion du « scandale » des *Paravents* [16], présentés à l'Odéon-Théâtre de France, scène publique, est restée le signe le plus mémorable de cette attitude, où il y avait plus que du

16. « La liberté n'a pas toujours les mains propres ; mais quand elle n'a pas les mains propres, avant de la passer par la fenêtre, il faut y regarder à deux fois », dit André Malraux à la tribune de l'Assemblée le 27 octobre 1966.

panache ; mais tous les témoignages concordent [17] : qu'il s'agisse de l'avance sur recettes pour le cinéma, de la désignation des responsables des maisons de la culture et des centres dramatiques, des commandes publiques pour les arts plastiques ou du choix des villes partenaires de l'action culturelle, aucun critère partisan n'intervint. Pierre Moinot se souvient d'avoir reçu, de la bouche même du général de Gaulle, des instructions d'une parfaite clarté en ce sens. La raideur de Malraux en mai 68, son excessive sévérité envers Jean-Louis Barrault dépassé par les événements lors de l'occupation révolutionnaire de son théâtre, l'empressement avec lequel tout le milieu de l'action culturelle s'est alors dressé, en paroles du moins, contre le pouvoir, aucun de ces épisodes ne saurait faire oublier qu'en cette époque où les luttes politiques étaient bien plus vives qu'aujourd'hui et la Ve République elle-même contestée, la politique culturelle se garda d'être partisane. Parce qu'il n'était pas un homme politique du modèle courant mais un artiste saisi par la politique, Malraux savait bien qu'il ne fallait attendre des créateurs aucune reconnaissance et que toute arrière-pensée de récupération, tout calcul tendant à neutraliser les oppositions eussent été voués à l'échec, surtout avec un pouvoir de droite. Un tel exemple, venant de si haut, devait inspirer tous les successeurs de Malraux, sans exception.

Dans deux domaines particuliers, les initiatives prises par le premier des ministres des Affaires culturelles de la Ve République doivent être inscrites sans réserve à l'actif de son bilan.

La politique de la musique, d'abord. Les initiatives à ce sujet furent tardives, n'intervenant qu'après un long temps de réflexion. Au cours d'un débat à l'Assemblée, Malraux, impatienté, avait eu ce mot, bien dans sa manière : « Après tout, on ne m'a pas attendu pour ne rien faire en matière de musique... » Ce n'est qu'en 1967-1968 que Marcel Landowski, vainqueur aux points d'un combat sans merci contre

17. Cf. Pierre Moinot déjà cité et Émile Biasini, *Grands Travaux*, Odile Jacob, 1995.

Pierre Boulez, qui préconisait une autre politique, put commencer à définir ce qui allait être son plan décennal de la musique. De la base au sommet, ce plan devait transformer le paysage musical français : à la base, le développement des écoles de musique et l'institution du baccalauréat musical ; au sommet, la création, dès 1967, de l'Orchestre de Paris d'abord confié au grand Charles Munch, qui devait être suivie, dans les années soixante-dix, par la relance de l'Opéra ; entre les deux, la création en province de maintes formations symphoniques, lyriques et chorégraphiques. Ce plan, à la fois audacieux et subtilement équilibré, souffrit pendant longtemps, néanmoins, des sarcasmes de Boulez et de son clan qui l'accusaient d'être réactionnaire. Du moins était-il réaliste et inspiré davantage par le pluralisme esthétique que ne l'eût été une politique conduite par Boulez, dont on peut seulement regretter qu'il n'ait pas été suivi dans les propositions qu'il fit, conjointement avec Vilar et Béjart, pour l'Opéra.

L'autre domaine est celui de l'action culturelle où, là encore, Malraux et son équipe créèrent des formules originales. Pour réaliser son objectif d'accès du plus grand nombre aux œuvres, le ministre ne pouvait ni ne voulait compter sur les seules institutions culturelles classiques. Il fallait donc inventer. Ce furent les maisons de la culture, lieux neufs destinés à attirer un public nouveau en lui proposant, par une patiente action de terrain, une « offre culturelle » diversifiée, c'est-à-dire pluridisciplinaire : une bibliothèque, un lieu d'exposition, des spectacles de cinéma, de danse, voire de variétés, et bien entendu de théâtre. La formule impliquait une parité de financement entre l'État et la ville concernée, tant pour l'investissement que pour le fonctionnement — ce qui était en soi une petite révolution car jusque-là, ou bien l'État créait seul des institutions culturelles dites nationales, ou bien exerçait une tutelle, assortie le cas échéant de subventions, sur des institutions locales. Ce partenariat marquait une nouvelle orientation, dont Landowski s'inspira en partie pour la musique et qui, avec la création des secteurs sauvegardés, fut à l'origine de l'implication des collectivités locales dans la politique culturelle ; c'est assez dire son importance.

Présenté non sans une certaine complaisance emphatique comme une formule miracle destinée à être reproduite pratiquement dans chaque département, le concept de maison de la culture fut mis en œuvre chaque fois que l'on trouva comme partenaire une municipalité de bonne volonté. Les premières furent créées là où il y avait un lieu disponible : au Havre et à Bourges. Dans d'autres cas, il fallut construire, à Amiens d'abord, à Reims, à Firminy où Le Corbusier réalisa l'amorce du projet, et à Grenoble. Le partenariat entre l'État et les villes fut souvent difficile, voire conflictuel : il s'ensuivit qu'à Saint-Étienne, à Caen, à Thonon puis à Nevers, les maires rompirent l'accord et devinrent, avec des fortunes diverses, seuls maîtres des lieux.

Parce que les gens de théâtre, formés à l'action de terrain depuis l'époque de Jeanne Laurent, étaient à peu près les seuls à pouvoir assumer la responsabilité d'une mission interdisciplinaire impliquant un contact étroit avec le public, c'est largement sur eux et autour de leur entreprise théâtrale que reposa le sort de la nouvelle institution. Ainsi pour Jean Dasté à Saint-Étienne, pour Jo Tréhard à Caen ou pour Gabriel Monnet à Bourges. De ce fait, la vocation théâtrale l'emporta le plus souvent sur tout le reste, au point que les maisons de la culture qui subsistent de nos jours ont été fondues dans un ensemble plus large, les « scènes nationales », en renonçant plus ou moins ouvertement à leur mission interdisciplinaire et à la recherche active de nouveaux publics. Nous aurons l'occasion de reparler de l'action culturelle, de ses avatars et de ses échecs. Il n'empêche : c'est bien Malraux qui l'a institué, pour un bon quart de siècle.

*
*   *

Étant donné ce qu'étaient Malraux et le climat général de cette époque de la Ve République, on ne peut s'empêcher de rêver à ce qu'il eût pu faire au-delà de ce que, tant bien que mal, il est parvenu à réaliser et qui, en soi, est considérable. On lui avait confié, selon son expression, « un royaume farfelu ». Il en fit un des territoires de la République. Son legs est immense. Il a créé, fût-ce parfois à son insu, de l'irréversible ; mais surtout, il a réuni les conditions d'une continuité qui est, plus qu'on ne le croit généralement, le trait dominant de la politique culturelle de la Ve République.

Chapitre IV

CONTINUITÉ DE LA POLITIQUE CULTURELLE

De Edmond Michelet à Jean-Philippe Lecat (1969-1981)

Comme la Constitution que l'on croyait taillée aux mesures du général de Gaulle et donc impropre à lui survivre, la politique culturelle de la Ve République avait été à ce point marquée par André Malraux et par la caution, lointaine mais réelle, du Général que rares étaient ceux qui la jugeaient durable. Les événements de mai 68 avaient aussi creusé, entre le pouvoir d'État et le milieu culturel, un fossé d'incompréhension qui semblait difficile à combler.

Les gens de culture s'étaient cependant habitués à fréquenter les couloirs du ministère et à peupler ses commissions de représentants ; ils ne voyaient ni inconvénient, ni contradiction à émarger au budget de la Culture tout en contestant périodiquement le ministre — ce qui fut dénoncé quelques années plus tard par la fameuse diatribe de la sébile et du cocktail Molotov, à ceci près qu'il ne s'agissait que de virements bancaires et de chahuts rituels, sur fond de complicité générale. Ce jeu de rôles fait, lui aussi, partie de l'exception culturelle française et tout pouvoir, même de gauche, en est un jour ou l'autre victime.

De leur côté, les héritiers directs du Général n'avaient aucune envie de révoquer un héritage culturel qui, loin d'être jugé compromettant ou encombrant, correspondait aussi bien aux goûts et aux convictions de Georges Pompidou qu'à l'esprit d'ouverture de Jacques Chaban-Delmas, son Premier ministre.

Le ministère des Affaires culturelles fut donc maintenu

en l'état [1] et, Malraux s'étant solidarisé du Général, on confia le portefeuille au porteur d'un morceau de la vraie Croix de Lorraine, Edmond Michelet. Haute figure spirituelle et militant politique chevronné, Michelet n'avait pas plus de diplômes que Malraux. Bien que fort cultivé, il était aussi peu familier que possible des affaires de culture et eut assez d'esprit pour sentir la bizarrerie de la situation, disant de lui-même nommé à ce poste : « C'est François Coppée succédant à Pindare. » Épuisé, il fit peu de chose rue de Valois, mais il maintint. On retient surtout de lui une phrase maladroite sur les vertus du théâtre pauvre — du genre de celles qui donnent lieu à ces psychodrames par lesquels le milieu culturel se persuade périodiquement qu'il ne doit décidément rien à un pouvoir pingre et borné. L'initiative culturelle d'État venait d'ailleurs ; de l'Élysée où l'on travaillait sur l'idée du Centre Beaubourg lancée par Georges Pompidou peu de temps après son élection ; et de Matignon, où Chaban et sa brillante équipe animée par Simon Nora et Jacques Delors assignaient une place de choix à la culture dans la construction d'une « nouvelle société » ; dans cet esprit, on décida de consacrer, dans le VIe Plan alors en préparation, l'importance du domaine culturel, en le confiant à une commission présidée par le poète Pierre Emmanuel dont la réflexion sur la culture n'était pas moins lyrique que celle de Malraux, mais à la fois plus généreuse et plus confuse. On l'entoura de gens fort compétents et actifs, venus d'horizons divers, dont les suggestions donnèrent lieu par la suite à maintes réalisations concrètes. La culture n'était plus le rêve d'un ministre artiste. Elle faisait son entrée dans un projet de société.

Si j'insiste sur ce qui ne fut qu'une transition — ce ministère Michelet ne dura qu'un peu plus d'un an —, c'est que le moment était crucial : une simple indifférence du nouveau président et de son Premier ministre eût suffi pour ramener à peu de chose le ministère d'André Malraux, d'ailleurs

1. À une exception près : le ministère de l'Information étant supprimé, le contrôle des films — la « censure » — fut placé sous la responsabilité du ministre des Affaires culturelles.

déserté par une bonne partie de ceux qui l'avaient accompagné dans l'aventure et dont les successeurs, si convaincus et expérimentés qu'ils fussent, n'auraient pas eu un poids suffisant pour résister à des vents contraires.

Le ministère étant maintenu, tout devenait possible et le devint en effet.

*
* *

De 1969 à 1981 vont se succéder avec des titres divers pas moins de huit ministres avant que ne commence le long règne de Jack Lang — dix ans comme Malraux — entrecoupé par deux ans de cohabitation où d'ailleurs Jack Lang s'installa dans le rôle inédit de contre-ministre de la Culture en exercice, au moins aussi présent que François Léotard, ministre en titre.

À travers ces expériences multiples, le ministère va non seulement subsister, mais se renforcer ; et jusqu'à nos jours, c'est la continuité de la politique culturelle qui, au-delà des différences de style et des variations de priorités, s'est affirmée.

Je ne me livrerai pas ici à une chronique des différents ministres, d'autant que certains furent des météores : quelques mois pour Alain Peyrefitte, un an environ pour Maurice Druon, Françoise Giroud, Michel d'Ornano. Le ministère de Jean-Philippe Lecat, qui dura trois ans, de 1978 à 1981, mérite plus d'attention ; mais deux ministres vont, en deux ans chacun, encore profondément marquer : Jacques Duhamel (1971-1973) et Michel Guy (1974-1976). C'est la chance du ministère d'avoir, au cours de ses trente-cinq années d'existence, été conduit pendant vingt-cinq années par quatre personnalités d'exception : André Malraux qui aura donné à la politique culturelle son prestige, Jacques Duhamel sa crédibilité, Michel Guy sa modernité, et Jack Lang son assise dans l'opinion et même sa popularité.

*
* *

De Jacques Duhamel et du bilan de son action, il m'est difficile de parler froidement pour la raison que je fus son principal collaborateur, dans une ambiance de confiance et de complicité intellectuelle qui me prive de toute distance critique à son endroit. Vingt-cinq ans après, on se souvient encore de lui dans l'administration, ainsi que dans un milieu culturel pourtant oublieux. J'en conclus qu'il s'est passé, en ce temps-là, quelque chose d'important.

Dieu me garde de la tentation de la légende dorée, mais pas au point d'en prendre le contrepied. Je me situerai sur le terrain qui est celui-là même du présent chapitre : la continuité de la politique culturelle. En quoi Duhamel a-t-il contribué à cette continuité, en l'assumant et en l'enrichissant ?

On se fait souvent une fausse idée du fonctionnement de la machine gouvernementale. On s'imagine que les ministres sont nommés après un examen méticuleux de leurs titres et une longue réflexion sur leur aptitude à occuper le poste à quoi on les destine. On suppose que le titulaire d'un portefeuille se saisit des affaires dont on lui confie la charge avec l'ardeur impatiente de celui qui va pouvoir enfin mettre en œuvre ses idées, son programme. Cela peut arriver, mais c'est rarement ainsi que le pouvoir s'exerce ; non que la constitution d'un gouvernement ou son remaniement soient des loteries, mais ces opérations, souvent effectuées dans la hâte, laissent une large part à l'improvisation et aux circonstances.

Jacques Duhamel est arrivé rue de Valois parce que le poste était vacant depuis la mort de Michelet, qu'André Bettencourt, intérimaire pendant trois mois, était jugé plus à sa place au Plan et à l'Aménagement du territoire, et que celui dont je parle, déjà atteint dans sa santé, avait demandé à être déchargé du portefeuille très lourd de l'Agriculture.

L'affaire, différée jusqu'à ce que la vacance de plusieurs

portefeuilles permît un remaniement ministériel restreint, se fit en quelques jours, à la fin de 1970. J'allai en éclaireur rue de Valois reconnaître les lieux et visiter Gabriel de Broglie, directeur de cabinet par intérim, pour apprendre de lui quels étaient les principaux dossiers en instance ; et c'est ainsi que Jacques Duhamel, avec une partie de son équipe de l'Agriculture [2], débarqua rue de Valois, sans autre préparation.

Nous n'avions à proprement parler ni plan, ni projet, et pas plus d'usage de l'administration culturelle que l'équipe Malraux à son arrivée douze ans plus tôt. C'est ainsi que l'État fonctionne en France. On peut s'en étonner ; mais l'expérience prouve que rien n'est plus dynamique que la confrontation, le choc même d'une administration experte qui a pour elle la continuité de la mémoire et la maîtrise des dossiers, et d'un ministre armé de sa seule volonté et d'un esprit politique qui sait aller à l'essentiel, fixer des objectifs et rassembler les moyens propres à les réaliser.

Homme cultivé, ami de maints artistes, familier depuis sa jeunesse des milieux de l'édition, grand lecteur, féru de musique et d'opéra, Jacques Duhamel n'avait aucune expérience culturelle ; mais il était un homme politique de premier plan, chef incontesté d'une des composantes de la majorité, et élu d'une ville comtoise au riche patrimoine, Dôle. Centriste, parfaitement en phase avec Jacques Chaban-Delmas, entretenant avec Georges Pompidou des rapports confiants, il avait géré le ministère de l'Agriculture avec une clairvoyance et une rigueur remarquées ; il connaissait tout du fonctionnement de la machine gouvernementale dont il avait appris les secrets et les ruses au cours d'une longue collaboration avec Edgar Faure, son mentor.

C'est dans cet état de virginité mentale que — je l'atteste — Jacques Duhamel arriva rue de Valois, mais non comme un dilettante ; il avait assez de finesse pour se défier de ses penchants personnels et de ses goûts en matière artistique

2. Dont Antoine de Clermont-Tonnerre, Pierre Méhaignerie, Michel Desmet et moi-même.

qui auraient pu le pousser à jouer les amateurs éclairés. Il s'agissait pour lui de gouverner, ce qui ne se fait qu'à partir de quelques idées simples et en fonction d'un état d'esprit et d'une volonté.

Adepte de la « nouvelle société », conscient que la crise de Mai 68 avait posé, dans le désordre, de vraies questions, persuadé qu'un certain style autoritaire du pouvoir était désormais archaïque, Duhamel avait l'intuition que le domaine culturel était un de ceux par lesquels pouvait éclore un esprit nouveau de la politique, fait de tolérance, de respect mutuel, de recherche de l'innovation. Il était convaincu que l'État devait favoriser le pluralisme, la diversité des initiatives et manifester un esprit d'ouverture, plutôt que se comporter en régent suprême et infaillible des arts et des lettres ou en ordonnateur des plaisirs de la cour.

Dans cette perspective, rien dans les options de la politique culturelle menée depuis douze ans ne lui paraissait devoir être remis en cause. En revanche, le style incantatoire, le ton visionnaire de Malraux ne correspondaient ni à son tempérament, ni à l'air du temps et pas davantage à l'idée qu'il se faisait d'un ministre de la République au profil aussi classique que le sien ; l'idée de singer Malraux lui eût paru ridicule. En outre, il était frappé de la faiblesse des moyens du ministère [3] et du peu de crédit que ce département en apparence prestigieux avait en fait dans les cercles de l'État. De ces premières observations découlèrent les deux consignes qu'il donna à son équipe et qu'il s'appliqua à lui-même : écouter et agir plutôt que vaticiner ; gérer le ministère avec rigueur de façon à lui donner, durablement, une crédibilité sans laquelle sa position dans l'État resterait ornementale et fragile.

Dans son esprit, il y avait donc lieu de prendre la politique culturelle là où elle en était, en essayant d'abord d'en suivre les orientations acquises, quitte à les infléchir et à en définir de nouvelles si l'expérience le commandait. La

---

3. Il me dit un jour, peu après son arrivée rue de Valois : « Comme c'est curieux : on parle ici des mêmes sommes qu'à l'Agriculture mais elles sont en anciens francs. »

continuité par rapport à Malraux s'en déduisait, comme il l'affirma à l'intéressé, qu'un de ses premiers gestes fut d'aller voir à Verrières. Duhamel aimait à répéter cette définition de l'action qu'il empruntait à William James : « D'abord continuer, ensuite commencer. »

Avec le recul, je m'aperçois, de façon encore plus nette qu'à l'époque, que beaucoup des actions que nous avons menées s'inspirèrent de cet esprit de continuité, nuancé par une approche plus modeste et par une exigence très forte de réalisme et de rigueur dans la gestion. Ce fut la poursuite de la politique des maisons de la culture, notamment dans la région parisienne (Nanterre, Créteil, Bobigny), en réglant au passage les situations conflictuelles qui subsistaient comme à Chalon. Contestées, les maisons de la culture auraient pu alors, sans trop de tumulte, être remises en cause, ce que la majorité de droite, échaudée par la crise de mai 68, aurait fort bien admis ; telle ne fut pas, loin de là, la position du ministre qui, toutefois, n'était pas convaincu que la formule fût universelle, ce qui le conduisit à encourager une solution plus légère et moins coûteuse, celle des centres d'action culturelle. Ce fut aussi la poursuite de la politique du patrimoine, mais en suivant les recommandations de la commission du Plan qui préconisait, de préférence à des investissements lourds sur les seuls monuments majeurs, une vaste action de sauvetage du plus grand nombre possible de monuments, ainsi que des expériences propres à convaincre l'opinion que le patrimoine monumental était pour la nation une ressource plus qu'une charge. C'est dans cet esprit que furent encouragées maintes expériences de réutilisation des monuments, y compris pour des usages civils ou administratifs, mais aussi et surtout pour des fonctions culturelles, qu'il s'agisse de festivals ou d'activités de création ; dans cette optique furent créés les centres culturels de rencontre comme la Saline royale d'Arc-et-Senans, l'abbaye de Fontevraud, la Chartreuse de Villeneuve-lès-Avignon. Dans la même ligne de continuité, Duhamel donna un élan décisif à la politique musicale conçue par Marcel Landowski ainsi qu'à la politique du théâtre pour lequel le ministre obtint de haute lutte, en dépit de l'opposition dogmatique du ministère des Finances, de pouvoir signer des contrats de trois ans avec les centres dramatiques nationaux [4]. Il s'appliqua aussi à moderniser le statut et les conditions de travail de l'Opéra, de la Comédie-Française (à qui il confia par ailleurs la responsabilité de l'Odéon), ainsi que de Chaillot, afin de redonner à ces scènes nationales tout leur éclat, ce que devaient mener à bien Pierre Dux, nommé par Edmond Michelet au Français, Rolf Liebermann que l'on fit venir à l'Opéra, et Jack Lang à Chaillot, tandis que la mission du TNP était désormais confiée à Roger Planchon et Patrice Chéreau réunis à Villeurbanne. En faisant appel à des créateurs engagés, en s'efforçant d'augmenter les crédits du théâtre, de la musique, de l'action culturelle en général, avec le soutien du Premier ministre, Jacques Duhamel assumait et accentuait le caractère non partisan de la politique de Malraux et ne négligeait pas de créer un esprit de partenariat avec des municipalités de gauche comme l'étaient alors celles de Marseille, Grenoble ou Nanterre.

Ce pluralisme, cet esprit d'ouverture, cette volonté de dialogue et de partenariat sans exclusive, Jacques Duhamel les mit en œuvre dans bien d'autres domaines. Ainsi, il veilla à renouer des liens rompus du temps de Malraux : que ce soit avec Henri Langlois qui put installer à Chaillot son musée du cinéma, avec Jean-Louis Barrault à qui fut offert de planter sa tente sous la nef de la gare d'Orsay sauvée de la démolition et promise à une conversion en musée, ou avec Picasso que des amis communs, Édouard Pignon et Hélène Parmelin, ainsi que Roland Dumas et Roland Leroy, s'employèrent à réconcilier progressivement avec la République par de savantes manœuvres au sujet d'un musée Picasso qu'on pensa d'abord installer aux Petites-Écuries de Versailles ; pour les quatre-vingt-dix ans du peintre, Duhamel fit exposer provisoirement ses chefs-d'œuvre du musée d'Art moderne, dont l'*Arlequin,* dans la « tribune » de la grande galerie du Louvre. Ce geste symbolique ne fut pas étranger

4. La formule a survécu à tous les changements et s'applique encore aujourd'hui.

au legs qu'à sa mort en 1973, Picasso fit au Louvre de sa collection personnelle.

Dans le même esprit, Duhamel décida de libéraliser le contrôle des films. Il nomma à la présidence de la commission de contrôle Pierre Soudet, dont il n'ignorait pas les liens personnels avec François Mitterrand et qui, avec beaucoup de tact et d'obstination, sut faire passer dans les faits une double évolution : substitution de l'avertissement à l'interdiction totale et renonciation à toute censure de caractère politique. Cela ne se fit pas sans de multiples incidents et nous dûmes naviguer au plus près, entre les provocations de la Société des réalisateurs de films et des metteurs en scène les plus remuants comme Boisset, Vauthier, Arrabal, Harris et Sédouy, et les éléments les plus réactionnaires de la majorité d'alors, hostiles, comme on s'en doute, à cette évolution qu'ils jugeaient politiquement suicidaire et qui trouvaient un certain écho à l'Élysée, chez Pierre Juillet et Marie-France Garaud, dont l'influence sur le président allait croissant. Duhamel dut mettre tout son poids politique dans la balance pour obtenir, avec le soutien de Chaban-Delmas et, à l'Élysée même, celui de Michel Jobert et d'Édouard Balladur, le maintien de ce cap libéral. Ce ne fut pas sans mérite ni secousses, et pas seulement dans le milieu cinématographique. Pour s'être impliqué peut-être trop ouvertement dans la préparation de l'exposition dite 72-72 qui eut lieu au Grand-Palais, Georges Pompidou lui-même fut victime d'une provocation organisée par quelques artistes contestataires comme Rancillac et Malaval, lesquels n'eurent guère de mal à obtenir la solidarité des autres artistes. L'inauguration de l'exposition se fit sous la protection des CRS et avec quelques échanges de coups, cérémonial peu usité dans le milieu culturel. Il m'arrive de rappeler aux gens de culture qui évoquent aujourd'hui l'époque de Duhamel avec nostalgie et souvent reconnaissance qu'ils nous donnèrent alors bien de la tablature. On oublie trop que nous étions encore dans une atmosphère post-soixante-huitarde et que le ministère était regardé avec méfiance et même hostilité par ceux-là mêmes qui étaient les ayants droit de la politique culturelle. Il aura fallu beaucoup de temps pour que le milieu adopte une attitude plus paisible et plus confiante. Je crois que la patience, la hauteur de vues et la générosité de Jacques Duhamel ont créé les conditions qui ont permis à ses successeurs de consolider ce climat de confiance. Les derniers ministres, Lang et Toubon, sont même allés plus loin en établissant avec les milieux artistiques des relations de connivence et même de familiarité dont il n'est pas évident qu'elles soient vraiment conformes à la dignité de l'État, ni même à l'idée que les artistes se font de l'État.

À notre arrivée, le cabinet du Premier ministre qui ne s'était pas privé d'exercer une tutelle assez directive sur la rue de Valois pendant la transition Michelet-Bettencourt, eut l'élégance de restituer au ministère sa liberté de manœuvre, mais non sans appeler l'attention du ministre et de son cabinet sur l'intérêt qu'il y aurait à mettre en œuvre les propositions de la commission Pierre Emmanuel pour le VIe Plan. Ce qui fut fait, principalement sur deux points. En premier lieu fut créé un Fonds d'Intervention Culturelle destiné à soutenir les initiatives novatrices prises en matière culturelle par d'autres ministères ou par des collectivités locales et que le ministère des Affaires culturelles appuyait ou suscitait. Duhamel vit là un moyen de démontrer que la culture n'était pas seulement un secteur de l'action gouvernementale, confié à un département spécialisé, mais une dimension de l'action publique tout entière. C'est par ce moyen modeste, expérimental, que l'on parvint pour la première fois à intéresser au développement culturel des administrations comme l'Aménagement du territoire, l'Équipement, l'Agriculture, la Défense. Administration de mission, souple et mobile, bénéficiant du soutien actif de Matignon, le FIC fut, pendant dix ans, un des instruments de progrès de la politique culturelle ; c'est par lui, notamment, que les collectivités locales furent incitées à s'intéresser à l'innovation en matière culturelle et que, d'une façon plus générale, le concept de développement culturel a commencé à être pris au sérieux dans l'administration.

Une autre proposition de la commission du Plan fut mise en œuvre : la création d'un Conseil du développement culturel, dont la présidence fut confiée au même Pierre Emmanuel. Ce conseil était très éclectique dans sa composition ; on y comptait des personnalités aussi différentes que François-Régis Bastide, Jack Lang, François Billetdoux, Paul Delouvrier, Jean-Marie Serraut, Jean-Marie Domenach, Claude Santelli, Alfred Grosser ou Iannis Xenakis, qui ne brillaient pas par leur conformisme idéologique ou esthétique ; il fallut là encore tout le poids politique du ministre et le soutien résolu de Jacques Chaban-Delmas pour faire avaliser des choix aussi audacieux.

L'expérience fut de courte durée, et le Conseil se volatilisa sous le ministre suivant. Aucun des ministres ultérieurs, pas même Jack Lang, n'eut l'idée de reconstituer un pareil cénacle. Autant le dire clairement : ce fut un échec. Comme principal interlocuteur de ce Conseil, je dois assumer ma part de responsabilité, mais en soulignant le malentendu de départ : dans l'esprit de Pierre Emmanuel, le Conseil était le prolongement de la commission du Plan qu'il avait présidée ; il voyait dans cette instance nouvelle un instrument de cogestion de la politique culturelle. Pour Duhamel et son équipe, la priorité était de faire du ministère, encore fragile et peu considéré au sein de l'État, un département de plein exercice. Autant nous étions résolus à nous mettre à l'écoute du milieu culturel et à ne pas pratiquer l'arrogance technocratique, autant n'étions-nous pas prêts à céder un pouce de l'autorité ministérielle à qui que ce soit. Lieu de réflexion, de proposition, voire de contestation, le Conseil du développement culturel ne pouvait à nos yeux partager un pouvoir encore mal assuré, mais seulement l'éclairer de ses avis, de ses propositions et même de ses critiques. Avec un président moins ombrageux et plus familier des règles et contraintes de l'action publique que ne l'était Pierre Emmanuel, l'expérience eût peut-être été plus féconde ; on peut penser qu'elle fut seulement prématurée. Elle ne fut cependant pas inutile. Il s'est créé entre les membres du Conseil, et entre ceux-ci et l'équipe ministérielle un véritable esprit convivial ; chacun a beaucoup appris de l'expérience et de la sensibilité des autres. Bon nombre des membres du Conseil ont joué par la suite un rôle important, soit dans le secteur culturel, soit ailleurs, mais tous ont tiré parti de cette expérience collégiale. C'est là aussi que non seulement l'équipe de Jacques Duhamel mais les chefs de l'administration culturelle ont appris à dialoguer avec des représentants du monde culturel autres que les délégués professionnels de leur propre spécialité. Pour ma part, j'atteste que nombre d'idées que nous avons mises en œuvre au ministère ou qui ont influencé mon engagement culturel sont nées de ce dialogue difficile mais constamment tonique avec le Conseil. Il fallait peut-être une certaine dose d'inconscience pour institutionnaliser comme nous avons osé le faire le dialogue entre le pouvoir et les gens de culture. La tentative, je l'ai déjà dit, ne fut jamais renouvelée et le ministère préféra toujours les relations avec les professions et leurs mandataires qualifiés, qui ont toujours quelque chose à négocier, à ce rapport inévitablement frustrant et imprévisible avec des personnalités indépendantes réunies dans une instance consultative. Si l'expérience avait perduré, je suis convaincu qu'elle aurait donné aux liens complexes du ministère et du monde culturel une assise plus saine, ne serait-ce qu'en obligeant chacun, de part et d'autre, à considérer les problèmes de la culture dans leur globalité, ce qui, à coup sûr, est l'exercice le plus difficile du monde.

Il est encore une affaire qui mobilisa fortement Jacques Duhamel et son équipe : le Centre Beaubourg. C'est là un chapitre bien connu de la politique culturelle de la Ve République, sur lequel on ne saurait prétendre faire des révélations mais du moins corriger des clichés réducteurs. La genèse de ce qui devait devenir le Centre Pompidou est riche d'enseignements sur les relations entre la culture et le pouvoir en France.

Par deux fois en 1981 et en 1988, peu après l'élection présidentielle, François Mitterrand annonça, à sa seule initiative, un « grand projet » : le Louvre en 1981, la Grande Bibliothèque en 1988. Georges Pompidou avait fait de même en 1969. Ce « fait du Prince » était alors inédit dans l'histoire de la République. Il mérite qu'on y regarde d'un peu plus près pour en discerner les raisons profondes. Il ne suffit pas de se référer au goût prononcé de Georges Pompidou pour l'art moderne et à son désir supposé de laisser une trace culturelle dans la mémoire collective, à défaut de pouvoir rivaliser sur le plan de l'histoire avec la haute figure du général de Gaulle. L'initiative de Pompidou vient, à mon sens, de plus loin.

Pendant les années du ministère Malraux, je l'ai dit, Georges Pompidou était resté extrêmement discret sur les questions de culture ; mais on ne peut s'empêcher de penser que bien des aspects du discours et de l'action du ministre d'État devaient hérisser un Premier ministre rigoureux, réaliste qui se méfiait comme de la peste des emportements lyriques et des visions inconséquentes. Il est sûr que Georges Pompidou adhérait sans réserve à l'inspiration générale de la politique culturelle et que l'ambition de rendre accessibles au plus grand nombre les œuvres capitales de l'humanité avait son plein aveu. Cependant, je ne jurerai pas que les maisons de la culture disséminées à travers la France, au hasard des bonnes volontés municipales, aient été pour lui la meilleure application de ce noble dessein. Dans son for intérieur, le futur président mûrit une autre idée, plus forte, en imaginant pour Paris même un lieu où la création contemporaine dans les différentes disciplines serait offerte au plus vaste public ; dans son esprit, Beaubourg devait sans doute être la maison de la culture par excellence. Malraux parlait beaucoup d'un musée d'art moderne qu'il voulait installer à la Défense ; il y avait d'autre part dans les cartons un projet de bibliothèque de lecture publique aux Halles. En mêlant les deux, en y ajoutant un centre consacré au design et bientôt un foyer de création musicale, Georges Pompidou entendait donner au thème un peu vague de l'interdisciplinarité un sens concret, bien dans sa manière. En outre, en installant ce centre, non aux Halles, mais sur le plateau Beaubourg, ancienne zone insalubre devenue depuis des années un terrain vague, à proximité du Marais, le citadin de l'île Saint-Louis entendait faire un grand geste d'urbanisme et aussi d'architecture puisque, par définition, il allait s'agir de situer un grand ensemble culturel contemporain dans un vieux quartier chargé d'histoire et en cours de rénovation.

Il y a plus : la grande idée de la présidence Pompidou était la modernisation de la France, notamment sur le plan industriel ; mais pour cet humaniste, le thème de la France moderne ne pouvait se limiter à l'économie et devait englober la culture, à la fois chapitre et symbole de la modernité, selon lui. Il confia à Jacques Duhamel, peu après la prise de fonctions de ce dernier rue de Valois, son ambition de redonner à Paris sa vocation de carrefour de l'art vivant, et pas seulement dans le domaine des arts plastiques. C'est dans cet esprit qu'il l'invita aussi à réaliser le projet de Festival d'Automne que lui avait présenté son ami Michel Guy, et qu'il prescrivit qu'on fît tout pour faire revenir Pierre Boulez de son exil londonien. Ainsi naquit l'IRCAM, rattaché au Centre Beaubourg. Et si le président de la République soutint sans hésitation la nomination de Rolf Liebermann à l'Opéra et de Pontus Hulten au musée d'Art moderne qui devait être l'une des principales composantes de Beaubourg, c'est pour les mêmes raisons de rayonnement international de Paris.

Le projet Beaubourg n'était pas la lubie d'un amateur d'art ou le caprice d'un homme d'État parvenu au poste suprême et rêvant d'immortaliser sa mémoire. Ce n'était pas seulement une décision de politique culturelle. C'était un acte de gouvernement, un choix de politique globale. C'est ce qui explique que, sans rien retrancher de la responsabilité exécutive du ministre des Affaires culturelles, Georges Pompidou ait tenu, jusqu'à sa mort prématurée, à suivre personnellement, et de près, l'évolution du projet et de son financement. Il connaissait trop l'inertie des administrations, la lourdeur des procédures pour s'en remettre à la seule bonne volonté des uns et des autres ; il tint résolument à l'écart la direction des Musées de France, qui en conçut d'abord quelque dépit, et fit créer un établissement public chargé, sous la tutelle des ministres des Affaires culturelles et de l'Éducation nationale (dont dépendait alors la Bibliothèque), de concevoir, de construire et de mettre en état de fonctionnement le futur centre. La formule sera reprise par ses successeurs pour les autres grands projets. Quelle que soit la vigilance du président, qui savait faire sentir, et fortement, le poids de son autorité, tous ceux qui, à un titre ou à un autre, étaient impliqués dans la réalisation du projet, à commencer par les ministres responsables, ne se sentirent en rien dépossédés de leurs prérogatives. Pour ma part, dans mes fonctions de directeur de cabinet, je n'ai jamais considéré que Beaubourg était un dossier qui m'échappait sous prétexte qu'il était suivi à l'Élysée ; Robert Bordaz, choisi par Pompidou pour présider l'établissement public, eut assez d'élégance et de loyauté pour n'abuser, à aucun moment, de la position particulière que lui donnait, par rapport aux ministres et à leurs équipes, son rapport direct avec le chef de l'État. De même, Georges Pompidou tint à ce que le choix du projet architectural fût confié à un jury international dont il respecta scrupuleusement l'indépendance, même si, dans un premier temps, le projet lauréat de Piano et Rogers le laissa quelque peu rêveur.

Si j'ai insisté sur Beaubourg, c'est que, coïncidant en pratique avec le séjour de Jacques Duhamel rue de Valois, l'élaboration de ce projet marque un tournant de la politique culturelle et inaugure une voie nouvelle, plus ambitieuse encore que les desseins généreux, et pas toujours très cohérents, de l'époque Malraux. Une décision d'État destinée à affirmer la place de la culture dans un dessein général de modernisation de la France, une méthode expérimentale mais concrète de réalisation d'un grand chantier selon un calendrier serré, une confiance dans la possibilité de faire se rencontrer l'art de notre temps et un vaste public : voilà ce que fut Beaubourg.

Une des dernières sorties publiques de Jacques Duhamel, en 1975 ou 1976, fut pour visiter le chantier, à l'invitation de Robert Bordaz. Retiré en fait de la vie publique, Duhamel vit et aima ce qui allait devenir un des centres culturels les plus actifs et peut-être le plus original du monde. Georges Pompidou, lui, ne vit pas achevé le centre qui devait porter son nom. Je me souviendrai toujours de ce conseil restreint, à la fin mars 1973, juste après les élections et avant la constitution d'un nouveau gouvernement, où le président, devant le Premier ministre et les ministres concernés, « vida son sac » pour reprendre son expression, au sujet de Beaubourg, faisant le point et arrêtant des décisions sur chaque problème en suspens, même mineur, comme s'il pressentait que le temps lui était désormais compté et qu'il avait là une ultime occasion de s'exprimer sur ce projet auquel la mémoire collective l'a identifié.

Gérer la politique culturelle, c'est constamment relever le défi du temps. Toute action politique s'inscrit dans la durée et il est courant que celui qui récolte ne soit pas celui qui a semé. C'est particulièrement vrai dans le domaine de la culture, qu'il s'agisse du patrimoine, œuvre des siècles, ou de la création, dont la valeur ne s'éprouve qu'avec le temps. La tentation du résultat immédiat est, dans ce domaine, plus périlleuse qu'ailleurs, alors même qu'elle est plus vivace en raison du côté spectaculaire de tout ce qui a trait à la culture. Il faut savoir engager des actions dont on sait que l'on ne verra pas l'aboutissement. Comme nous avons poursuivi et, sur certains points, achevé l'œuvre de Malraux, nous avons, en bien des domaines, ouvert des chantiers que d'autres ensuite menèrent à leur terme. Je me souviens de deux lois dont nous avons lancé la préparation, entre 1971 et 1973, sur l'architecture et sur les archives, qui ne virent le jour respectivement qu'en 1977 et 1979. Nous avons, à la même époque, pris les dispositions qui ont rendu possible ensuite la création du musée d'Orsay, ouvert en 1986, treize ans plus tard. La première représentation de l'Opéra sous la direction de Rolf Liebermann — *les Noces de Figaro* mises en scène par Strehler et dirigées par Solti — eut lieu le dernier jour du ministère Duhamel. C'est ainsi que tomba le rideau sur les plus belles années de nos vies, à nous qui avions eu la chance de travailler avec ce grand ministre.

*
* *

De tous les présidents de la Ve République, Valéry Giscard d'Estaing est celui qui a le moins imprimé sa marque personnelle sur la politique culturelle. Sensiblement plus jeune que les autres, il est assez représentatif des nouvelles générations pour qui la culture classique, celle des humanités, n'est plus la référence absolue, en termes de formation et de vie de l'esprit. Polytechnicien et énarque, d'une intelligence dont personne n'a mis en doute l'ampleur et l'acuité, il a affiché son goût pour le XVIIIe siècle, pour l'opéra et pour Maupassant un peu comme on le fait, en mentionnant, à la fin des notices biographiques, la pratique du golf ou de la voile. En revanche, il n'a jamais donné de signes tangibles d'un intérêt soutenu envers l'art vivant et les formes nouvelles de la culture. Dans sa pensée politique, la culture — à laquelle il ne consacre que quelques lignes dans *Démocratie française* — n'apparaît pas comme une priorité et n'a suscité de sa part, contrairement à tant d'autres sujets, aucune proposition novatrice. On sait que son Premier ministre Jacques Chirac dut batailler ferme lors de l'été 1974 pour que le projet du Centre Beaubourg ne fût pas abandonné. Par la suite, Giscard mettra en chantier trois grands projets, mais il est difficile de les ordonner autour d'un grand dessein culturel : s'il décida la construction du musée d'Orsay, l'idée en revient à Duhamel ; la Cité des sciences est l'ingénieux sauvetage d'un gigantesque abattoir condamné avant même d'avoir servi ; quant à l'Institut du monde arabe, il s'agit avant tout d'une initiative diplomatique improvisée qui ne s'enrichit que bien plus tard d'un contenu culturel au demeurant fragile.

Si la culture ne bénéficiait pas d'une priorité dans son projet politique, Valéry Giscard d'Estaing était cependant sensible à sa portée symbolique. C'est sans doute pourquoi il se réserva le choix du titulaire du portefeuille, indépendamment des grands équilibres politiques qui caractérisent la constitution d'une équipe gouvernementale. Michel Guy a maintes fois raconté les circonstances de sa nomination. Le président lui ayant confié son intention de nommer un créateur, il lui fit observer avec bon sens que les créateurs s'intéressaient généralement plus à leur propre œuvre qu'à celle des autres. Invité cependant à citer des noms, Michel Guy s'y refusa, déclarant tout uniment qu'à ce compte, il était lui-même candidat. Giscard lui demandant alors son curriculum vitae, Michel Guy eut cette jolie réplique : « Inutile ; il est vide. » C'est ainsi qu'il fut nommé secrétaire d'État à la Culture...

Le ministère des Affaires culturelles devint ainsi, en 1974, un secrétariat d'État à la Culture : un rang plus modeste et un objectif en apparence plus ambitieux, la « culture » étant par définition plus vaste que les « affaires culturelles ». Il serait cependant excessif de donner à ce changement de titre plus d'importance qu'il n'en a. Nous sommes à l'époque où une certaine futilité marque l'art du gouvernement, où les ministères de la Défense et de l'Éducation perdent leur épithète « nationale » et celui de la Santé cesse d'être de la « Santé publique ». Ce « régime minceur » appliqué à la culture n'avait donc guère de signification, et certainement pas celle d'une conception plus large, plus ambitieuse du rôle de l'État. Du moins le ministère, même amoindri et attribué à une personnalité non politique, était-il maintenu par le troisième président de la Ve République. Une fois de plus, la continuité l'emportait.

Des quatre titulaires qui, de 1974 à 1981, occuperont avec des titres variables [5] le fauteuil de la rue de Valois, Michel Guy est le plus marquant. Il correspond bien à l'air du temps, à ce qu'il y eut peut-être de plus prometteur dans les débuts de la présidence giscardienne : une volonté de décrispation, d'ouverture, de nouveauté, une République moins guindée qu'elle ne l'avait été sous de Gaulle et même sous Pompidou. Les initiatives du nouveau ministre seront d'autant plus appréciées en haut lieu qu'elles feront beaucoup parler d'elles sans peser d'un poids excessif sur les finances publiques. « Bonne chère avec peu d'argent » sera, pendant un septennat, la devise de la Culture. Expert en relations publiques, jouant en virtuose de ses relations mondaines et de ses réseaux d'amitié avec de nombreux artistes français et étrangers ainsi que dans la presse, Michel Guy fut par certains côtés une préfiguration de Jack Lang, dont il avait été le rival quand il dirigeait le Festival d'Automne et Lang, celui de Nancy. Pour peser d'un poids aussi décisif que le fera Lang, il aura manqué à Michel Guy la durée, la force

5. Le portefeuille de la Culture redeviendra avec Michel d'Ornano, en 1977, un ministère à part entière lié à l'Environnement, et le restera à partir de 1978, mais associé cette fois à la Communication.

d'un vrai lien personnel avec le chef de l'État et aussi l'ambition politique qui n'effleura jamais ce ministre occasionnel.

Michel Guy restera le type même de l'amateur éclairé. Personnalité attachante et inclassable, il avait une forte culture classique qui devait moins à des études d'ailleurs peu poussées qu'à une infatigable curiosité et à l'influence d'amis qui surent l'initier méthodiquement à la musique, à la danse, à la peinture. Grand bourgeois tôt lancé dans la vie professionnelle à la tête d'une entreprise d'horticulture vieille de trois siècles qui lui donnera l'occasion de beaucoup voyager, Michel Guy fut comme une abeille butinant à travers le monde, de New York à Bali et de Bayreuth à Aix-en-Provence, tous les sucs des arts ancestraux, des patrimoines connus ou ignorés et de la création sous toutes ses formes les plus audacieuses, dont il se fit un miel très personnel, mais qu'il aimait partager. Esprit cosmopolite, mécène d'intention sinon d'actes, Michel Guy eut très tôt l'allure d'un prince de la Renaissance descendant d'un *Concorde* avec un parfait naturel. La maturité venue, cet homme très répandu et qui ne dédaignait pas, entre autres explorations dans des milieux fort divers, la fréquentation des hommes politiques, se serait bien vu à la tête de l'Opéra. Il suggéra à son ami Pompidou la création d'un festival par lequel il voulait faire de Paris un carrefour mondial de la création artistique. Il y parvint avec brio. Pleinement immergé dans son temps, d'une élégance de manières, mais aussi de cœur et d'esprit, bien rare à l'époque de la muflerie mondaine, à l'aise partout, Michel Guy vécut avec dignité et humour, mais comme un rêve éveillé, ces deux années au gouvernement. Je me souviens qu'au printemps 1976, déçu par des arbitrages budgétaires qui lui étaient particulièrement défavorables, il me fit part de son découragement. Je lui dis que, dans ces conditions, il ne lui restait qu'à offrir sa démission. Sa réponse fut : « Jamais. Je dois à Giscard de vivre ce moment exceptionnel et inespéré de ma vie et je ne veux en aucune façon le payer d'ingratitude par un lâchage qui le contrarierait sans avoir la moindre portée politique, puisque je ne suis pas un politique. » Cette réaction, conforme à la rectitude du personnage, me renforça dans la conviction qu'il fallait décidément au ministère de la Culture au moins autant qu'ailleurs un vrai politique — quelqu'un qui le soit d'entrée de jeu ou qui, comme Lang, travaille à le devenir.

Si le séjour de deux années de Michel Guy rue de Valois a laissé un souvenir durable dans la mémoire collective des gens de culture, assez rares sont les études portant sur cette période ; des quelques témoignages de ceux qui furent ses collaborateurs [6], on retire l'impression qu'il a tout inventé ou presque, comme un Prince charmant qui aurait réveillé une belle endormie. Il y a là une illusion d'optique ou l'effet d'une piété rétrospective dont on a maints autres exemples ; mais peu importe, car Michel Guy a assez innové pour qu'on lui reconnaisse le mérite d'avoir su assumer, comme ses prédécesseurs et ceux qui le suivront, une continuité. Ce qu'il a fait de plus spectaculaire, notamment par des nominations audacieuses dans le domaine du théâtre, menées tambour battant comme un mouvement préfectoral, n'est peut-être pas le plus important, à l'exception de l'installation de Peter Brook aux Bouffes du Nord et de Giorgio Strehler à l'Odéon ; mais même là, ses prédécesseurs avaient ouvert la voie, non sans remous cocardiers, en nommant des étrangers à la tête d'institutions nationales (Rolf Liebermann à l'Opéra, Pontus Hulten à Beaubourg, Karayan puis Georg Solti à l'Orchestre de Paris).

En réalité, dans bon nombre de domaines, l'intelligence de Michel Guy aura été de se situer dans le sillage de Jacques Duhamel, en accentuant le côté novateur de ses initiatives dans des conditions propres à frapper l'opinion publique sans trop peser sur un budget exigu. Il serait injuste de parler d'une politique d'apparences, ou de coups médiatiques ; mais il est vrai qu'après les temps visionnaires de Malraux et le temps gestionnaire de Duhamel, c'est une certaine forme de politique spectacle qui s'ouvre, sur un fond, répétons-le, de continuité des grands choix.

Ainsi dans le domaine du patrimoine ; faute de moyens

---

6. Jacques Vistel, *le Festival d'Automne de Michel Guy,* ouvrage collectif, Éditions du Regard, 1992.

budgétaires nouveaux, Michel Guy saura mettre l'accent sur une politique de protection du patrimoine en multipliant les mesures de classement ou d'inscription à l'inventaire des monuments historiques ; mais il le fera avec habileté en fonction de quelques idées directrices qui contribueront à faire évoluer l'opinion, tant il est vrai que la politique culturelle comporte une part de pédagogie collective. Sur trente mille monuments classés ou inscrits en 1974, deux cents seulement étaient postérieurs à 1800. Duhamel avait bien inscrit la gare d'Orsay à l'inventaire, classé le buffet de la gare de Lyon et envisagé un secteur sauvegardé dans le quartier de la Nouvelle-Athènes à Paris dans le IXe arrondissement. Michel Guy, lui, classera à tour de bras des monuments du XIXe, gares, hôtels de ville, casinos, palais de justice, halles et même usines, de Biarritz à Metz et de Nice à Roubaix. Politique opportune à l'époque où la frénésie des promoteurs ainsi que l'ignorance des ingénieurs et de nombreux élus conduisaient à défigurer impunément paysages et sites urbains. On imagine les campagnes de presse, en tous sens, qui suivirent ces initiatives. Leur effet fut largement positif et c'est de cette période que l'on peut dater un regard nouveau sur le patrimoine urbain et la nécessité d'une sauvegarde étendue, avec la vigilance de l'opinion qu'elle implique.

Porté par son élan, Michel Guy lança la politique des « cent villes » consistant à inscrire à l'inventaire les centres historiques de cent villes de plus de vingt mille habitants. Cette initiative très spectaculaire eut des effets inégaux et ne fut pas poursuivie longtemps ; du moins contribua-t-elle aussi à une prise de conscience qui, elle, fut durable.

Pour les musées, le secrétaire d'État de Giscard fut, là encore, le plus ingénieux des ministres désargentés. Avec son entregent, ses relations, son dynamisme, il parvint à susciter de grandes donations, spécialement d'art moderne dont certaines accélérèrent le réveil des musées de province (donation Granville à Dijon) ou à la création de nouveaux centres d'art (collection Masurel à Villeneuve-d'Ascq, donation Pierre Lévy à Troyes), sans parler des donations Kandinsky, Max Ernst, Chagall pour Beaubourg. Sa principale victoire fut de susciter la dation par laquelle les héritiers Picasso léguèrent à l'État, pour s'exonérer des droits de succession, une bonne part de l'œuvre du peintre, choisie en liaison avec Maurice Rheims par les représentants de l'État et notamment par Dominique Bozo ; Michel Guy avait eu l'idée lumineuse d'affecter l'hôtel Salé, dans le Marais, à un musée Picasso constitué à partir de cette fabuleuse collection, enrichie des quelques œuvres, rares mais majeures, possédées par les musées nationaux.

Pour la musique, on observe la même méthode : poursuite de l'action entreprise, avec la création de deux nouveaux orchestres, à Metz et à Lille, soutien résolu à l'action de Rolf Liebermann à l'Opéra, et initiatives pour favoriser les formes les plus novatrices de la création ; c'est ainsi que Michel Guy crée pour Pierre Boulez l'Ensemble intercontemporain et qu'il définit une politique de la danse en invitant en France les maîtres de la « Modern Dance » américaine comme Alwyn Nikolais et Merce Cunningham.

La politique de libéralisation du cinéma entreprise par Duhamel est poursuivie et accentuée ; les films érotiques ou pornographiques ne sont plus interdits mais classés « X » et font l'objet d'une surtaxation des recettes, mesures qui en peu d'années feront pratiquement disparaître ces films des salles, relayées il est vrai par les cassettes vidéo. Michel Guy soutient la création cinématographique en doublant les crédits de l'avance sur recettes et en imposant pour la première fois un système contraignant aux chaînes de télévision en matière de films (fixation d'un plafond annuel, détermination d'un quota obligatoire de films français, contribution des chaînes au fonds de soutien) en même temps qu'il réussit à imposer aux sociétés de programmes la diffusion sur le petit écran des meilleures productions théâtrales et lyriques et des grands festivals. C'est ainsi que la diffusion de la première de *Don Giovanni* à l'Opéra, en 1976, fera date, et d'autant plus que, Michel Guy parti, les chaînes n'auront de cesse de retrouver leur liberté, ce qui est inévitable lorsque la culture leur est présentée, non comme un atout, mais comme une contrainte de cahier des charges.

Le paradoxe de cette période tient au fait que l'apport le

plus important de Michel Guy à la politique culturelle réside moins dans les mesures spectaculaires, et souvent sans lendemain, qui ont marqué sur le moment ce « printemps culturel » — pour reprendre l'expression de Pierre Cabanne [7] — que dans des actions proprement administratives dont ni le ministre, ni son équipe n'étaient des experts.

Ainsi, on lui doit la création d'une direction du livre qui, reprenant les attributions traditionnelles du ministère dans le domaine des lettres et du statut de l'écrivain, lui ajoutera l'immense domaine de la lecture publique, restée jusqu'alors sous la juridiction de l'Éducation nationale ; seule la Bibliothèque nationale lui échappera ; c'est Jack Lang qui obtiendra enfin son rattachement à la Culture. En revanche, Michel Guy ne put mener à terme son idée de créer une grande direction des arts plastiques destinée à réconcilier les musées et l'art vivant.

On doit aussi à Michel Guy la création d'une institution peu connue mais qui, depuis vingt ans, joue un rôle important dans la vie culturelle du pays : l'ONDA (Office National de Diffusion Artistique), qui a pour mission de favoriser la circulation des créations musicales, chorégraphiques et théâtrales de qualité, sur tout le territoire.

Jacques Duhamel avait eu l'intuition que la politique culturelle ne prendrait vraiment racine que si elle suscitait une coopération méthodique entre l'État et les collectivités locales. Michel Guy reprit l'idée et lui donna la forme ingénieuse et politiquement habile de « chartes » par lesquelles le ministère de la Culture et une ville s'engageaient mutuellement sur plusieurs années en matière d'investissements et de soutien aux activités culturelles. On imagine les obstacles qu'il fallut vaincre, y compris au ministère, pour rompre les cloisonnements, faire la synthèse de visions sectorielles et renoncer à l'esprit de contrôle et de tutelle au profit d'un véritable partenariat. La première charte fut signée avec Grenoble en 1975. Beaucoup d'autres suivirent, à La Rochelle, Strasbourg, Dijon, Reims. C'est grâce aux chartes

---

7. Pierre Cabanne, *le Pouvoir culturel sous la Ve République,* op. cit.

que fut sauvé l'Entrepôt Lainé à Bordeaux, qu'à Toulouse la Halle aux Grains fut convertie en salle de concerts, que Marseille décida à la fois le sauvetage de la Vieille-Charité et la transformation en théâtre de la Criée aux Poissons du Vieux-Port et qu'Angers créa le Ballet-Théâtre Contemporain. Cette politique de chartes fut ensuite étendue aux régions, à commencer par l'Alsace, la Franche-Comté et la Picardie, contribuant ainsi à faire prendre conscience à ces institutions nouvelles de leur responsabilité culturelle et encourageant l'État à renforcer sa présence au plan local. Duhamel avait créé les premières directions régionales des Affaires culturelles ; Michel Guy et ses successeurs poursuivront dans cette voie avec une parfaite continuité.

Avant même le grand mouvement de décentralisation des années quatre-vingt, Michel Guy aura ainsi pris date, pour la Culture ; même si la formule des chartes eut une vie brève, elle aura déclenché ce mouvement d'initiative culturelle des villes, des départements et des régions qui est peut-être le fait majeur des vingt dernières années.

La démission de Jacques Chirac, Premier ministre, en août 1976, mit un terme à la carrière gouvernementale de Michel Guy. Il reprit peu après la direction du Festival d'Automne, qu'il avait confiée à Alain Crombecque. Il joua plus tard un rôle actif dans la création de la SEPT, chaîne culturelle dont ARTE est issue.

Sans aucune amertume, rendant grâce d'avoir vécu pendant deux ans la vie de la culture au sein du pouvoir, ce dilettante désormais lesté d'une expérience politique rare pour les gens de sa sorte restera, jusqu'à sa mort prématurée, un grand témoin et une des références de la vie culturelle. Toujours avide de découvertes, et bien que cet esprit d'avant-garde se soit parfois égaré dans des combats douteux comme celui qu'il mena contre la Pyramide du Louvre, Michel Guy, figure atypique dans la séquence des ministres de la Culture, reste un des exemples les plus notoires de cette circulation et de cette complicité entre la culture et le pouvoir qui caractérise l'exception française.

*
* *

Beaucoup plus classique est Jean-Philippe Lecat, par son profil et son itinéraire. Membre du Conseil d'État, collaborateur de Georges Pompidou à Matignon, puis député de la Côte-d'Or et plusieurs fois ministre de 1972 à 1974, il revint au gouvernement après les élections de 1978 pour occuper jusqu'en 1981 le poste de ministre de la Culture et de la Communication. Il devait ensuite renoncer à la carrière politique et réintégrer le Conseil d'État. Cet éloignement, joint à une discrétion naturelle empreinte d'une finesse un peu désabusée, explique en partie l'oubli dont son ministère est l'objet. Il faut dire aussi que les dernières années de la présidence Giscard d'Estaing furent moins brillantes que les premières, du fait d'une conjoncture économique et financière difficile et des divisions de la majorité ; un pareil contexte n'était guère propice à une relance de la politique culturelle.

Il serait cependant injuste de faire l'impasse sur cette période de trois ans, qui marque le séjour ministériel le plus long après ceux de Malraux et de Lang. À la fois homme politique, profondément attaché à sa terre de Bourgogne dont l'histoire lui est familière, juriste éprouvé et administrateur méthodique, homme de culture authentique, Jean-Philippe Lecat offrait peut-être le profil idéal d'un ministre de la Culture. Tous ceux qui ont fréquenté la Rue de Valois à cette époque ont gardé le souvenir d'un ministre et d'une équipe compétents, courtois et efficaces. Pour figurer parmi les grands ministres de la Culture, il n'aura manqué à Lecat qu'un peu d'ambition et d'éclat ainsi qu'un soutien plus résolu des plus hautes autorités de l'État.

Cette période méconnue aura cependant été marquée par des faits importants pour la continuité de la politique culturelle.

Jean-Philippe Lecat eut le rôle ingrat de réparer les dégâts causés par une décision funeste. Quittant la Culture pour un grand ministère de l'Environnement et du Cadre de vie, incluant l'Équipement, Michel d'Ornano emportait avec lui une bonne part de la direction de l'Architecture, celle qui précisément s'occupait de la création architecturale, des bâtiments civils de l'État, de la profession d'architecte, tous domaines où le ministère avait fait preuve, depuis Malraux, d'une grande initiative et d'une certaine imagination ; parallèlement lui était enlevée la responsabilité des enseignements de l'architecture. Je ne suis pas sûr que l'architecture et les architectes aient beaucoup gagné à se trouver noyés dans la masse d'une administration de l'équipement tenue par des ingénieurs. Ce qui est certain, en revanche, c'est que le ministère de la Culture s'est beaucoup appauvri en perdant ce qui a trait aux formes les plus visibles, les plus répandues et peut-être les plus pédagogiques de la création : l'architecture, par laquelle l'exigence de qualité et l'éducation du regard passent en priorité. Malheureusement, personne, à commencer par Jack Lang, pourtant avide de puissance et volontiers annexionniste, ne parviendra à obtenir le juste retour de l'Architecture au ministère de la Culture [8].

Jean-Philippe Lecat eut l'intelligence de faire contre mauvaise fortune bon cœur. Plutôt que de laisser le service des monuments historiques, réduit à lui-même, s'enfermer dans une conception étroite de la conservation, il décida de constituer une direction du patrimoine, réunissant avec ce service celui de l'inventaire général des richesses artistiques, autonome jusque-là, ainsi que ce que l'on appelait jusqu'alors le service des fouilles, qui se transforma progressivement en un véritable service de l'archéologie. Les patrimoines ethnologique et photographique furent pour la première fois pris en charge par le ministère, dans le cadre de cette nouvelle direction à laquelle Lecat donnera opportunément une ambition et une légitimité en faisant de 1980 « l'année du patrimoine ». C'est parce qu'elle aura été bien pensée au départ, sur la base d'un concept fort, dynamique

8. Il faudra attendre 1995 et la constitution du gouvernement d'Alain Juppé pour que le ministère de la Culture récupère cette compétence.

et ouvert du patrimoine que cette direction se consolidera avec le temps.

Appauvri d'un côté, le ministère de la Culture s'est trouvé, en apparence du moins, considérablement enrichi d'un autre puisque, en ce printemps 1978, le ministère de la Culture est également celui de la Communication. C'est la première fois que ce terme ambigu de « communication » entra dans la terminologie gouvernementale, avec une acception nouvelle, empruntée aux Anglo-Saxons. Il n'y avait jusqu'alors qu'un ministre de l'Information, ouvertement chargé du contrôle politique plus encore qu'administratif et financier de la radio et de la télévision, et qui s'occupait en outre du régime juridique et fiscal de la presse écrite, ainsi que des relations avec les puissantes organisations professionnelles de la presse. Cette tutelle politique de l'audiovisuel aura au moins eu le mérite de laisser aux responsables des chaînes une grande liberté dans le domaine des programmes ; protégée par le monopole et assurée de ressources stables, indépendantes des courbes d'audience, la télévision a alors connu une créativité et un niveau de qualité qui n'ont jamais été surpassés. À partir des années soixante-dix s'amorça un mouvement irrésistible vers une plus grande autonomie de la radio-télévision ; c'est dans cette perspective que Jacques Duhamel avait conçu l'idée d'un rapprochement entre le ministère de la Culture et le service public de l'audiovisuel, non pour en exercer la tutelle, à laquelle il répugnait autant que Malraux, mais dans un esprit de partenariat.

Il en était résulté une « charte » destinée à sensibiliser des responsables de la télévision publique à leur rôle, non seulement dans la création audiovisuelle proprement dite, mais de façon plus générale dans la diffusion de la culture. Le succès de cette initiative avait été mitigé et c'est la raison pour laquelle Michel Guy s'employa à imposer des obligations de diffusion culturelle dans les cahiers des charges des chaînes auxquelles une réforme de 1974, faisant éclater l'ORTF, avait donné plus d'autonomie en les transformant en sociétés de programme.

L'audiovisuel commençait donc à ne plus être regardé comme une administration ou comme une officine de propagande. L'idée qu'un gouvernement doive avoir une politique en matière de communication audiovisuelle et que cette mission puisse être confiée au ministre chargé de la culture n'était pas mauvaise à première vue. Elle marquait en tout cas une évolution positive du monde politique, trop longtemps accoutumé à considérer la radio comme une simple dépendance du pouvoir.

Ministre de la Culture et de la Communication, Jean-Philippe Lecat fut donc le premier — et en fait le seul, avec François Léotard entre 1986 et 1988 dans le gouvernement de cohabitation — à exercer directement et pleinement cette double responsabilité. Lui qui avait été chargé auparavant de l'information et du rôle de porte-parole du gouvernement et avait à ce titre noué des relations de confiance avec la presse, possédait beaucoup des qualités requises pour réconcilier la culture et l'audiovisuel : finesse, diplomatie, libéralisme, ouverture d'esprit. La vérité oblige à dire cependant qu'il fut moins le ministre des deux domaines que le titulaire de deux portefeuilles distincts. Sous l'autorité de professionnels reconnus comme Marcel Jullian, Claude Contamine, Jean-Louis Guillaud, Jacqueline Baudrier ou de grands commis comme Maurice Ulrich, les chaînes avaient acquis une réelle autonomie de gestion, une identité d'entreprise et s'étaient même, dans une certaine mesure, émancipées du pouvoir politique sous l'angle de l'information ; mais l'État restait crispé sur le monopole de service public et se refusait à toute évolution, bloquant le développement de la télédistribution par câble, menant un combat juridique contre les radios libres qui apparaissaient ici et là, se lançant dans l'aventure industrielle du satellite de télédiffusion directe sans le moindre projet quant aux programmes, gérant à la petite semaine le lancinant problème de la Société française de production. Accaparé par tous ces dossiers sans être chargé d'une mission claire de développement, Lecat consacra beaucoup de son temps aux problèmes conjoncturels de la communication audiovisuelle et de la presse, sans pouvoir opérer une liaison féconde entre ces tâches et ses responsabilités dans le domaine proprement culturel, ni préparer les choix futurs, même s'il s'efforça de favoriser la création. Il avait pourtant des idées saines sur ces deux points mais le contexte politique des dernières années de la présidence giscardienne n'était pas favorable au changement.

Lorsque, en 1981, la gauche arriva au pouvoir avec François Mitterrand, en proclamant bien haut sa volonté de libérer la Communication, le ministère de la Culture se verra dépouillé de toute responsabilité en ce domaine, ce qui permettra à Jack Lang de se laver les mains, tel Pilate, lors de la création en 1985 de télévisions commerciales. Après 1988, la Communication sera confiée, soit à un ministre autonome, soit à un ministre délégué dépendant en principe du ministère de la Culture mais qui prendra toujours soin de s'en émanciper. La vérité est que l'audiovisuel, s'il a incontestablement une dimension culturelle, ne s'y réduit pas. C'est le type même de la fausse bonne idée que de le placer sous la responsabilité d'un ministre de la Culture.

Pourtant, la culture ne saurait se passer des médias. Pendant dix années, Jack Lang devait le démontrer brillamment.

avant pourtant des idées [illegible] contemporain. Le contexte politique [illegible] de [illegible] [illegible] n'était pas [illegible] au changement.

Lorsque [illegible] la gauche [illegible] avec François Mitterrand, [illegible] haut sa volonté de libérer la Communication, le ministre de la Culture se verra dépouillé de toute responsabilité dans le domaine, qu'il [illegible] à Jack Lang [illegible] lors de la création en 1985 de télévisions commerciales. Après 1986, la Communication [illegible], soit au ministre [illegible], soit à un ministre délégué, [illegible] le principe de [illegible] de la Culture [illegible] sont [illegible]. L'actualité est que [illegible]. Il a [illegible] une dimension culturelle, ne [illegible] pas. C'est le [illegible] de la [illegible] qui [illegible] placer sous la responsabilité d'un ministre de la Culture.

Pourtant [illegible] médias. Pendant dix années, Jack Lang [illegible]

Chapitre V

JACK LANG, UN ANIMATEUR D'ÉTAT (1981-1986, 1988-1993)

Par rapport à ses prédécesseurs, Jack Lang mérite un traitement singulier, en raison de la durée — deux fois cinq ans, de 1981 à 1986 et de 1988 à 1993 — et de l'éclat de son ministère. Pourtant, Jack Lang fut aussi un continuateur. On touche là une des ambiguïtés du double septennat ; Lang est une des grandes figures, et l'une des plus fidèles, de ce règne inauguré par un discours de rupture peu à peu dilué dans la continuité française. Dans le cas particulier de la politique culturelle, il y a quelque chose de plus révélateur encore : par sa personnalité, son style et son art politique, avec d'immenses atouts et quelques travers criants, Jack Lang, volontairement ou non, a conduit cette politique à ses extrêmes, c'est-à-dire à une réussite achevée et à des impasses manifestes ; de sorte qu'après lui, on ne pouvait que le copier, ou réinventer la politique culturelle. C'est la première voie qui a été choisie en fait. Ce livre est écrit pour démontrer qu'il faut désormais opter pour la seconde.

Chantre zélé et inlassable du mitterrandisme, toujours proche du maître comme l'apôtre Jean l'était de Jésus, jusqu'à la roche de Solutré, Lang s'est appliqué, dès l'arrivée de la gauche au pouvoir, à donner à celle-ci un visage nouveau. Un visage différent de celui des hommes d'appareil comme Poperen ou Bérégovoy, des notables comme Mauroy, des compagnons fidèles comme Dumas, Estier ou Hernu, ou même des « sabras » comme Jospin, Fabius et tant d'autres depuis. Si la gauche de 1981 a mis en pleine lumière des hommes comme Badinter, Delors et Rocard à qui leurs convictions progressistes, éprouvées au cours de longs combats, conféraient une sorte de légitimité propre qui les exempte, aujourd'hui encore, de l'usure, voire de la disgrâce du mitterrandisme, elle a fait aussi émerger des quadragénaires inconnus, davantage liés à la personne de François Mitterrand qu'au parti socialiste, et qui mettront un talent original, proliférant jusqu'à être parfois incontrôlable, au service d'un président qu'ils contribueront plus que tous les autres à diviniser, le temps d'une longue illusion. Parmi ceux-là, deux surtout se distinguent : Jacques Attali et Jack Lang.

J'ai connu Jack Lang au début des années soixante-dix quand, jeune professeur de droit, il était l'infatigable animateur du Festival mondial du théâtre à Nancy. Alors profondément attaché à sa Lorraine natale, il avait réussi à faire de cette manifestation étudiante, d'abord teintée d'amateurisme, un carrefour international de toutes les avant-gardes, spécialement celles de pays opprimés de l'Est et du Sud. Avec son épouse Monique, aussi active que lui, il accueillait à la bonne franquette ses invités dans sa vaste maison de la rue de Metz. Alors éloigné de tout militantisme politique mais d'une visible sensibilité de gauche, il accepta sans drame de conscience la proposition que lui fit Jacques Duhamel de participer au Conseil du développement culturel, puis de prendre la direction du Théâtre national de Chaillot dans sa nouvelle formule. Aimant depuis toujours travailler en équipe, il associa à sa réflexion de nombreux amis, dont Antoine Vitez et Christian Dupavillon, et nous soumit bientôt mille initiatives dont certaines, prometteuses, virent le jour en différents lieux, à la Sorbonne, à Vincennes, à la Gaîté-Lyrique, à Chaillot même, salle Gémier, tandis que la grande salle était en travaux sur la base d'un projet dont j'ai maintes fois regretté, depuis, le caractère hasardeux et réducteur. Si Michel Guy ne l'avait pas évincé brutalement en 1974 — ce qu'il regretta plus tard — je suis convaincu que Lang aurait été un superbe rénovateur du théâtre en France. Même s'il est monté sur scène, en amateur, dans sa jeunesse, il n'était ni acteur ni metteur en scène mais, au sens le plus fort du terme, un animateur doublé d'un découvreur. Stoppé net dans son élan, Lang se replia d'abord sur Nancy où il organisa des colloques retentissants [1] et devint, en 1977, doyen de la Faculté de droit ; mais son besoin d'action le poussa vers la politique. Il s'engagea au parti socialiste ; ce provincial convaincu devint conseiller de Paris en 1977, conseiller spécial de François Mitterrand l'année suivante et délégué national à la Culture à partir de 1979.

Jusqu'alors, le parti socialiste né du congrès d'Épinay en 1972 et qui comptait de nombreux sympathisants dans les milieux intellectuels et artistiques avait développé assez laborieusement une réflexion sur la culture. S'y mêlaient un esprit doctrinaire post-soixante-huitard, critique à l'égard des « œuvres » et d'une façon générale de la culture institutionnelle, et une tendance corporative rassemblant les griefs, les frustrations et les revendications les plus contradictoires des professionnels de la culture.

Rebelle à l'esprit doctrinaire, méfiant envers les milieux de l'action culturelle auxquels il avait toujours pris soin de ne pas se mêler et dont le côté militant avait tout pour rebuter cet individualiste, Jack Lang avait moins adhéré au parti socialiste qu'il ne s'était fait le disciple de Mitterrand. Il modifia insensiblement l'approche qu'avait des problèmes culturels un parti dont il devenait clair qu'il était avant tout, dans l'esprit de son chef, un instrument de conquête du pouvoir.

Jack Lang ne doutait pas qu'il serait le ministre de la Culture du gouvernement socialiste. Je me souviens qu'au printemps 1978, à la veille des élections législatives que la gauche unie pensait gagner, il vint me voir à l'Unesco, toutes affaires cessantes, afin de m'interroger sur les attributions nouvelles qu'il devrait revendiquer pour étoffer le portefeuille de la Culture. Du fait du verdict contraire des urnes,

1. Notamment en 1975 sur le thème du « sous-développement culturel de la province » avec François Mitterrand, J.J. Servan-Schreiber, J. Ralite et bien d'autres. Toute cette période est évoquée de manière très vivante dans *Éclats,* livre de dialogue de Jean-Denis Bredin, Antoine Vitez et Jack Lang, Jean-Claude Simoen, éd., 1978.

il eut encore trois ans pour se préparer. Il s'y employa bien et gagna une bonne part de son crédit auprès du futur président en organisant pour lui des contacts avec les personnalités les plus diverses du monde culturel. Dans son appartement d'alors, rue Danton, il organisait autour de Mitterrand des repas où était conviée la fine fleur des lettres, du spectacle, des arts. J'ai gardé un bon souvenir de ces déjeuners détendus, bien éloignés de la pompe élyséenne et de son atmosphère de cour, même si l'hôte d'honneur manifestait déjà cette réserve courtoise et charmeuse qu'il a toujours su mettre entre lui et tous les autres.

Jack Lang n'a jamais eu la naïveté de se prétendre l'initiateur de François Mitterrand à la culture. Imprégné de littérature et d'histoire depuis son adolescence, amoureux des villes et de l'architecture, moins familier des arts plastiques que ne le fut Georges Pompidou, dont le profil intellectuel est assez proche du sien — l'esprit normalien en plus —, François Mitterrand était reconnu, dès cette époque, comme l'un des plus cultivés des hommes politiques. Cependant, longtemps solitaire, il n'avait guère de relations avec les milieux culturels, à l'exception de quelques écrivains ou artistes qu'il connaissait de longue date. La génération la plus récente, celle des créateurs révélés par la politique culturelle de la Ve République, lui était pratiquement inconnue ; mais il ne manquait pas de curiosité à son endroit, comme je m'en rendis compte lors d'une conversation en tête à tête à Gordes lors de l'été 74 où il m'interrogea longuement sur le projet Beaubourg et sur la réaction des artistes à ce sujet. Naturellement méfiant envers les milieux et les genres mal connus de lui, et donc difficiles à instrumentaliser pour servir son seul dessein de conquête du pouvoir, François Mitterrand comprit qu'avec son entregent, Lang lui fournissait la clé d'accès à ce monde culturel composite et changeant dont il voyait tout le profit qu'il pourrait tirer pour son image, et plus tard pour sa gloire.

Lang pour les artistes, Attali pour les intellectuels : ces éternels rivaux de cour furent ses médiateurs dans la phase décisive de sa marche vers le pouvoir. Par rapport aux gros bataillons de l'électorat, déjà conquis et bien tenus, il ne s'agissait là que d'un apport marginal, mais d'autant plus décisif que le parcours et la personnalité de Mitterrand, en raison de leurs rémanences sulfureuses et de leur part d'ombre, ne lui avaient pas valu jusque-là une grande confiance de la part de ces milieux, plus respectueux de la personnalité tranchante d'un Mendès France, et que l'éclectisme de Pompidou avait même un temps séduits.

De là date la fortune politique de Jack Lang. Ce parcours original, si différent de celui de ses prédécesseurs au ministère de la Culture, méritait que l'on s'y arrête. À quarante-deux ans, Jack Lang arrive donc rue de Valois avec vingt ans d'expérience culturelle et quelques années de militantisme politique qui font de lui un des hommes les plus proches du nouveau président. Le communiste Jack Ralite, bon connaisseur du domaine et des métiers de la culture, a pu rêver un temps d'occuper le fauteuil de Malraux, mais il était évident que François Mitterrand ne le confierait à personne d'autre que Jack Lang. De tous les ministres de la gauche au pouvoir, il est le seul qui sera de tous les gouvernements, conservant sans discontinuer, bien qu'avec des titres variés et des responsabilités changeantes, la charge de la Culture. Au début, il n'aura qu'un rang modeste, se voyant en outre retirer la responsabilité de la Communication qu'avait obtenue son prédécesseur Jean-Philippe Lecat, et observant sans plaisir la création d'un ministère, d'ailleurs éphémère, du « Temps libre ». En 1983, Lang sera même un temps ravalé au rang de ministre délégué. En revanche, à partir de 1988, la Communication lui sera, nominalement du moins, rattachée, et il culminera dans les honneurs avec le gouvernement Bérégovoy en 1992, où il sera le premier des ministres, avec la double charge de l'Éducation et de la Culture.

*
* *

Je n'ai pas le dessein de faire ici la chronique de ces dix années, ni d'en dresser un bilan exhaustif. On manque encore du recul nécessaire pour décanter cet ensemble touffu.

Sur ce ministère de Jack Lang, il n'y a eu jusqu'ici que des livres de fidélité, de complaisance ou de ressentiment [2] ; même en m'essayant à l'objectivité, je ne suis pas moi-même assuré de l'atteindre ; en dépit de maints désaccords et de fréquents agacements, je conserve pour Jack Lang de l'amitié depuis notre rencontre de 1971.

Mon propos est de situer la politique culturelle des gouvernements socialistes par rapport à celle que la Vᵉ République a menée depuis sa fondation. On pourrait penser que, dans un domaine aussi sensible et significatif pour la mentalité des gens de gauche, attentifs aux valeurs de l'esprit, aux dangers de la société marchande et si vigilants, auparavant, au sujet des risques de censure et des abus de l'ordre moral, la gauche socialiste était résolue à opérer de grands changements, comme elle devait le faire pour la justice, les relations sociales, les nationalisations et la décentralisation. Cet état d'esprit est bien reflété dans le livre publié par Catherine Clément en 1982 sous le titre *Rêver chacun pour l'autre* [3], dont l'ambition était de « parcourir la nouvelle culture, celle de la gauche ».

Nouvelle culture ?

Dans les premiers temps, la tonalité est en effet à la rupture, chez le ministre et dans son entourage. Un décalage s'observe cependant entre Lang lui-même, que son tempérament pourtant passionné éloigne du sectarisme et de l'esprit doctrinal et pousse au contraire à la séduction et au lyrisme, et son cabinet. C'était une équipe de militants, du genre raide et doctoral, à qui la bonne conscience de gauche faisait endosser sans états d'âme l'esprit technocratique dans

---

2. Jacques Renard, *Élan culturel,* PUF, 1987. — Richard Desneux, *Jack Lang. La culture en mouvement,* Favre, 1990. — Mark Hunter, *les Jours les plus Lang,* Odile Jacob, 1990. — Michel Schneider, *la Comédie de la culture,* Seuil, 1990. — Jean-Pierre Colin, *l'Acteur et le Roi,* George éditeur, 1994. — Et le livre déjà cité de Marc Fumaroli, qui est pour une bonne part un pamphlet contre Jack Lang.

3. Catherine Clément, *Rêver chacun pour l'autre. Sur la politique culturelle,* Fayard, 1982.

ce qu'il a de plus péremptoire, malgré la présence dans l'équipe de quelques militants authentiques et d'esprit généreux comme Bernard Gilman, venu de Grenoble. Il arriva cependant à Lang de céder à l'air du temps ou de se laisser influencer par son équipe. Sa phrase de l'automne 1981 décrivant l'arrivée de la gauche au pouvoir comme le « passage de l'ombre à la lumière » est restée célèbre. Moins connu est le fait qu'il conseilla au président de la République de remettre en cause le projet « giscardien » du musée d'Orsay ; c'est du moins ce que me confia, d'un ton amusé, François Mitterrand lorsque, quelques mois plus tard, il m'appela à la présidence de l'établissement public chargé de construire ce musée dont il avait, dans l'intervalle, confirmé la réalisation au prix de quelques ajustements d'ailleurs pertinents.

Le discours est en tout cas au changement. Au ministère, on commande cent rapports, études et enquêtes. La plupart des directeurs en place sont évincés, sans excès d'égards. Hymnes à la culture ouvrière, exaltation des cultures régionales et locales, dénonciation de l'impérialisme culturel américain, annonce d'un opéra populaire à la Bastille, là où la gauche avait, un soir de mai, célébré son triomphe, appel à la créativité de chacun : la parole culturelle est alors lyrique, et parfois frénétique.

Ce style de rupture, ainsi que la longue préparation à un pouvoir annoncé, auraient pu conduire à de grands bouleversements, à une refonte complète du ministère, à une extension significative de ses responsabilités. Bref, s'il est un domaine où l'on eût pu penser que le changement serait radical, c'est bien celui de la culture. Or, à l'exception de quelques initiatives importantes qu'il faut étudier, il ne se passe rien de tel, et dans bien des domaines, la continuité l'emporte.

Je vois à cela deux raisons. La première est que le programme de la gauche dans ce domaine était à la fois court et superficiel. Il suffit pour en juger de se reporter à celles des 110 propositions que le candidat Mitterrand consacre à la culture et qui sont singulièrement vagues, fragmentaires et peu novatrices [4].

---

4. Il s'agit des propositions 98 à 100 :
98. L'implantation sur l'ensemble du territoire de foyers de création,

La seconde raison est que, sans le reconnaître ouvertement, les socialistes étaient bien obligés de constater que la Ve République avait mené depuis ses origines une politique culturelle inventive et non partisane. Elle s'était certes assagie sous la présidence de Valéry Giscard d'Estaing et n'avait guère bénéficié alors d'une croissance de ses moyens financiers ; mais à cette réserve près, il n'y avait guère à redire sur les orientations fondamentales de la politique culturelle. D'ailleurs, Jack Lang eut l'honnêteté et l'élégance de se référer explicitement au legs d'André Malraux et Jacques Duhamel. On ne saurait dès lors s'étonner que le gouvernement ait, en 1981, assumé, dans le domaine de la culture, cette continuité qui est le trait dominant de la Ve République. Ce n'est que très progressivement et grâce notamment à l'exceptionnelle longévité dont ils bénéficieront que Jack Lang et François Mitterrand marqueront d'une empreinte originale la politique culturelle, dans un sens dont nous aurons toutefois à nous demander s'il procède vraiment d'une inspiration socialiste.

Cependant, dès les premiers temps, sont prises quelques initiatives annonciatrices d'un esprit nouveau. J'en retiendrai quatre, les plus significatives à mes yeux, parmi tant d'autres.

La seule des 110 propositions socialistes qui fût un peu précise concernait le prix du livre. À peine installé, Jack Lang fait adopter par le gouvernement et voter par le Parlement la loi sur le prix unique du livre. Sur de nombreux

---

d'animation et de diffusion sera encouragée par l'État qui en assurera un financement partiel. En dehors de nos frontières, une présence active et rayonnante de la culture française sera assurée. L'enseignement de l'art à l'école sera développé et des facilités accordées pour accéder aux grandes œuvres : extension des heures d'ouverture des musées, des bibliothèques, des monuments grâce au recrutement du personnel nécessaire.
99. Le soutien à la création cinématographique, musicale, plastique, théâtrale, littéraire, architecturale placera la renaissance culturelle du pays au premier rang des ambitions socialistes.

Un conseil international pour la science et la culture, une école européenne du cinéma et un centre international pour la musique seront créés.
100. La libération du prix du livre sera abrogée.

plans, ce résultat est chargé de sens : ministre novice, sans aucune expérience des procédures législatives, Jack Lang mène rondement une réforme importante qu'il fait voter par les chambres à la quasi-unanimité, dans un contexte politique pourtant marqué par l'amertume d'une droite défaite et l'arrogance d'une gauche triomphante. En outre, Jack Lang peut faire valoir que la première proposition socialiste réalisée et la première loi adoptée à l'initiative d'un gouvernement de gauche concernent la culture. Enfin, si le prix unique est présenté comme destiné à sauver le réseau culturel que constituent les librairies, menacées par l'offre de livres à prix réduits dans les grandes surfaces, FNAC comprise, il s'agit avant tout d'une revendication des éditeurs. D'un point de vue de gauche, on aurait pu penser que tout ce qui pouvait rendre le livre plus accessible physiquement et économiquement au plus grand nombre devait être favorisé ; en faisant adopter le prix unique, Jack Lang exprime nettement sa préférence pour le point de vue des professionnels et de ce que l'on commence à appeler les « industries culturelles ». C'est une politique de « clientèles », habile, réaliste qui est ainsi inaugurée.

En octobre 1981, le ministre nomme à la direction de la musique Maurice Fleuret, sur la suggestion du Premier ministre Pierre Mauroy qui l'avait vu à l'œuvre comme organisateur d'un festival à Lille. Le poste, créé en 1969 par Marcel Landowski, n'avait été occupé jusque-là que par des professionnels ou par des hauts fonctionnaires. Avec Fleuret, journaliste, musicologue, animateur de festivals, résolument progressiste, c'est un profil nouveau qui apparaît dans l'administration culturelle. Il se présente comme directeur « de toutes les musiques, de l'accordéon jusqu'à l'industrie phonographique ». Personnalité intransigeante et d'une parfaite intégrité, Maurice Fleuret marquera profondément la politique musicale, non seulement en mettant l'accent sur la création, mais aussi par son esprit social. Constatant que cinq millions de Français, dont un jeune sur deux, pratiquent un instrument de musique, Fleuret mûrit l'idée d'une Fête de la Musique à laquelle chacun serait convié, dans la rue et en tous lieux, comme interprète ou spectateur. D'abord déconcerté, Jack Lang adopte la proposition et le 21 juin 1982, jour du solstice d'été, est choisi. C'est la première des grandes initiatives médiatiques de Jack Lang, un de ces gestes providentiels qui ne coûtent rien au budget de la Culture et font beaucoup parler d'eux en frappant l'opinion dans sa masse. Improvisée, mais bien relayée par les médias que Lang, son épouse et son cabinet s'entendent à mobiliser et à relancer sans relâche, la Fête de la Musique s'impose d'emblée et donne d'un coup à la culture un côté populaire, sympathique, bon enfant que jamais elle n'avait eu jusque-là dans l'esprit public. Avec les années, la Fête de la Musique deviendra une véritable institution que les gouvernements de droite prendront soin de maintenir et qui bientôt s'étendra à toute l'Europe. Elle sera suivie d'autres manifestations dont les titres tapageurs, du style « Ruée vers l'art » ou « Fureur de lire », épouvanteront les esprits raffinés tant ils prennent à rebrousse-poil les attitudes recueillies auxquelles on associe classiquement les pratiques culturelles. Ce tumulte festif atteindra son apogée avec la célébration du Bicentenaire de la Révolution dont Jack Lang, grand maître des cérémonies républicaines, aura la charge. Un extravagant défilé sur les Champs-Élysées relayé par la télévision, mélange d'invention et de mauvais goût, fera de cette commémoration un événement tonitruant mais sans lendemain, à l'image même de ce monde éphémère qu'engendrent les médias et où Jack Lang évoluera avec une particulière aisance qui lui vaudra d'être qualifié par Jean d'Ormesson d'« animateur d'État ».

Je retiendrai aussi de cette période inaugurale un troisième fait, lui aussi lourd de sens. Au début de l'automne 1981, le président de la République annonce au cours d'une conférence de presse sa décision de transférer le ministère des Finances hors du Louvre afin de consacrer l'ensemble du palais au musée. Si François Mitterrand avait déjà confirmé, comme on l'a rappelé, le projet d'Orsay, il inaugure par cette décision sa politique des grands travaux. Ses prédécesseurs avaient pris des initiatives du même ordre ; mais par le nombre, l'ambition et la méthode, les projets mitterrandiens sont d'une autre nature. Comme Beaubourg qui avait été une initiative personnelle de Pompidou, le Grand Louvre, en 1981, ainsi que la Grande Bibliothèque après l'élection présidentielle de 1988, sont des idées du président lui-même, dont il n'est pas prouvé que Lang ait été informé avant leur annonce ou consulté à leur sujet. La genèse d'autres grands projets — comme l'Arche de la Défense qui devait héberger un « Carrefour de la Communication » dont personne n'a jamais bien compris le sens et qui sera d'ailleurs remis en cause par le gouvernement Chirac en 1986, l'Opéra-Bastille, la Cité de la musique — sera davantage collective et concertée. Il n'en reste pas moins que tous ces grands projets seront, à plus d'un titre, un défi pour le ministère de la Culture et pour le ministre lui-même. Éminemment culturels par nature, ils ne seront pas pleinement maîtrisés par l'administration de la Culture même si, à terme, c'est son budget qui devra assumer la charge du fonctionnement de ces institutions lourdes. Dès l'origine, ces projets seront pilotés par un « groupe des quatre » siégeant à l'Élysée, avec le concours d'une mission de coordination rattachée au Premier ministre et qui ne se privera pas de déborder à l'occasion sur les compétences propres du ministre de la Culture. À partir de 1988, un secrétaire d'État, Émile Biasini, qui avait auparavant mené brillamment l'opération du Grand Louvre, sera chargé de conduire l'ensemble des grands travaux ; rattaché en fait directement au chef de l'État, il aura avec Jack Lang des relations compliquées [5]. Les grands travaux contribueront certes au prestige du ministère de la Culture et marqueront dans l'ensemble de réelles avancées de la politique culturelle, tout en alimentant maintes polémiques, surtout en ce qui concerne l'Opéra-Bastille et la Bibliothèque nationale de France ; mais on a une certaine difficulté à découvrir une cohérence entre les plus monarchiques de ces initiatives et une politique culturelle qui se réclamait, au moins dans ses débuts, du socialisme. C'est plutôt la continuité de la politique culturelle qui s'en est trouvée renforcée, fût-ce au détriment de l'autorité

5. Voir son livre précité, *Grands Travaux*.

propre du ministre de la Culture, souvent désavoué ou écarté dans les grands choix, et à l'inverse empêtré dans les maladies de jeunesse et les conflits de pouvoir que ces nouvelles institutions connaîtront.

Quatrième initiative importante : le budget de la Culture. Depuis des années, l'une des revendications les plus instantes des milieux culturels, abondamment relayée par l'opposition de gauche, était que les crédits de la Culture représentent 1 % du budget de l'État. On en était loin puisque après avoir atteint le taux de 0,55 % dans le budget de 1973 préparé par Duhamel, le budget de 1981 ne dépassait pas 0,47 %. Les 110 propositions ne mentionnaient aucun chiffre et, dans sa campagne, le candidat Mitterrand s'était borné à promettre « une augmentation substantielle ». Dès son arrivée rue de Valois, Jack Lang comprit que la première tâche d'un ministre de la Culture était de se battre pour son budget. Ce qu'à part Malraux à ses débuts et dans une certaine mesure Duhamel aucun ministre n'avait obtenu, Lang l'arrachera en transgressant toutes les règles du rite budgétaire et de la hiérarchie gouvernementale par une action directe et répétée auprès d'un chef de l'État attentif à ce genre de décisions chargées de sens et qui, par elles-mêmes, ne ruinent pas l'équilibre du budget général. Un collectif budgétaire, à l'été 1981, augmente d'un quart le budget de la Culture. Pour 1982, il obtiendra un quasi-doublement qui portera à 0,76 % le pourcentage de la Culture dans le budget de l'État. Il lui faudra cependant constater que son administration, enserrée dans des procédures complexes, notamment en matière d'investissements, et dans des contrôles multiples que les services des Finances se feront un plaisir de renforcer, aura un certain mal à absorber cette augmentation massive qui, d'année en année, lui sera disputée. Loin de diminuer le mérite de Lang, ces difficultés chroniques le soulignent plutôt. Ce ministre aura durablement accru les moyens de la politique culturelle en multipliant par trois son budget ; le passage au fameux 1 % restera cependant inaccessible. De 0,86 % en 1990, le budget passe à 0,98 % en 1992 mais chaque année des gels ou des annulations de crédits remettent en cause cette progression ; et si le budget de 1993, avec près de 14 milliards, atteint enfin le 1 %, dès le 10 février un arbitrage de Pierre Bérégovoy renie le franchissement de ce seuil symbolique. Globalement, toutefois, Jack Lang était parvenu à tenir un engagement moral de la gauche, ce qui est assez exceptionnel pour être souligné, le mérite revenant pour l'essentiel à la pugnacité et à la force de conviction d'un seul homme.

Ces quatre exemples sont assez révélateurs des réussites de Jack Lang et de leurs limites. Une assise réelle, et croissante, dans l'opinion, un puissant effort d'investissement culturel, des moyens accrus donnés au ministère pour accomplir ses multiples missions et pour soutenir à la fois la création et les nombreux relais de la diffusion culturelle, une attention soutenue, et parfois complaisante, aux intérêts des professions culturelles et, brochant sur le tout, un esprit d'initiative omniprésent, un style à la fois décontracté et flamboyant, et la bonne conscience d'une gauche qui, persuadée d'avoir la confiance des intellectuels et des artistes et d'être habilitée à parler en leur nom, ne voit plus de limites à la légitimité de l'intervention d'un pouvoir, qu'elle détient, dans le domaine de la culture : tels sont les grands traits des « années Lang ». Par scrupule mental ou par prudence politique, les ministres de droite, même les plus convaincus, fixaient des limites à l'intervention de l'État et bornaient leur ambition dans le domaine des choix, des contenus, des programmes culturels. Rien de tel avec un ministre et une équipe de gauche, qui ont même été plus loin : en un moment où la problématique des industries culturelles commençait à retenir l'attention, où les aspects économiques de la vie culturelle devenaient mieux étudiés et plus visibles, et où l'on commençait à oser parler de rentabilité et de rigueur de gestion en matière culturelle, Jack Lang a fait faire à son administration des avancées qu'un ministre de droite n'eût peut-être pas tentées, à un rythme aussi rapide en tout cas. Je me souviens qu'étant venu l'entretenir, peu après sa prise de fonctions, de mon action pour la promotion du mécénat culturel d'entreprise, je reçus de lui un accueil très ouvert, même si son cabinet, très étatiste, conserva un temps quelque méfiance envers ces entreprises qui prétendaient offrir non seulement de l'argent, mais des idées pour la culture.

Il faut aussi rendre à Lang cette justice que, si ouvertement orientée à gauche qu'elle fût, du moins dans les proclamations, sa politique ne fut pas plus partisane que ne l'avait été celle de ses prédécesseurs depuis Malraux alors que le sectarisme sévissait dans d'autres ministères. Des villes marquées à droite comme Toulouse, Bordeaux, Lyon et plus tard Grenoble et Nîmes, sans parler de Paris, bénéficièrent sans discrimination du concours de l'État pour leurs activités et leurs équipements, presque autant que Marseille, Lille, Nantes, Rennes ou Montpellier. Cette pratique habile ne fut pas étrangère à l'accueil exceptionnellement courtois et souvent même empressé que les parlementaires, y compris ceux de l'opposition de droite, à l'Assemblée et peut-être plus encore au Sénat, ne cessèrent de réserver au ministre, notamment lors de la présentation annuelle de son budget. Au-delà même des cercles parlementaires, on peut dire que l'un des succès les plus étonnants de Lang aura été de frapper de stupeur le milieu politique. La réflexion sur la culture n'a jamais été le fort des partis, à l'exception du parti communiste, enfermé il est vrai dans sa logomachie mais sensible à l'action de terrain et attentif à apparaître comme le défenseur des droits sacrés de l'esprit par rapport aux puissances d'argent et à l'oppression du pouvoir, avec toutes les arrière-pensées que cette posture impliquait, mais aussi ce qu'il y a toujours eu de sincère, chez ce parti ouvrier, dans le respect témoigné à l'intelligence et au talent. Le parti socialiste, lui, s'est borné à suivre, un peu étourdi parfois par le rythme d'enfer du ministre issu de ses rangs. Quant à la droite, elle a bien sûr ironisé, surtout dans les premiers temps, sur le style mirobolant et les accoutrements inattendus de Jack Lang ; mais à part une tentative d'ailleurs assez creuse du RPR à l'approche des élections de 1993, on n'a pas le souvenir que les partis de droite aient, après 1981, amorcé la moindre réflexion sur la politique culturelle, que ce soit négativement par une critique en règle de l'action de Lang ou de manière constructive en proposant une autre politique. Pendant toute cette période, même ce qui, dans l'action de Jack Lang, pouvait paraître facile, complaisant ou dogmatique n'a pas suscité, autrement qu'en paroles, la réplique politique que l'on aurait pu attendre. La droite s'est bornée, au moins dans sa partie la plus conservatrice, à faire écho, faiblement d'ailleurs, à certaines polémiques sur « l'État culturel », avec la compréhensible prudence de ceux qui postulent à la direction de l'État.

On ne sait trop, en fin de compte, s'il convient de mettre ce consensus au crédit de Jack Lang ou à son débit. Son habileté ne fait pas plus de doute que la sincérité de son zèle pour la cause de la culture. En se réclamant à l'occasion de Malraux et de Duhamel, en s'attirant les grâces ou en désarmant les humeurs du grand électeur culturel de la Ve République, Pierre Boulez, et des pompidoliens fidèles à la mémoire d'un homme d'État lui aussi passionné d'art moderne, en pratiquant à l'égard de toutes les professions culturelles organisées un clientélisme assidu, en entretenant avec les élus locaux de toutes tendances des rapports constructifs et souvent complices, en découvrant un peu tardivement, à son « retour d'exil » en 1988, les charmes et les vertus du patrimoine, Jack Lang a évité que la politique culturelle ne fût un facteur de division. S'il lui est arrivé d'irriter les milieux intellectuels par son simplisme, les médias par son insistance, ses collègues du gouvernement par ses immixtions intempestives, il s'est incontestablement imposé dans les milieux culturels, dans l'opinion et aussi à l'étranger ; sur ce dernier aspect, il faut reconnaître que Jack Lang, par son abattage et sa force de conviction, a contribué plus qu'aucun de ses prédécesseurs à faire comprendre et parfois même envier cette exception culturelle française qui confère à l'État une responsabilité qu'on ne retrouve dans aucune des démocraties européennes.

*
*   *

Parvenu à ce point, il faut se demander si, au-delà des idées, du style et des symboles, cette politique culturelle conçue et menée pendant dix ans par Lang est vraiment une politique de gauche. Y a-t-il eu un « socialisme culturel » ou une « culture de gauche » comme on disait au printemps 1981 ? Observe-t-on au contraire, comme dans les domaines de l'économie, de la monnaie et de la défense, une conversion plus ou moins avouée à un pragmatisme intégral, sous l'effet des réalités du pouvoir et des réalités tout court ? Ou bien, faute d'une pensée et d'un programme, la gauche a-t-elle poursuivi en matière culturelle la politique de la Vᵉ République, avec des moyens accrus, un style plus détendu et inventif et quelques audaces occasionnelles dues à la personnalité d'un ministre imaginatif et, plus encore, soucieux de son image ?

Ma réponse est que Lang est objectivement un continuateur plus qu'un vrai novateur ; à ce titre, il a porté la politique culturelle de la Vᵉ République à son accomplissement, mais en en révélant les limites. Ce qui est intéressant, c'est qu'il a tenté, le plus sincèrement du monde, de franchir ces limites et d'inventer une politique nouvelle ; il s'est ensuivi des intuitions, des tentatives, mais aussi des extravagances et des échecs dont l'inventaire raisonné sera le préalable nécessaire à cette refondation de la politique culturelle dont Lang a pressenti la nécessité sans pouvoir l'accomplir, ni peut-être la vouloir.

En dehors de ses gestes spectaculaires parfois controversés, la plupart des initiatives les plus durables de Lang s'inscrivent dans la continuité de la politique culturelle, avec le coefficient spécial d'audace et d'efficacité que lui ont valu sa personnalité et sa position politique. On peut en donner mille exemples. C'est ainsi qu'il a mené à son terme la construction de l'armature territoriale du ministère ; à partir de 1985 en effet, le réseau des DRAC (directions régionales des affaires culturelles) est complet, au moment même où la décentralisation voulue par Gaston Defferre entrait dans les faits. Non sans raisons valables, Lang résistera efficacement aux excès de la mode décentralisatrice et affirmera bien haut la nécessité d'une politique culturelle d'État ; mais il verra aussi les avantages d'une plus grande implication des collectivités locales en matière culturelle, notamment à travers les contrats de plan négociés entre l'État et les régions ainsi que les conventions de développement culturel avec les villes. S'agissant du ministère lui-même, Lang réussit à obtenir le rattachement de la Bibliothèque nationale et put entreprendre une vaste politique de développement de la lecture publique. Il parvint à structurer l'administration des arts plastiques au niveau national et à relayer son action dans les régions par l'institution des FRAC (fonds régionaux d'art contemporain) destinés à l'acquisition d'œuvres d'art. Par une politique soutenue de commandes publiques et aussi par les grands travaux, le ministère stimula puissamment la création artistique et architecturale, non sans échapper toutefois aux effets de mode, à la tentation, ici encore, du clientélisme en s'exposant à l'accusation de susciter un art officiel. Les centres dramatiques nationaux et les compagnies indépendantes ont vu, sur plusieurs années, leurs subventions augmenter dans des proportions jamais atteintes jusque-là. Les crédits de la danse ont été triplés en quatre ans. Chaque fois qu'il en a eu l'occasion, Jack Lang a institué des mécanismes de soutien à la création, notamment dans le domaine de l'écriture, mais aussi du cinéma et de l'audiovisuel et n'a eu de cesse de les pourvoir en crédits, allant même jusqu'à créer un organisme original de financement du cinéma, l'IFCIC et, avec Laurent Fabius, un système d'encouragement aux investissements privés dans l'industrie de l'image (SOFICA) ; dans ce domaine, Lang a fait preuve incontestablement de dynamisme mais aussi d'un esprit de modernité libre de préjugés idéologiques. Il admit sans états d'âme la logique industrielle de l'audiovisuel et du cinéma. Il apporta un soin particulier à l'aide à la création proprement dite et à la consolidation du droit d'auteur et des droits voisins, notamment en ce qui concerne la protection sociale des artistes interprètes (loi du 3 juillet 1985) ; mais dans le même temps, il encouragea tout ce qui pouvait favoriser l'investissement ; il poursuivit en l'amplifiant ce qu'avait amorcé avant lui Jean-Philippe Lecat, en s'ingéniant par là à récupérer en partie la compétence en matière de communication audiovisuelle dont il était inconsolable qu'elle eût été retirée à son ministère en 1981 au profit de Georges Fillioud, nommé « secrétaire d'État aux Techniques de communication », titre modeste recouvrant en réalité les hautes et basses œuvres que ce mitterrandiste fidèle a assumées avec une égale docilité en matière de radio et de télévision.

On a fait à Jack Lang le reproche d'avoir négligé le patrimoine pour consacrer tous ses efforts à la création : ce qui est en grande partie injuste et même absurde. Aucun ministre de la Culture ne peut se désintéresser des monuments, des musées et des archives qui constituent la partie la plus visible et la plus structurée de son ministère, ainsi que la plus grande masse de son budget. En revanche, il est vrai que ce vaste domaine n'a pas d'abord figuré au sommet des priorités affichées par Lang. S'il a permis en fin de compte à Jean Favier et à Hubert Landais de poursuivre leur mission à la direction, respectivement, des Archives et des Musées de France, il a, dans un premier temps, laissé se développer un certain « discours de gauche » sur le patrimoine, dont un rapport Querrien est l'illustration pittoresque et d'ailleurs anodine ; l'archéologie industrielle, la mémoire ouvrière et ses lieux, les archives du travail, les écomusées en tireront quelques tributs de reconnaissance, mais la politique du patrimoine n'en sera pas altérée pour autant et, à son tour, bénéficiera de l'accroissement substantiel des moyens budgétaires du ministère. Toutefois, c'est à partir de 1988, revenant rue de Valois, que Jack Lang manifesta un intérêt accru pour le patrimoine. Il faut dire que ce retour comblait ses vœux — tant il supportait mal l'idée que quelqu'un d'autre pût occuper ce fauteuil de la rue de Valois —, mais sans satisfaire pleinement une ambition dont on commençait à voir qu'elle ne se bornait plus au domaine de la culture, même largement entendu. Peu après son retour aux affaires, je crus devoir le mettre en garde amicalement contre un comportement qu'on lui prêtait et qui s'apparentait à la lassitude un peu distraite d'un lycéen redoublant. Il trouva précisément dans l'action en matière de patrimoine un thème propre à relancer son action. Qu'il s'agisse de restaurations, de classements de lieux de mémoire, de secteurs sauvegardés, de rénovations de musées en province, de formation aux métiers du patrimoine, de chantiers archéologiques, d'initiatives destinées à encourager la fréquentation des monuments, notamment des « journées portes ouvertes » dans l'esprit de la fête qui lui était cher, ou de problèmes de gestion, on vit alors Jack Lang se passionner. Rompant avec une tradition séculaire, il amorça une révision du système napoléonien qui faisait des grandes institutions culturelles de simples services extérieurs étroitement soumis à l'administration centrale, à commencer par le Louvre et Versailles.

*
* *

Ce n'est pas amoindrir le mérite de Jack Lang que d'observer qu'il a réalisé à sa façon la synthèse des plus marquants de ses prédécesseurs. À Malraux, il ressemble par ce lien direct et quasiment exclusif qui l'unit au chef de l'État et qui en fait à plus d'un titre un ministre à part, « une sorte de Malraux baroque et bariolé » selon l'expression d'Alain Duhamel [6]. Il s'apparente aussi à Jacques Duhamel par son souci de positionner fortement le ministère dans l'ensemble de l'appareil d'État et d'en faire l'inspirateur ou le partenaire des actions culturelles menées par d'autres administrations et par les collectivités locales. Il renoue avec l'esprit de modernité sans frontières de Michel Guy et est, comme lui, très attentif aux courants les plus novateurs de la création en tous domaines. Bien que privé de toute responsabilité directe en matière de communication audiovisuelle, il voit tout le parti qu'il peut tirer de celle-ci pour son influence et pour sa politique et s'emploie, comme Lecat, à affirmer le rôle du ministère de la Culture dans le soutien et l'orien-

6. Alain Duhamel, *les Prétendants*, Gallimard, 1983.

tation de la création télévisuelle autant que dans le cinéma qui relevait directement de lui.

On ne saurait certes réduire la personnalité et le bilan de Jack Lang à ces références rétrospectives. Il faut y ajouter, non seulement son style propre, mais aussi des inspirations nouvelles dont on a signalé les plus marquantes. Toutefois, on peut se demander si un ministre de droite, assuré d'une longévité et d'un soutien politique comparables, eût opéré des choix et atteint des résultats substantiellement différents. Vaine interrogation, peut-être, mais qui nous ramène à la question déjà formulée : cette politique culturelle a-t-elle été vraiment une politique de gauche ?

Il serait cruel et sans doute injuste d'ironiser à ce sujet en confrontant les résultats de cette politique, après dix ans d'application, aux utopies d'un parti qui prétendait « changer la vie » et réinventer la culture. Bien que plus difficiles à interpréter qu'on ne croit, les statistiques sur les pratiques culturelles des Français [7] ne montrent pas un changement en profondeur ; le nombre de nos concitoyens n'ayant pas véritablement accès à la culture n'aurait guère diminué ; le phénomène d'exclusion de ces dernières années conduit plutôt à penser que ce nombre a même augmenté. On reviendra plus loin sur la volonté de Jack Lang de soutenir des formes nouvelles de pratique culturelle, notamment pour les jeunes, mais dès maintenant on peut affirmer que ces initiatives adjacentes n'ont pas réussi à elles seules à transformer la donne culturelle du pays. On pourrait même avancer qu'en laissant jouer la loi du marché dans le domaine de l'audiovisuel et plus généralement des loisirs de masse, les gouvernements de gauche ont d'une certaine manière abaissé le niveau du rapport qui s'établit entre le plus grand nombre et la culture. Il ne suffit pas d'affirmer que le rock, le rap, la bande dessinée sont culturels par nature, ni de soutenir que n'importe quelle fiction télévisée est une œuvre de création méritant les plus hautes protections juridiques et tous

7. *Les Pratiques culturelles des Français 1973-1989, Service des Études du ministère,* Éditions La Découverte et la Documentation Française, 1990.

les soutiens financiers imaginables pour que, comme par miracle, la culture devienne un droit et une réalité accessibles à tous.

Ce qui est vrai cependant, c'est que si les gouvernements de gauche n'ont pas inventé la politique culturelle, ils y ont cru davantage que les gouvernements de droite qui l'avaient lancée dans les années soixante. Ils lui ont procuré plus de moyens financiers, l'ont diversifiée et, sur bien des points, modernisée, avec plus de constance, de volonté et parfois d'imagination. La meilleure preuve en est que, par deux fois, la droite au pouvoir en 1986 et en 1993 n'a pas marqué, sur l'essentiel, une véritable rupture par rapport à l'héritage de gauche qu'elle a trouvé en revenant aux affaires. Jugeons-en.

*
* *

François Léotard et Jacques Toubon ont été tous les deux ministres de la Culture dans un contexte de cohabitation. On sait les différences de climat et de rapport de forces qui distinguent ces deux périodes politiques insolites : une cohabitation de combat en 1986-1988 avec un Premier ministre et un président qui se préparent à s'affronter deux ans plus tard lors de l'élection présidentielle ; une cohabitation plus consensuelle en 1993-1995, avec une majorité parlementaire écrasante et un président parvenant au terme de sa carrière politique.

François Léotard n'a été nommé ministre de la Culture (et de la Communication) que parce que le président a refusé qu'il fût chargé de la Défense. Homme politique expérimenté et de talent, sensiblement de la même génération que Lang, médiatique comme lui, il était peu préparé à cette succession périlleuse et sera inhibé par l'ombre portée, jusque sur ses dossiers, de son prédécesseur [8]. Cela ne l'empê-

8. On trouvera un récit à chaud, et assez sympathique de cette expérience dans un livre d'entretiens : François Léotard, *À mots découverts*, Grasset, 1987.

chera pas de procéder, comme le fera Jacques Toubon en 1993, à une valse des directeurs du ministère ; mais en dehors de cette marque facile d'autorité, on sent Léotard embarrassé, comme le montre l'affaire des colonnes de Buren au Palais-Royal où un ministre plus avisé n'aurait pas hésité des mois entre les deux solutions concevables : soit la remise en question immédiate d'un projet discuté, quitte à trouver des compensations pour un artiste estimable qu'on était allé chercher ; soit la confirmation sans délai d'un projet conclu et engageant la parole de l'État, ce à quoi Léotard se résigna en fin de compte, mais sans panache.

C'est sur un autre plan que fut contesté l'héritage culturel de la gauche, et d'ailleurs à un autre niveau que celui du ministre, réduit là à un rôle ingrat d'exécutant. Il s'agit des grands travaux présidentiels. L'un d'entre eux, on l'a déjà dit, ne résistera pas à l'offensive ; il s'agit du Carrefour de la communication prévu à l'Arche de la Défense qui sera cependant construite, ce geste splendide d'architecture n'étant plus voué qu'à loger banalement des mètres carrés de bureaux publics et privés. L'Opéra Bastille fut contesté mais ni le gouvernement, ni le ministre de la Culture n'eurent assez de constance ou d'imagination pour arrêter le projet ou lui substituer une alternative crédible comme ce grand auditorium dont Paris demeure dépourvu ; il ne résulta de ces hésitations que des retards, des surcoûts ainsi que des choix artistiques et administratifs qui devaient rendre encore plus hasardeux le lancement, à partir de 1989-1990, de ce grand vaisseau problématique. Plus médiocre encore fut l'opposition menée par Édouard Balladur, ministre d'État, envers le projet du Grand Louvre. Son prédécesseur Bérégovoy avait voulu braver le destin en faisant casser prématurément, juste avant l'alternance, les locaux abritant le ministre et son cabinet. Édouard Balladur les fit reconstituer à grands frais et, sans aller jusqu'à s'opposer à la poursuite du projet d'ensemble, imposa au chantier des contraintes qui en renchérirent inutilement le coût.

Pour tout le reste, François Léotard poursuivit sans grands changements la politique culturelle de Lang. Le plus piquant est que ses initiatives, dont son prédécesseur n'aurait pas manqué de tirer tout le profit possible, furent mises, non à son crédit, mais à celui de Jacques Chirac et d'Édouard Balladur qui prirent un malin plaisir à s'en attribuer le mérite, qu'il s'agisse de l'abaissement à 18,6 % de la TVA sur le disque, pour lequel Jack Lang avait longtemps bataillé, de la loi sur le mécénat ou de l'augmentation des crédits des monuments historiques ; mais la part du budget de la Culture déclina de 0,93 à 0,81 % du budget de l'État pendant cette période 1986-1988.

Il est vrai que François Léotard, chargé aussi de la Communication, consacra à ce dernier dossier plus de temps et d'énergie qu'aux affaires de la Culture, sans être pour autant, là encore, le vrai maître des opérations, menées depuis Matignon et rue de Rivoli. Le ministre souffrit mille morts, notamment au Sénat, lors des débats concernant la loi sur l'audiovisuel où un certain esprit de revanche et aussi la volonté de corriger les abus de la gestion socialiste, fût-ce par des abus symétriques, empêcha la sérénité propre à assurer à ce secteur fragile et en pleine mutation le minimum de stabilité dont il avait besoin. Le ministère de la Culture, en tout cas, ne gagna pas grand-chose à se trouver sous la coupe d'un ministre accaparé par le dossier de l'audiovisuel. Si injuste que cela soit, on ne retient guère de cette période qu'une formule de Léotard sur le « mieux-disant culturel » que certains continuent, par dérision, à opposer aux réalités d'une télévision de plus en plus soumise, même lorsqu'elle demeure de statut public, aux impératifs commerciaux.

À son retour rue de Valois, après les scrutins de 1988, Jack Lang n'aura pas à pratiquer une politique de restauration — ce qui d'ailleurs le privera d'un utile stimulant. Il reprendra les affaires là où il les avait laissées, se bornant à changer, lui aussi, quelques directeurs en nommant des proches, selon une pratique devenue, hélas ! traditionnelle rue de Valois et qui entraîne une instabilité préjudiciable à la dignité même du ministère.

Le ministère Toubon, sans briller d'un éclat exceptionnel, a cependant meilleure allure que l'intermède Léotard. Là encore, on a fait appel à un homme politique de fort calibre et qui, à l'époque, se serait bien vu, dit-on, garde des Sceaux.

Jacques Toubon était cependant mieux préparé que François Léotard à succéder à Lang dont, au demeurant, les ambitions politiques avaient à ce point grandi dans l'intervalle qu'il ne pouvait désormais s'abaisser à regarder comme un usurpateur tout successeur rue de Valois. Toubon, homme politique chevronné, avec une forte expérience de militant, de parlementaire et d'élu parisien, est vite apparu plus averti qu'on ne le croyait des affaires de la culture, spécialement dans les domaines des spectacles et des arts plastiques. Gros travailleur, disponible, généreux, curieux, payant volontiers de sa personne, Jacques Toubon eut assez de bon sens pour aborder sans complexe cette première expérience ministérielle en reconnaissant ouvertement ce que Lang avait fait de positif et en annonçant avec une certaine conviction des priorités nouvelles qui prenaient appui sur une réflexion qu'avait enfin esquissée hâtivement le RPR sur la culture. En mettant notamment l'accent sur l'éducation artistique et le souci du public, il soulignait les points faibles de la gestion antérieure — ce qui ne justifiait cependant pas tous les changements de directeurs auxquels, cédant à une pratique désormais bien établie, il se livra avec empressement.

Les grands travaux étaient alors trop avancés pour que l'on pût nourrir, comme en 1986, la tentation de les abandonner ; mais Jacques Toubon eut assez d'esprit politique pour les assumer sans états d'âme et même pour consolider leur avenir par de sages mesures d'organisation et des choix d'hommes avisés, qu'il s'agisse de la fusion de la Bibliothèque nationale et de la Grande Bibliothèque en une Bibliothèque nationale de France confiée aux mains expertes de Jean Favier, ou de la réorganisation de l'Opéra dont il sut convaincre Hugues Gall d'accepter la direction.

Bien qu'il ne fût pas chargé de la communication, confiée cette fois à un autre ministre de plein exercice, Jacques Toubon s'employa, comme tous ses prédécesseurs, à être présent sur ce front, non pour assumer les missions ingrates de l'organisation du paysage audiovisuel, de sa régulation et de son financement, mais pour manifester son intérêt à l'égard de la création. La négociation du GATT lui fournit maintes occasions d'intervenir, voire de surenchérir.

Ayant assuré, bien que dans un contexte difficile, le maintien de son budget à un niveau à peu près honorable de 0,91 %, Jacques Toubon n'a pas pour autant beaucoup innové. Constamment présent sur le terrain, mais mal secondé par un cabinet faible et brouillon, il a lancé quelques pistes, notamment celle d'une Fondation du Patrimoine, décidé d'importants chantiers dans les musées et les théâtres nationaux, mis l'accent sur les métiers de la culture, étendu sensiblement la liste des grands projets en région amorcés par Jack Lang et poursuivi la décentralisation culturelle. Ce bon gestionnaire aura sans doute été le premier à comprendre que les grands chantiers, devenus avec le temps de grandes institutions, allaient peser très lourd sur le budget de la Culture et par voie de conséquence, sur l'avenir même de ce ministère.

*
* *

Alors que dans d'autres domaines, les alternances de 1986 et de 1993 ont entraîné de grands changements, la politique culturelle n'a donc guère varié dans ses options fondamentales. La gauche n'a pas plus imposé sa vision à la droite que l'inverse. Il s'est établi une sorte de consensus sur la politique culturelle, où chacun a trouvé son compte : les ministres parce qu'il est plus commode de continuer que d'innover, l'administration parce qu'elle abhorre pour elle-même le changement qu'elle prêche volontiers à la terre entière, les partis politiques parce qu'ils n'ont guère d'idées en matière culturelle, et les gens de culture parce qu'ils ont intérêt au maintien des réseaux d'influence et d'aides de toute sorte, patiemment constitués, qui les relient au ministère. Ajoutons que ce consensus a été favorisé et consolidé par la présence à l'Élysée, pendant quatorze années, d'un président fort attentif à la responsabilité de l'État en matière de culture et soucieux avant tout de faire aboutir de grands projets correspondant à la fois à l'idée assez monarchique qu'il se faisait de son rôle et à sa conception très classique de l'institution culturelle, subtilement équilibrée par quelques complaisances de façade envers les formes les plus échevelées de la « nouvelle culture ».

Au terme de cette période, le ministère de la Culture s'est en quelque sorte fondu dans le paysage institutionnel de la République. Personne ou presque ne discute son existence. Les professions culturelles qui l'ont regardé longtemps avec méfiance se sont d'autant mieux accommodées de lui que les ministres successifs ont tout fait pour les flatter par une politique systématique de clientèle. L'organigramme du ministère est devenu l'exact reflet des catégories professionnelles : musiciens, gens de théâtre, danseurs, artistes plasticiens, archéologues, écrivains, cinéastes ont leur répondant au ministère, avec un système très perfectionné de comités et de commissions où les représentants de l'administration et des professions gèrent la répartition d'aides, de subventions, de bourses et de commandes. La cogestion culturelle est désormais une réalité qui serait paisiblement vécue si, périodiquement, les arbitrages budgétaires et plus encore, en cours d'année, les annulations ou gels de crédits, devenus rituels, ne venaient troubler la quiétude complice des ayants droit et des subventionneurs.

D'une certaine façon, le ministère de la Culture est aujourd'hui un ministère des Beaux-Arts modernisé, repeint aux couleurs du temps, émancipé depuis Malraux de la tutelle des Académies, mais plus occupé par la gestion d'un système culturel assez fermé sur lui-même que voué à accompagner et à soutenir le changement que l'on voit s'opérer partout, dans une société en mutation, à l'initiative des collectivités locales, des associations, des fondations, des entreprises et de bon nombre d'acteurs de terrain de la vie culturelle. Alourdi par le poids croissant que font peser sur lui les grandes institutions nées des chantiers du président, le budget de la Culture est d'ailleurs de moins en moins en mesure de répondre à ces attentes nouvelles.

Au total, le ministère de la Culture apparaît, en ce milieu des années quatre-vingt-dix, comme l'instrument adéquat d'une politique culturelle qui a atteint les objectifs qu'on lui avait fixés mais qui, pour autant, n'est guère en mesure de répondre à la demande sociale explicite ou latente des temps nouveaux.

*
* *

Il faut reconnaître à Jack Lang le mérite d'avoir pressenti ce décalage auquel, cependant, il n'est pas parvenu à porter remède ; et c'est peut-être ce qui explique le caractère répétitif et un peu désenchanté de son second séjour rue de Valois, à partir de 1988.

Dès ses débuts, Lang avait compris qu'il y avait dans la culture plus d'éléments que n'en peut contenir une politique culturelle, si ambitieuse fût-elle. On l'entendit à l'automne 1981 à l'Assemblée nationale revendiquer le caractère culturel de réformes aussi différentes que l'abolition de la peine de mort, la réduction du temps de travail, la reconnaissance des droits des travailleurs, celle des droits de la femme et l'aide aux pays du tiers monde. Dans le même temps, il professait que le gouvernement comportait quarante-quatre ministres de la Culture. On jugea ces affirmations irresponsables et certains, à gauche comme à droite, ne manquèrent pas d'y déceler les symptômes de la mégalomanie de leur auteur. Bien qu'exprimées avec outrance, elles participaient pourtant d'une conception dont en son temps Jacques Duhamel avait eu le premier l'intuition : la culture n'est pas seulement un secteur, mais une dimension de l'action gouvernementale et du projet de société qui oriente cette dernière.

On s'explique d'autant moins, dans ce contexte, que Jack Lang ait consenti à la suppression de l'instrument mis au point au temps de Jacques Duhamel pour susciter des initiatives culturelles d'autres administrations : le Fonds d'Intervention culturelle qui, avec des fortunes diverses, avait subsisté pendant plus de dix ans. Lang tentera néanmoins par d'autres voies, moins institutionnelles et aussi plus floues, d'être en quelque sorte la « conscience culturelle » du gouvernement et le fer de lance d'une action culturelle globale, alors que, paradoxalement, il laissait se dissoudre au sein de son propre ministère, le concept d'action culturelle, comme s'il avait craint que cette idée forte n'entravât son action omnidirectionnelle.

Beaucoup de ses initiatives, y compris les plus discutables, s'expliquent ainsi par cette volonté plus ou moins explicite d'échapper au carcan d'un système culturel refermé sur lui-même. C'est vrai de ses multiples tentatives pour s'immiscer dans les problèmes de l'audiovisuel, dont il n'eut officiellement la charge qu'à partir de 1988, mais flanqué d'un ministre délégué bien décidé à affirmer son autonomie par rapport à son envahissante tutelle ; de fait, Catherine Tasca, Georges Kiejman et Jean-Noël Jeanneney, titulaires successifs de ce demi-portefeuille, eurent avec Lang des relations assez tumultueuses ; la donnée culturelle, si importante qu'elle fût, n'était pour eux que l'un des paramètres à prendre en compte ; en revanche, pour Lang, le rêve d'une télévision au service de la culture était la seule manière d'échapper aux contraintes et aux limites de la politique culturelle au sens étroit et établi du terme. Il échoua d'ailleurs dans beaucoup de ses tentatives, que ce soit Canal Plus à qui il voulut imposer plus de contraintes que celles auxquelles André Rousselet daigna se plier, ou les deux nouvelles chaînes commerciales qu'il combattit autant qu'il le put, et dont la création, marquée par l'absence de transparence et le laxisme complaisant envers des investisseurs amis, reste une des hontes de la gestion socialiste.

Autre fuite en avant, plus spectaculaire encore et qui a donné lieu aux controverses les plus vives : ce que l'on a appelé la théorie du « tout culturel ». Bien que peu doctrinaire, Lang fut pris là d'une véritable ivresse idéologique. Partant de l'axiome selon lequel tout individu est un créateur en puissance, la créativité généralisée étant le terreau dans lequel germent toutes les œuvres, des plus modestes jusqu'aux plus hautes, Lang n'eut de cesse de proclamer la valeur culturelle de toute une série d'activités : non seulement les pratiques nouvelles propres à la jeunesse comme le rock, le rap, le tag, mais des activités sans doute respectables qui, jusqu'alors, n'avaient jamais songé à revendiquer la protection du ministère de la Culture, qu'il s'agisse de haute couture, des arts culinaires, de la bande dessinée, du jazz et même du cirque (bien que celui-ci fût reconnu comme un art à part entière dont le ministère aurait pu s'occuper plus tôt et mieux qu'il ne le fit). Lang se lança dans une véritable débauche d'entreprises en tous genres pour faire admettre l'éminente dignité culturelle de ces activités et de ces pratiques. L'intention était sympathique, et traduisait la volonté sincère d'ouvrir le système culturel à d'autres secteurs que ceux de la culture institutionnelle. Même superficielles, voire purement médiatiques, ces initiatives eurent en tout cas pour mérite d'attirer sur le ministère de la Culture l'attention de secteurs de l'opinion qui n'en avaient jamais entendu parler, notamment les jeunes. Elles déclenchèrent parallèlement l'irritation des tenants de la culture établie, qui ne manquèrent pas d'accuser Jack Lang d'esprit hégémonique et pas seulement de démagogie. Plus sérieusement, certains montrèrent quelque inquiétude devant les risques de dilution du concept même de culture qu'entraînait une définition aussi vaste et floue.

J'aurai l'occasion de revenir sur les questions que nous posent, du point de vue de la culture, les aspirations nouvelles de la jeunesse et le développement de pratiques de consommation de masse qui envahissent le temps libre de nos contemporains. Ce sont de graves questions. On ne saurait reprocher à Jack Lang de les avoir pressenties, mais plutôt d'avoir prétendu les régler hâtivement, sans une vraie réflexion, et surtout en recourant à leur sujet aux méthodes d'intervention les plus classiques de la politique culturelle ; car enfin nommer un « monsieur rock » au cabinet du ministre, livrer la Cour Carrée du Louvre aux couturiers et les Tuileries aux forains, créer dans le même Louvre un fantomatique musée de la mode, instituer un « orchestre national de jazz », mettre en place je ne sais quel conseil national des arts culinaires et un centre national des arts du cirque relève de l'emphase administrative et de la confusion des genres. C'est oublier que l'on se trouve en présence d'activités qui relèvent intégralement de la logique d'entreprise et de l'économie de marché. Elles méritent peut-être une reconnaissance officielle et peuvent justifier à la rigueur des mesures d'incitation ou d'encouragement ; mais le recours mimétique aux formes d'intervention lourdes de l'État a ici quelque chose de dérisoire et d'incongru. À l'égard des industries culturelles, c'est une méthodologie nouvelle, beaucoup plus souple et imaginative qu'il faut mettre au point. Elle reste à inventer.

Il est encore un domaine où la politique culturelle a fait voir ses limites ; il s'agit de l'éducation artistique. Le ministère de la Culture a, traditionnellement, la responsabilité des enseignements professionnels pour tout ce qui concerne les métiers artistiques, de l'art dramatique à la danse en passant par la musique. Il a depuis longtemps développé et diversifié ces enseignements, non seulement au niveau des établissements supérieurs, notamment des conservatoires y compris au plan régional ; il a encouragé la création d'un réseau de plus en plus étendu d'écoles de musique et d'arts plastiques dans toute la France. En revanche, le développement de l'enseignement artistique à l'école s'est toujours heurté à l'inertie, à l'incompréhension et au manque de moyens de l'Éducation nationale. Depuis près de trente ans, pourtant, il n'est pas un ministre de la Culture qui ne se soit bravement attaqué au problème, obtenant de son collègue de l'Éducation des déclarations d'intention encourageantes. Des lois ont été votées, des mesures annoncées, mais sans effet tangible. On a même l'impression que la part des disciplines d'éveil de la sensibilité, dans l'enseignement général, régresse.

Qui ne voit, cependant, que la généralisation des pratiques culturelles, qui est le fondement même de toute politique de la culture, passe par cet éveil de la sensibilité à l'école, dès le plus jeune âge ? Comme ses prédécesseurs, Jack Lang l'avait compris. Au-delà d'une démarche légitime d'ambition personnelle, c'est sans doute cette conviction qui le conduisit, dans les derniers temps de sa carrière gouvernementale, à souhaiter la création d'un « ministère de l'intelligence » regroupant éducation, universités, culture et recherche. On se borna à faire de lui un ministre à portefeuille double : éducation et culture.

Ce nouvel avatar des structures gouvernementales, lors de

la constitution du gouvernement Bérégovoy en 1992, le dernier des gouvernements socialistes, pouvait apparaître soit comme un cauchemar, soit comme la réalisation d'un beau rêve.

Un cauchemar : celui d'un recul de trente ans ; la réunion de deux départements séparés depuis les débuts de la Vᵉ République risquait de rabaisser en fait la Culture au niveau d'un simple secrétariat d'État annexé à l'Éducation nationale.

L'accomplissement d'un rêve : en dépit des bonnes intentions périodiquement affichées depuis tant d'années, les deux ministères n'avaient jamais pu réaliser une bonne articulation de leurs responsabilités en matière d'éducation artistique, à l'école d'un côté, dans les filières spécialisées de l'autre. On aurait donc pu attendre de leur rapprochement, même fortuit, un progrès tangible.

On n'eut ni l'un, ni l'autre. Jack Lang fut en réalité, pendant une courte année, deux ministres en une seule personne, consacrant, non sans talent ni résultat, le plus clair de son attention à l'Éducation, donnant à son image ministérielle un surcroît de compétence et de sérieux, notamment en négociant habilement avec les représentants de l'enseignement catholique. Malheureusement, il n'eut ni le temps, ni sans doute l'envie de profiter de ce qui n'était en réalité qu'une circonstance pour organiser enfin la coopération entre l'Éducation et la Culture, qui reste un problème entier.

*
*   *

Ainsi, de quelque côté qu'il se soit tourné, Jack Lang n'est pas parvenu à étendre vraiment l'influence du ministère de la Culture au-delà des limites de ses propres compétences. Du moins peut-on le créditer d'avoir, par son rayonnement personnel et son talent de persuasion, incité certains ministres à prendre en compte la dimension culturelle de leur action ; mais rien de durable n'a pu être opéré par cette voie, hormis peut-être dans le domaine de l'aménagement du territoire où Jacques Toubon a compris que la culture avait sa place ; mais on n'a guère dépassé jusqu'ici le stade des bonnes intentions.

En réalité, c'est dans son cadre classique que la politique culturelle s'est développée et a réussi. Là est son mérite, mais aussi sa limite.

Chapitre VI

SECONDE LETTRE À DES AMIS EUROPÉENS

Ce récit d'un tiers de siècle de politique culturelle à la française a pu vous paraître bien ingrat, chers amis européens. Ces ministres qui se succèdent, ces plans, ces rapports, ces lois, ces querelles de compétence, tout ce lourd appareil, lassant pour l'observateur extérieur, peut sembler éloigné des réalités de la culture. Un exposé de cette nature ne peut pas plus prétendre refléter ces réalités qu'un cours sur l'anatomie et la physiologie des organes génitaux ne saurait rendre compte de l'amour. Que de fois, en chemin, ai-je été tenté de lâcher mon sujet pour vous parler de la vraie vie de la culture, qui ne se savoure pas dans les cabinets ministériels ! Ce qui compte, c'est écouter un orgue neuf dans une église restaurée, voir les vitraux de Soulages dans l'abbatiale de Conques, entendre renaître à Royaumont des musiques du haut Moyen Âge, découvrir au festival d'Avignon le spectacle d'une jeune troupe qui voudrait réinventer le théâtre ou la danse ; mais en France, pour que tout cela soit possible, il faut passer par une gestation administrative, longue et complexe. Ne vous disais-je pas, au début de ce livre, que la culture était chez nous furieusement institutionnelle ? Nous ne savons plus la faire vivre sans un pesant appareil. D'autres pays opèrent aussi bien par une méthode plus souple, une organisation plus décentralisée, des démarches plus spontanées. Nous n'avons donc pas de quoi nous vanter ; mais c'est ainsi, jusqu'à nouvel ordre... La question est de savoir si cette machinerie ne risque pas de se retourner contre la culture, et de la stériliser.

Il est vrai qu'en France un président de la République ou un ministre de la Culture impriment leur marque sur la vie culturelle par leurs choix, leur style, l'idée qu'ils se font du patrimoine ou de la création. Par rapport aux autres pays européens, c'est peut-être un archaïsme ; c'est sûrement une exception.

Il existe à ce sujet un témoignage instructif. Sous l'égide du Conseil de l'Europe, il a été décidé, au milieu des années quatre-vingt, de procéder à l'évaluation des politiques culturelles des pays européens ; c'est la France, qui, la première, s'est prêtée à l'expérience, avec l'entier concours du ministre, alors François Léotard, et de ses services. Un groupe d'experts a procédé à une étude approfondie de notre politique culturelle. Présidé par un Suisse, Frédéric Dubois, il comprenait un Britannique et un Suédois et c'est le Belge Robert Wangermée qui en était le rapporteur. Les conclusions de ces experts [1] n'ont rien perdu, en sept ans, de leur actualité. Ce qui les a le plus frappés, c'est ce qu'ils appellent « la personnalisation des options ». Ils notent que « c'est le ministre de la Culture qui, de manière souveraine et en fonction des moyens budgétaires mis à sa disposition par le gouvernement, fait les choix entre les projets et les met en chantier » et ils ajoutent qu'il a « désormais pour habitude de valoriser ses choix dans l'opinion par une action médiatique, souvent très personnalisée, qui tire parti de l'importance acquise par la culture dans les préoccupations de la population ». Ils s'empressent toutefois de préciser : « L'intervention du ministère de la Culture dans de très nombreux secteurs n'entraîne nul interventionnisme dirigiste sur le contenu de la culture. Selon une tradition fermement établie depuis André Malraux, la plus grande liberté est laissée aux créateurs. » Au total, estiment ces experts européens, « par leurs déclarations de politique générale, par l'annonce

1. *La Politique culturelle de la France,* La Documentation Française, 1988.

d'actions nouvelles ou la valorisation d'actions en cours, les ministres de la Culture, en s'insérant dans certains projets, prennent une place importante dans la politique générale ; par leur présence dans les médias, ils contribuent certes à imposer à l'opinion publique les orientations de leur politique, mais ils valorisent en même temps la notion même de culture dans les préoccupations de la société ».

Il n'est donc pas abusif de parler des années Malraux, Duhamel ou Lang ; et j'aurais même pu souligner davantage ce qui est dû à des ministres comme Druon ou d'Ornano dont le règne fut plus court. Trop court pour innover, mais assez long pour affermir et parfois infléchir. J'aurais pu aussi, à l'occasion, être plus sévère que je ne l'ai été. Si je ne l'ai pas fait, ce n'est pas par excès de mansuétude mais parce que je reconnais que, globalement, les titulaires du portefeuille de la Culture n'ont pas été indignes d'une des responsabilités les plus périlleuses du gouvernement ; la plupart des erreurs que les uns ou les autres ont pu commettre étaient réparables et ont, de fait, été corrigées.

Il faut reconnaître un autre mérite à cette longue suite de ministres : ils nous ont prouvé qu'en dépit de notre réputation de gens versatiles et qui n'aiment rien tant que leurs querelles, il nous arrive aussi, à nous Français, d'être à la fois constants et accordés.

Six septennats, dont deux interrompus, quatre présidents, quatre majorités parlementaires, quatorze Premiers ministres en trente-six années secouées de crises politiques et d'épreuves en tous genres, qui n'ont pas épargné la vie intellectuelle et artistique : et pourtant, la Ve République aura su conserver le cap en bien des domaines, parvenant même, à travers les alternances, à étendre le champ du consensus national. Les institutions, la politique de défense, la construction européenne figurent au nombre de ces choix, qui, pour l'essentiel, ne sont plus discutés.

C'est aussi le cas pour la politique culturelle. Au cours de la même période, on a vu apparaître et sombrer, au gré des modes, bien des ministères — temps libre, droits de l'homme, condition féminine, qualité de la vie, ville, information. On en a vu d'autres changer sans cesse de structure ou de rattachement. Sans rester figé, le ministère qui, depuis 1974, a troqué son titre modeste mais judicieux d'« Affaires culturelles » pour celui, plus ambitieux, de « Culture » est demeuré intact dans sa substance, avec des attributions plutôt accrues et des moyens renforcés.

S'il ne s'agissait que de structures gouvernementales, l'intérêt serait mince ; mais à travers elles, c'est la continuité de la politique qui compte et c'est cela qui a avant tout frappé les experts européens, comme en témoigne encore le rapport Wangermée : « Dès l'origine du ministère de la Culture, les grandes finalités de la politique culturelle ont fait l'objet d'un large consensus sur la conservation du patrimoine, son renouvellement par la création et l'élargissement du public. Il y a une continuité dans la poursuite de ces objectifs, mais ils se sont colorés de manière diverse au fil des années. »

La continuité importe surtout par ce qu'elle rend possible. Elle n'est pas une valeur en soi, car il peut y avoir une continuité dans la sottise ou l'aveuglement. Même si elle est intelligente ou éclairée, elle peut avoir des inconvénients, engendrant l'inertie, le conformisme, les redites. On verra qu'à la longue la politique culturelle n'échappe pas à ces périls ; mais pour la période passée, cette continuité a été positive car dynamique. Ses effets bénéfiques s'observent sur deux plans : pour l'État et pour les acteurs de la vie culturelle.

Pour l'État : j'ai vécu une de ces périodes de transition qui ont marqué l'histoire du ministère, ayant été appelé à diriger quelque temps le cabinet de Maurice Druon, après avoir été le principal collaborateur de son prédécesseur Jacques Duhamel. Druon était chargé par le président Pompidou d'une reprise en main, le chef de l'État jugeant en 1973, un an avant sa mort, que l'on était allé trop loin dans la voie du libéralisme et de la permissivité, comme il me l'avait fait remarquer, d'un air sombre et même douloureux, lors d'une conversation à l'Élysée en janvier de cette année-là. Les premières déclarations de Maurice Druon, qui firent grand bruit, étaient destinées à marquer ce nouveau cours auquel, il va sans dire, le nouveau ministre adhérait sans réserve ; mais si proche qu'il fût des milieux politiques,

Maurice Druon n'avait encore aucune pratique du pouvoir. Ce fut pour moi une expérience passionnante que de voir, dans le quotidien, un écrivain célèbre se transformer en ministre. S'il garda de l'homme de lettres le goût des formules, voire de la polémique, il se révéla très vite homme politique par une réelle combativité, qu'il démontra en affrontant avec aisance à l'Assemblée un débat vigoureux sur le thème de ses premières et retentissantes déclarations à l'Agence France-Presse. Plus encore, je fus frappé par son sens de l'État, où il mettait beaucoup de majesté, voire une certaine pompe, mais qui lui inspira spontanément une haute idée du service public et du respect des engagements pris. C'est la raison pour laquelle il ne revint pas sur des choix antérieurs qu'il n'aurait peut-être pas opérés lui-même, mais qui engageaient la parole de l'État. Sur un sujet précis, je fus le témoin de la façon dont il arbitra entre deux de ses aspirations contradictoires. Nous avions, du temps de Duhamel, entrepris résolument une libéralisation du contrôle des films. Tout dans son tempérament poussait Maurice Druon à resserrer ce contrôle plutôt qu'à l'assouplir encore. Je me souviens pourtant de sa réaction de révolte — le mot n'est pas trop fort — lorsqu'il comprit que son pouvoir ministériel pouvait le conduire à interdire un film, et donc à censurer une œuvre de l'esprit. L'écrivain, le créateur eurent là raison de l'homme d'ordre. Et si Druon soupira devant certains excès, il n'en poursuivit pas moins, avec constance, la politique de son prédécesseur.

J'ai choisi à dessein cet exemple vécu car il montre une continuité voulue, et non pas subie. Le grand danger pour un ministre, surtout s'il est peu expérimenté, est de consentir à la continuité que préconisent presque toujours ses services dont la tendance naturelle est de redouter « le mouvement qui déplace les lignes ». Pour autant, l'administration, en France, se plie loyalement à une volonté ministérielle dès lors que celle-ci s'exprime clairement et avec force, mais à cette condition seulement. Un ministre doit toujours être sur ses gardes lorsque, devant un de ses étonnements ou un de ses projets, l'administration lui répond : « On a toujours fait ainsi » ou « Cela n'a jamais pu se faire. » C'est dans des cas de ce genre qu'il doit justement imposer le changement. S'il décide de poursuivre dans la voie choisie par ses prédécesseurs, ce ne doit jamais être pour faire plaisir à son administration mais parce qu'il considère, comme le fit Maurice Druon dans l'exemple de la censure des films, qu'il n'y a pas en effet d'autre politique possible. La technocratie commence quand le pouvoir politique renonce à imposer sa volonté ou est incapable d'en formuler une.

Bénéfique pour l'État, la continuité l'est davantage encore pour les acteurs de la vie culturelle. En matière de culture plus qu'en toute autre, l'action a besoin de la durée. Pour donner une âme à un orchestre, rassembler une collection de peinture, restaurer et faire vivre un monument, enraciner une bibliothèque, un musée, un centre culturel dans leur environnement, il faut du temps, beaucoup de temps et surtout une assurance de durée. En cela l'aspect institutionnel de la culture en France est une garantie car l'institution survit aux individus et s'impose à eux. Je me souviens des réflexions d'Antoine Vitez lorsqu'il fut nommé par Lang administrateur général de la Comédie-Française ; esprit libre, metteur en scène d'avant-garde, pourfendeur des traditions, Vitez revêtit avec gravité ces habits, nouveaux pour lui, de responsable d'une institution séculaire dont il entendait assumer la tradition pour la renouveler de l'intérieur, dans la plénitude de l'idée qu'il se faisait, comme Vilar, du théâtre en tant que service public. Ce qui compte, c'est d'abord la durée garantie à un homme dans l'exercice d'une responsabilité ; et à cet égard, il est bon que l'on commence à revenir, comme on l'a fait pour la Comédie-Française et l'Opéra de Paris, sur la règle stupide imposée du temps de Giscard d'Estaing, qui limitait à trois ans les mandats à la tête d'un établissement public ou d'une société nationale, et qui prévaut encore, hélas ! pour le service public de la Radio-Télévision. Ce qui importe aussi, c'est que le responsable se sente soutenu par l'État qui l'a mandaté pour exercer une mission qui, si longue qu'elle soit, s'inscrit dans une permanence. Des choix hasardeux, des coups du sort ont fait qu'en douze ans six administrateurs se sont succédé à la Comédie-Française et autant à l'Opéra. Daniel Barenboim, qui fut une victime de ces caprices ministériels, n'a pas eu tort de dénoncer à leur sujet l'interférence de la politique dans la culture. La politique au mauvais sens du mot, dont un ministre doit avant tout se garder lorsqu'il procède à des choix capitaux. Il y a sur ce plan de bons exemples : le Festival de Cannes n'a eu que trois délégués généraux en quarante-cinq ans (Favre Le Bret, Maurice Bessy, Gilles Jacob), tout comme le festival d'Aix-en-Provence (Dussurget, Lefort et Erlo) ; le Théâtre de la Ville n'a eu que deux directeurs, Jean Mercure et Maurice Violette ; Michel Plasson est depuis un quart de siècle à la tête de l'Orchestre du Capitole et Jean-Claude Casadesus depuis vingt-trois ans dirige l'Orchestre national de Lille. Cette longévité, qui serait dommageable pour un préfet, un ambassadeur ou même un ministre, est un bienfait pour une institution culturelle, dès lors que les choix sont de compétence, non de faveur ou d'obédience.

*
* *

Contrairement à ce que l'on pourrait croire, le risque d'interférence de la politique partisane dans la vie culturelle n'existe pas seulement dans les pays où, comme en France, l'État est fortement impliqué. Il n'est que de voir ce qui se passe dans la plus libérale des démocraties : les États-Unis. Pour des raisons multiples qui ne tiennent pas seulement à son organisation fédérale, mais à un système social fondé sur la libre initiative, l'esprit d'entreprise et la loi du marché, l'État est resté très longtemps à l'écart de tout ce qui concernait la vie intellectuelle et artistique, à la seule exception, d'ailleurs relative, de la National Gallery de Washington et des musées fédéraux gérés par la Smithsonian Institution. En 1965, sous la présidence de Lyndon Johnson fut cependant créé le « National Endowment for the Arts » qui distribue l'équivalent de moins d'un milliard de francs français de subventions aux activités artistiques. Il est, chaque année, la cible des membres du Congrès les plus réactionnaires. Le comité artistique de ce fonds est, selon David Ross, directeur du Whitney Museum de New York, présenté comme l'exemple de la décadence morale dont ces gens veulent sauver l'Amérique ; chaque année, au Congrès, on monte en épingle une œuvre choquante, provocatrice, blasphématoire. Il est vrai que sur cent mille bourses attribuées annuellement, une quarantaine seulement sont soumises à ce traitement ; mais ce qui n'était jusqu'ici qu'un rite expiatoire ou purificateur sans grande conséquence prend aujourd'hui un tour plus inquiétant. Le nouveau speaker de la Chambre des Représentants, Newt Gingrich, s'en prend particulièrement, dans son *Contrat avec l'Amérique,* au système de protection sociale et aux fonds fédéraux pour l'art, dont il préconise la suppression ou la privatisation.

Nous sommes à l'abri de pareilles remises en cause. Il y a bien vingt ans que les plus réactionnaires des parlementaires ou des polémistes ne se risquent plus à ce genre d'offensives obscurantistes sous des dehors de vertu. Dans la campagne présidentielle, on a peu parlé de culture. Cela pourrait paraître inquiétant, et révèle en tout cas une absence d'idées neuves en la matière ; mais cette discrétion est à tout prendre rassurante. Tous les candidats importants ont pris position en faveur du fameux 1 % du budget de l'État qui doit être consacré à la culture et ont tenu à s'assurer le soutien, selon une tradition bien de chez nous, du plus grand nombre possible d'écrivains, d'acteurs et de chanteurs dont les noms sont la parure des comités de soutien, à droite comme à gauche. Le plus intéressant est qu'ils le font sans risque aucun. Il n'en résulte, quel que soit l'élu, nulle disgrâce ou défaveur. Seuls seront peut-être déçus quelques opportunistes ou quelques repentis qui, à défaut d'autres titres, espèrent toucher les dividendes de leur précieux soutien sous forme d'honneurs institutionnels, de présidence de commission ou d'une place à la cour, si par malheur celle-ci devait subsister avec autant d'éclat que sous le règne de François Mitterrand.

Ne croyez pas que je verse dans le triomphalisme et que le système français soit à mes yeux paré de tous les mérites. J'en connais mieux que personne les travers et les dangers et je montrerai qu'il doit être révisé en profondeur, sous peine de sclérose ; du moins est-il bien accordé à la nature particulière de nos mentalités et de nos traditions nationales. Cependant, quand j'observe la vitalité intellectuelle et artistique de nos voisins et les pratiques culturelles dans beaucoup de pays d'Europe, je ne prétends en aucune manière que la France ait des leçons à donner. Ainsi, de l'Angleterre. On ne se lassera jamais d'énumérer, en tous domaines, cette obstination que nous prêtons aux Anglais de faire autrement que nous. Ils réagissent d'ailleurs semblablement à notre endroit, tant les destins parallèles de ces deux vieux peuples les distinguent au point que toutes leurs différences paraissent voulues.

Le mot de « culture » existe dans la langue anglaise, mais il semble suspect tant il est peu usité. On parle des arts, du patrimoine *(heritage),* des spectacles, du divertissement *(entertainment),* mais de culture point. Il y a un Conseil des Arts, et même un ministre des Arts, rattaché depuis peu au « Department of National Heritage ». L'« Arts Council », comme l'« Historic Buildings and Monuments Commission », fonctionnent de manière indépendante et répartissent souverainement les subventions votées par le Parlement et qui ne font que transiter par les ministères dont ils relèvent. On n'a jamais entendu un Premier ministre britannique formuler une politique culturelle et si l'on connaît le goût de la reine pour ses orchidées et ses chevaux, nul ne sait ce qu'elle pense au juste des Vermeer et des Rembrandt de la collection royale ; seul le prince Charles a hasardé quelques opinions, d'un bon sens un tantinet réactionnaire, au sujet de l'architecture et de l'urbanisme.

En dépit de cette discrétion officielle, la vie culturelle britannique, et pas seulement londonienne, montre une éclatante vitalité ; les soutiens publics sont loin d'y être étrangers, même s'ils sont jugés souvent insuffisants et précaires par leurs bénéficiaires, et exagérément conservateurs par ceux qui en sont exclus. À Londres, le théâtre est bien vivant, ainsi que la musique sous toutes ses formes, l'opéra, la danse, et les arts plastiques. L'édition prospère ; les musées multiplient les expositions et ne cessent de s'agrandir. Avec

Sotheby's et Christie's, Londres est le centre mondial du marché de l'art. Le niveau culturel de la télévision, grâce à la BBC et à Channel Four, est unique au monde ; bien qu'on ait déclaré la mort du cinéma anglais, on recommence à voir, d'année en année, de merveilleux films réalisés outre-Manche. Les universités jouent dans la vie culturelle, notamment par l'édition, la musique, le théâtre sans parler de la recherche en tous domaines, un rôle qui n'a pas d'égal en Europe, à part peut-être en Allemagne. Soutenus par le mécénat au moins autant que par les fonds publics, les festivals d'Edimbourg, de Stratford-upon-Avon et de Glyndebourne restent des références ; et Glasgow, avec onze théâtres, sept musées, un opéra, une compagnie de ballets, deux orchestres symphoniques, quarante-trois bibliothèques publiques a su relever le défi de sa disgrâce industrielle en se portant candidate, en 1988, au titre de capitale européenne de la culture, choisissant délibérément « de se battre contre la dépression en recourant à l'art », selon le mot du responsable culturel de City Chambers (la mairie). On pourrait en dire autant de Manchester, qui a mis en valeur, en les classant, les sites les plus remarquables de la révolution industrielle dans le quartier de Castlefield où une ancienne gare abrite en outre le plus grand musée industriel d'Europe ; le Northern Ballet Theatre et le Hallé Orchestra ont aussi leur siège à Manchester. Les Anglais ont su, en créant au début du siècle le National Trust, garder vivant leur patrimoine monumental, avec le concours des propriétaires et le soutien de plus de deux millions d'adhérents, selon une formule originale que l'on rêverait de voir transposer en France.

La situation britannique n'est pourtant pas sans ombres : le thatcherisme n'a pas ménagé le financement public de la culture [2] et le mécénat d'entreprise s'essouffle ; même s'il ne déplaît pas à nos voisins d'ironiser sur nos grands projets

2. Le gouvernement de John Major vient de créer une loterie nationale destinée à renforcer le financement du sport, du patrimoine et des arts. L'Arts Council doit bénéficier du quart des six cents millions de livres procurés par cette loterie.

présidentiels, l'inachèvement après vingt-cinq années de la nouvelle National Library les embarrasse. Le Barbican Center voulu par la City n'est pas le Centre Pompidou. Cependant, tout ce qui s'est fait sur la rive droite de la Tamise à Londres, en fait de théâtres, de salles de concert, de lieux d'exposition, en attendant la prochaine extension, sur cette rive, de la Tate Gallery montre à l'évidence que les Britanniques ne se limitent pas à entretenir leur patrimoine culturel. De nombreux créateurs et artistes, de Peter Ustinov à Salman Rushdie et de Georg Solti à Jessye Norman, se sont installés à Londres, comme d'autres à Paris, qu'il s'agisse de Rostropovitch, de Kundera, de William Christie, de Peter Brook, de Jorge Semprun ou de Philippe Herreweghe : rivalité superbe des deux capitales, qui est l'une des données majeures de la personnalité culturelle de l'Europe et qui montre bien que, par des voies diamétralement opposées, les deux pays font de la culture, au-delà des mots, l'un des enjeux majeurs de leur personnalité.

Pourtant, les Anglais se défendent de considérer la culture comme un facteur déterminant de leur identité nationale. La tradition protestante fut longtemps réservée, voire méfiante à l'égard des arts. Comme l'a remarqué le professeur Ridley, elle a engendré « un type de démocratie qui fait de chacun le seul juge de ce qui est bon pour lui, que cela concerne des domaines aussi différents que la religion, la politique ou les loisirs. Un ancien président du Conseil des Arts a eu le courage de dire que l'une des libertés les plus précieuses du citoyen britannique était “ le droit de s'abstenir des arts ”. Dès lors, il n'y a aucune raison de penser que l'accès aux activités culturelles devrait être impulsé d'en haut, ni par des hommes politiques, ni par des administrateurs spécialisés, ni par une élite culturelle [3] ». Cette philosophie est à l'opposé du système français. Elle explique que le Conseil des Arts insiste sur sa vocation éducative. Créé en 1945, il fut d'ailleurs longtemps rattaché au ministère de

---

3. Frederic Ridley, « Les Arts en Grande-Bretagne : financement sans mainmise de l'État », *Revue française d'Administration publique,* avril-juin 1982.

l'Éducation ; il ne constitue pas une administration mais un véritable corps indépendant dont les agents n'ont pas le statut de fonctionnaire. Ce conseil prend soin de souligner qu'il se borne à répondre à des demandes venant des acteurs de la vie culturelle et du public, sans prétendre imposer sa propre vision ou ses choix. Loin de revendiquer un monopole, il prône la diversité des sources de financement. Tout conduit ainsi à donner aux soutiens publics à la culture un aspect délibérément modeste et presque insignifiant.

La Grande-Bretagne est un cas limite ; par des procédés très différents de ceux de la France, c'est un effort collectif comparable, mais autrement réparti, qui soutient dans les deux pays la vie intellectuelle et artistique. Que les fonds proviennent du budget national, des collectivités locales, du mécénat des entreprises ou des particuliers n'a pas en définitive une grande importance dès lors que la culture reçoit sa ration de vie sans dépendre exclusivement des mécanismes du marché. De maintes conversations avec des partenaires européens de toute provenance, je tire la conclusion que beaucoup d'entre eux, s'ils ont une préférence philosophique pour l'un ou l'autre système, envient surtout le principe et le niveau de cet effort collectif pour la culture. Le modèle français est, en apparence du moins, plus facile à imiter et a fortiori à singer ; le modèle britannique, par son pragmatisme et sa souplesse, se prête peut-être mieux à la transposition.

*
* *

Peu de secteurs de la vie collective sont organisés de façon aussi différente, selon les pays, que l'est la culture ; mais, si divers qu'ils soient, ces modes d'organisation s'opposent tous au modèle français par deux traits fondamentaux.

En premier lieu, on ne trouve nulle part, comme en France, un centre unique d'impulsion de l'action publique en matière culturelle. En dépit des progrès réalisés depuis une vingtaine d'années en matière de décentralisation, il est certain que l'État, le gouvernement resteront en France, pour de longues années encore, le point central de l'initiative culturelle. Tel n'est pas le cas dans les pays à structure fédérale, comme l'Allemagne ou la Suisse, où la culture relève essentiellement des Länder et des cantons, ainsi que des villes ; avant même d'adopter, comme elle l'a fait récemment, la forme fédérale, la Belgique avait confié la gestion de la culture aux gouvernements des communautés linguistiques ; et si l'Espagne a un ministre de la Culture, il doit compter avec les responsabilités dévolues en ce domaine aux « autonomies » régionales [4]. Seuls des pays comme le Portugal, le Luxembourg, la Grèce et surtout la Suède ont un ministre de la Culture, en principe comparable au nôtre, mais avec un rôle plus modeste, notamment au Portugal où il n'égale pas en influence la puissante Fondation Gulbenkian. Quant à l'Italie, elle n'a pas un ministre de la Culture, mais deux et parfois trois, la responsabilité étant généralement partagée entre un ministre des Biens culturels, un ministre des Spectacles et celui de l'Instruction publique. Des pays comme les États-Unis ou le Japon se contentent d'une simple agence culturelle aux moyens limités.

En second lieu, même lorsque la culture est érigée en secteur de responsabilité gouvernementale, il ne s'agit, dans les pays considérés, que d'un domaine très spécialisé, à l'écart de la politique gouvernementale proprement dite, et qui n'implique qu'exceptionnellement les autorités supérieures de l'État. Seul parfois un enjeu international de haute importance conduit le gouvernement dans son ensemble à s'engager pour la culture ; ce fut le cas, pendant toute la période de division de l'Allemagne, pour le soutien aux activités culturelles de Berlin dont le gouvernement de Bonn voulait faire une vitrine culturelle de l'Occident ; ce fut aussi vrai pour l'Espagne, lors du double défi des Jeux olympiques de Barcelone et de l'Exposition universelle de Séville. Autant

4. On lira avec intérêt sur ce point le témoignage de Jorge Semprun dans *Federico Sanchez vous salue bien*, récit largement inspiré de son expérience de ministre de la Culture à Madrid, Grasset, 1993.

d'hypothèses rares, où l'enjeu était d'ailleurs plus diplomatique et politique que proprement culturel. On s'explique dès lors qu'aucun ministre de la Culture européen n'ait atteint la notoriété d'un Malraux — déjà illustre — ou d'un Lang, la renommée d'une Mélina Mercouri ou d'un Jorge Semprun étant acquise bien avant leur accession à ces fonctions éphémères.

*

* *

Il est encore un domaine dont je n'ai pas parlé jusqu'ici et où se retrouve de façon éclatante cette différence entre le système français et tous les autres : il s'agit de l'action culturelle extérieure. La France n'est certes pas le seul pays à s'en préoccuper. Au Royaume-Uni, le British Council est à l'action culturelle extérieure ce que l'Arts Council est à l'action au-dedans ; il concourt par ses subventions à la diffusion mondiale de la culture anglaise, notamment par le réseau des instituts britanniques. Avec des instituts qui portent les noms de Goethe, de Cervantès et de Dante, l'Allemagne, l'Espagne et l'Italie, respectivement, ont une politique comparable. Il en va de même pour l'Arts Council du Canada et, en Suisse, pour la Fondation Pro Helvetia, organe fédéral de droit public. Dans de nombreux pays européens, des initiatives purement privées, notamment des fondations créées par des entreprises, complètent ou accompagnent ces initiatives totalement ou partiellement publiques ; c'est aussi le cas pour les États-Unis et le Japon.

Aucun de ces systèmes ne saurait toutefois se comparer au mode d'organisation choisi par la France. Une longue tradition historique, un rôle actif de l'État lui-même et une fonction officielle reconnue par le pouvoir aux gens de culture définissent, là encore, une exception culturelle française.

C'est d'une véritable « diplomatie culturelle » qu'il faut parler. Si la structure actuelle, créée par le général de Gaulle en 1945, n'a que cinquante ans [5], ses origines et la vocation très particulière que l'État se reconnaît pour la propagation de la culture française sont fort anciennes. Dans le livre du cinquantenaire, le Quai d'Orsay revendique hautement cette tradition, en relevant que, de Joachim du Bellay à Stendhal et Chateaubriand en passant par le cardinal de Bernis et, plus près de nous, Claudel, Morand, Saint-John Perse, Giraudoux et Romain Gary, nombre de diplomates étaient également des hommes de lettres. Cette alliance est restée vivante. Il n'est pas exagéré de faire remonter le concept de diplomatie culturelle au traité passé par François Ier avec Soliman le Magnifique en 1535 ; en s'engageant à protéger le statut des chrétiens, le sultan a créé les bases d'une influence linguistique et culturelle de la France en Orient qui a duré jusqu'à notre époque. Un siècle plus tard, le père Joseph fut le premier à faire du Liban un foyer d'influence française en y installant des religieux d'esprit résolument gallican ; tous les gouvernements français, y compris ceux de la Révolution et les plus anticléricaux de la IIIe République, n'auront de cesse d'aider les congrégations religieuses pour l'aspect culturel et linguistique de leur mission à travers le monde. Dès le XVIIIe siècle, apparurent des aides publiques à la diffusion des livres et des gazettes en même temps que fut favorisé l'accueil d'étudiants étrangers en France, notamment des Russes à l'université de Strasbourg. L'expédition de Bonaparte en Égypte ne fut pas seulement une équipée politique et militaire ; le cortège de savants, d'archéologues et d'artistes qui l'accompagna préfigure d'une certaine façon la coopération culturelle et scientifique. Les campagnes archéologiques dans tout l'Orient, puis en Extrême-Orient furent, tout au long du XIXe siècle et au XXe siècle un autre vecteur de la présence française. Les conflits d'influence entre la France, la Grande-Bretagne, l'Allemagne en Afrique et en Asie donnèrent des arguments aux gouvernements

---

5. *Histoire de la diplomatie culturelle des origines à 1995*, ouvrage publié à l'occasion de ce cinquantenaire sous la direction de J.D. Levitte, directeur général des relations culturelles, scientifiques et techniques au ministère des Affaires étrangères, La Documentation Française, 1995.

pour soutenir la présence linguistique et culturelle française. On vit ainsi se développer, à partir de la seconde moitié du XIXe siècle et plus encore au XXe siècle, un réseau d'écoles et d'instituts auquel s'ajoutera, à partir de 1883, celui de l'Alliance française suscité par des personnalités qui souhaitaient regrouper, en Europe, mais aussi en Amérique latine, notamment, les « amis de la France ».

Diffuse, pragmatique, multiple, cette action, bien qu'animée par une volonté continue d'affirmer et de soutenir la présence dans le monde de la langue, de la pensée, de l'art français, en utilisant de multiples canaux d'influence, n'a cependant pas fait l'objet, jusqu'à 1945, d'une organisation systématique et centralisée, comme on en a si souvent l'habitude chez nous. Jusqu'à 1945, un « service des œuvres » et une « association française d'expansion et d'échanges artistiques » sous l'égide du Quai d'Orsay coordonnaient tant bien que mal toutes ces initiatives éparses, avec, il est vrai, des collaborateurs de talent, comme Paul Morand et Jean Giraudoux.

Le démantèlement de ce réseau dans l'Europe hitlérienne, la diaspora d'intellectuels et d'artistes exilés pendant la guerre en Angleterre, en Afrique du Nord, au Levant et dans les deux Amériques, l'idée que le général de Gaulle se faisait du rayonnement de la France, tous ces facteurs conduisirent le gouvernement de la Libération à donner une structure plus consistante aux échanges culturels. On comprenait enfin que, loin de pouvoir être dissociés des relations diplomatiques, ils en constituaient l'âme même, pour une France affaiblie mais qui n'entendait pas renoncer à sa mission universelle. C'est ainsi qu'une ordonnance du 13 avril 1945 créa la direction générale des Relations culturelles. Menée d'abord par des hommes de la stature de Louis Joxe, Jacques de Bourbon-Busset, Roger Seydoux, Jean Basdevant, elle s'imposa comme un des principaux leviers de l'action extérieure de la France. Ensuite, négligée par des ministres plus soucieux de leur propre image que d'une conduite experte de la diplomatie, parfois médiocrement dirigée par des fonctionnaires sans culture ou par des diplomates sans consistance, la direction générale des Relations culturelles, scientifiques et techniques semble aujourd'hui animée d'une nouvelle jeunesse. Périodiquement convoitée par les ministres de la Culture, d'André Malraux à Jacques Toubon, elle a évidemment et plus que jamais sa place là où elle est, aux Affaires étrangères, car l'action extérieure ne se divise pas. En revanche, il y a tout intérêt à ce qu'elle agisse en étroite coopération avec le ministère de la Culture dont il m'est arrivé de dire qu'il est, au premier chef, « responsable de la ressource [6] ». Il est heureux que des responsables culturels, et pas seulement des universitaires, soient nommés à des postes de conseillers culturels ou de directeurs d'instituts français à l'étranger et qu'inversement des responsables de ce réseau extérieur soient nommés directeurs régionaux des Affaires culturelles ou au sein d'institutions comme les musées nationaux.

Cet impressionnant appareil public, peuplé de fonctionnaires, pourrait faire craindre une conception très administrative et, pis encore, très politique de notre action culturelle extérieure. Il n'en est rien, fort heureusement. D'abord, parce que de Beuve-Méry, Lévi-Strauss et Michel Foucault jusqu'à Jean-Marie Drot et Olivier Poivre d'Arvor sans oublier François-Régis Bastide, Roland Barthes et bien d'autres, ceux qui ont représenté la culture française au-dehors n'étaient pas des technocrates. Ensuite, parce que tant pour les échanges artistiques, grâce à l'Association française d'action artistique, que pour la coopération scientifique, ce sont des spécialistes, à l'écoute de tout ce qui mérite d'être « exporté » de la vie de l'esprit, qui ont l'initiative. Aussi parce que l'État ne se reconnaît aucun monopole en la matière ; en plus du réseau autonome, mais désormais mieux coordonné, de l'Alliance française, bon nombre d'échanges culturels s'organisent spontanément, surtout en Europe, sans aucun concours du ministère des Affaires étrangères et parfois à son insu. Enfin, parce que la philosophie qui, en tout cas depuis quinze ans, anime cette action

---

6. Jacques Rigaud, *les Relations culturelles extérieures. Rapport au ministre des Affaires étrangères*, La Documentation Française, 1980.

est celle du « dialogue des cultures » et non plus celle d'une propagation unilatérale, quelque peu triomphaliste et arrogante, de la culture française. Il en résulte, à travers un réseau unique au monde par sa densité, une offre culturelle très diversifiée et qui ne néglige pas de présenter les aspects les plus vivants, les plus novateurs et même les plus populaires de notre culture [7] à des publics qui ne sont plus nécessairement ceux, attachants mais limités, des traditionnels « amis de la France ».

On voudrait certes voir cette action extérieure mieux dotée financièrement qu'elle ne l'est, car elle n'a pas échappé à la disgrâce chronique qui, inexplicablement, frappe le ministère des Affaires étrangères alors que l'action diplomatique est un des dossiers favoris des présidents de la République, lesquels, il est vrai, croient peut-être que leur génie propre et le concours des trois collaborateurs d'ailleurs nourris de télégrammes diplomatiques suffisent pour assurer la présence mondiale de la France. Il est vrai qu'à part Michel Debré, Jean François-Poncet et plus récemment Alain Juppé, les titulaires du Quai d'Orsay ne se sont guère préoccupés de l'état de l'instrument diplomatique qui leur était confié, et de la chance exceptionnelle que représente pour le rayonnement français ce réseau culturel : cent trente-deux instituts et centres culturels, vingt-cinq instituts de recherche en sciences sociales et humaines, onze centres de documentation scientifique et technique, trois cents lycées et écoles, deux cents missions archéologiques composent ce réseau, auquel il faut ajouter mille soixante Alliances françaises. Plus du tiers du budget du ministère des Affaires étrangères est ainsi consacré aux relations culturelles. D'un certain point de vue, il y a là une masse de plus de cinq milliards de francs qui, dans le budget de l'État, doivent être ajoutés aux treize milliards du ministère de la Culture pour donner une idée de l'effort global de la collectivité nationale en faveur de la culture.

---

7. Ce fut notamment le cas de l'opération Cargo conduite en Amérique latine par la troupe de théâtre de rue « Royal de Luxe » avec une rue de Nantes reconstituée dans sa cale et qui reçut partout un accueil triomphal.

*
* *

L'importance des sommes en jeu, l'implication directe du gouvernement national dans leur affectation, le poids des administrations qui en assurent la gestion directe, la philosophie de service public qui s'en déduit, tout concourt décidément à conférer à la vie culturelle en France ce statut officiel qui, partout ailleurs, effraie ceux-là mêmes qui s'inquiètent de voir la culture livrée à la brutalité sans âme de la loi du marché. Récemment encore, Gabriel García Márquez, que l'on ne peut ranger parmi les ultralibéraux, s'inquiétait à propos du projet d'instituer dans son pays, la Colombie, un ministère de la Culture ; un ministère, disait-il, « risque de politiser ou d'officialiser la culture. Il ne s'agit pas simplement de doter la culture d'un budget plus important ; ce qu'il faut, c'est que, dans le cadre d'une politique culturelle qui pour l'heure n'existe pas, les fonds publics parviennent intégralement à ceux à qui ils sont destinés et ne soient pas dispersés en chemin. Or c'est ce qui se passerait avec un ministre sous la coupe des politiques... L'autre solution serait de créer un organisme public mais non gouvernemental, un genre de conseil national de la culture qui serait habilité à élaborer les grandes lignes de la politique culturelle et à décider de l'affectation des fonds publics. Le conseil ne concevrait pas les projets et ne les mettrait pas en œuvre. Il se limiterait à choisir et à soutenir des projets émanant des milieux culturels des différentes régions. Ils seraient exécutés par leurs auteurs. Cela permettrait d'échapper du même coup à la politisation et à l'officialisation de la culture ».

Ce témoignage d'un Prix Nobel de littérature est d'autant plus révélateur que, honoré par François Mitterrand, fêté par Jack Lang, l'auteur de *Cent Ans de solitude* connaît bien le système français et que, sans lui imputer les dangers qu'il redoute pour son pays, il n'en préconise pas la transposition. On ne saurait l'en blâmer : notre modèle n'est guère exportable. Il n'est compatible avec la liberté de la culture et l'esprit démocratique qu'au prix d'une solide tradition de vertu civique, d'esprit objectif et pluraliste et même d'humilité de la part de tous ceux, gouvernants et administrateurs, qui ont la redoutable mission d'agir au nom de l'État dans un secteur aussi sensible. Il implique aussi une multitude de contre-pouvoirs destinés à protéger l'État contre toutes sortes de tentations.

Cette vertu, cette retenue, ces équilibres, il arrive que certains les contestent, et que soient dénoncés, à grand bruit, les méfaits de l'« État culturel » qui, depuis le milieu de ce siècle, prospérerait en France pour le plus grand malheur de la culture.

Je vise là, on l'aura deviné, l'ouvrage déjà cité de Marc Fumaroli. Publié en 1991, ce pamphlet brillant paraît quelque peu éventé, quand on le relit quatre ans plus tard. On comprend aujourd'hui que l'auteur, littéralement obsédé par Jack Lang et son tumulte, a confondu le ministre et le ministère, le discours et la politique, se noyant en quelque sorte dans le circonstanciel. D'un érudit de ce calibre, pénétré de littérature et d'histoire, amateur d'art et libéral convaincu, on était en droit d'attendre une critique raisonnée de toute politique culturelle d'État et des propositions en faveur d'un autre système de protection et de soutien des arts et des lettres ; mais le paradoxe de ce livre, à la facture baroque et d'une verve parfois drolatique, c'est qu'il est d'autant plus intéressant qu'il s'évade de son sujet. On y trouve, sur la vie intellectuelle et artistique du Second Empire et de la IIIe République, sur l'Allemagne de Bismarck, sur l'Italie, sur les fondements de l'influence française à travers les siècles, des développements passionnants où l'érudition de l'auteur, son goût des arts, son autorité d'historien, sa curiosité d'esprit font merveille. En revanche, quand il développe, pesamment, sa thèse sur le « complot » qui ferait de la politique culturelle une irrésistible entreprise de manipulation des esprits, une névrose tyrannique, et de ses agents un clergé missionnaire au zèle convertisseur sans limite qui entendrait imposer à chacun « la culture », Fumaroli dépasse souvent la licence polémique ; ainsi, quand il veut démontrer que, de Malraux à Lang, un même combat obscurantiste est mené contre la liberté de l'esprit, il fait soigneusement l'impasse sur douze ans de politique culturelle raisonnable menée, de 1969 à 1981, par ces dangereux agitateurs qu'étaient Michelet, Duhamel, Druon, Guy, d'Ornano, Lecat. La France, selon lui, se situerait quelque part entre le goulag et Las Vegas ; la politique culturelle serait aux mains d'un « parti culturel » dont le comité central ne se serait pas borné à fonder, avec un « Kremlin-Beaubourg » et un « Kremlin-Bastille », les instruments d'une oppression des esprits, mais sous prétexte de « diffuser la culture » abêtirait les masses, terroriserait le goût, anéantirait l'Université et réduirait à rien le rôle culturel de Paris.

On s'étonne que, devant un pareil désastre, Édouard Balladur, dont on dit que Marc Fumaroli avait l'oreille, n'ait pas pris, dès son arrivée à Matignon en 1993, des mesures de salut public, en commençant par fermer ce foyer révolutionnaire qu'était le ministère de la Culture. Rien de tel ne s'est pourtant produit et le paisible Jacques Toubon a géré la politique culturelle sans s'attirer, que l'on sache, les foudres de Marc Fumaroli, lequel a, depuis la publication de son livre, reconnu honnêtement le bien-fondé de nombre des options de la politique culturelle de la Ve République.

En vérité, ses critiques véhémentes, et souvent réjouissantes, visaient les aspects les plus échevelés de l'action de Jack Lang qui, à l'époque, cumulait avec ses fonctions de ministre de la Culture, de la Communication, des Grands Projets et du Bicentenaire celles de porte-parole du gouvernement ; notre auteur avait beau jeu de voir dans cette position, et dans la façon dont Lang en usait à l'occasion, une manière de détourner à des fins de propagande la politique culturelle. C'était toutefois confondre les contingences et l'essentiel et c'est en cela que ce livre a manqué son but. Pour la punition de ses péchés, je réclame la nomination de Marc Fumaroli au poste de ministre de la Culture.

Je confesserai cependant que, sur un point, ce livre m'a troublé. Dans ses chroniques de *Commentaire* comme dans *l'État culturel,* l'auteur s'en prend avec rudesse à ce « clergé » de la culture que représentent selon lui les technocrates du ministère y compris ceux qui, comme moi, exercent leur mission « in partibus infidelium ». N'avons-nous pas abusé de notre bonne conscience en mettant toute notre énergie à soutenir, au nom de l'État, les activités culturelles et à en rendre accessible la fréquentation au plus grand nombre ?

Ce n'est pas faire injure au dix-septiémiste réputé qu'est Marc Fumaroli que de le qualifier de « janséniste de la culture ». Pour lui, le commerce des arts et des lettres est une aventure individuelle qui ne supporte aucune médiation, une grâce conférée à un petit nombre d'élus, un salut qui se mérite par les voies d'une ascèse codifiée, sanctionnée par des docteurs comme lui dont l'autorité, elle, échappe à toute discussion. On comprend que, vu de ce Port-Royal, l'État culturel soit un Léviathan dont Fumaroli s'effraie, peut-être tout seul et sans doute en vain.

Il n'empêche. Je me suis senti interpellé, et pas seulement par les coups de caveçon dont notre auteur m'a personnellement gratifié à plusieurs reprises. Au-delà des outrances ou des extravagances qu'il a reprochées à Jack Lang, parfois à juste titre, n'y a-t-il pas un état d'esprit engendré par cette politique culturelle de la Ve République et qui, partagé par tous ceux qui, à un titre ou à un autre, ont eu à élaborer et à mettre en œuvre cette politique, serait néfaste, voire pervers ? Même s'il n'est jamais venu à l'esprit d'aucun de ceux-là d'imposer la culture et, moins encore, d'en régenter le cours, n'avons-nous pas, fût-ce à notre insu, fait obstacle au libre commerce des esprits ? C'est peut-être en cela, et bannie toute polémique, qu'il y aurait un « État culturel ».

La question mérite d'être honnêtement posée ; car je ne suis pas le seul qui se soit senti concerné et parfois blessé, fût-ce imperceptiblement, par les flèches fumaroliennes.

Le premier élément de réponse est qu'il n'y a pas une technocratie culturelle, uniforme, coulée dans le même moule. Le ministère comporte fort heureusement des corps d'experts scientifiques, archivistes, conservateurs de musées, archéologues, architectes qui, loin d'être confinés dans des tâches d'étude ou de recherche, exercent souvent, et de plus en plus, des responsabilités de gestion. La direction des

Musées de France, de Georges Salles à Françoise Cachin aujourd'hui, a été plus souvent conduite par des conservateurs de musées que par des énarques. Jean Favier et son successeur Alain Erlande-Brandenburg aux Archives de France, Michel Laclotte puis Pierre Rosenberg au Louvre, Françoise Cachin puis Henri Loyrette au musée d'Orsay, Jean-Pierre Babelon après Saltet et Van der Kemp à Versailles sont de bons exemples, et de plus en plus convaincants, de spécialistes devenus des gestionnaires de haut niveau, chez qui la responsabilité administrative n'a étouffé ni la sensibilité, ni la compétence d'hommes de l'art. Dans nombre de musées en France, on trouve désormais, de Lille à Grenoble et de Nantes à Lyon, de véritables chefs d'entreprises culturelles d'intérêt général qui ont su mener à bien de vastes chantiers et ont fait de leurs établissements des lieux de culture rayonnants, tout en restant des historiens d'art de réputation internationale. Dans les théâtres, les maisons d'opéra, les centres culturels on a vu se lever une nouvelle génération d'administrateurs, venus d'horizons très divers et de formations variées et qui, là encore, gèrent ces institutions dans un esprit de service public sans avoir aucun des travers que l'on prête à tort ou à raison aux « fonctionnaires ».

Restent les énarques, dont il faut bien parler. À partir de la fin des années soixante, certains d'entre eux, et non les moins motivés, ont choisi le ministère de la Culture dès leur sortie de l'École ou y ont exercé des fonctions de responsabilité. Il n'est pas niable que tous ont reçu une formation identique et partagent le même sens de l'État ; mais au-delà de la diversité, réelle, des personnalités, je suis frappé de ce que nombre d'entre eux ont, à un moment ou à un autre de leur carrière, choisi de quitter l'administration centrale pour exercer des responsabilités de terrain et j'affirme qu'ils en savent plus que tous les professeurs au Collège de France réunis sur ce qu'il faut de patience, de générosité, d'humilité aussi pour offrir la culture à ceux qui n'y ont pas encore eu accès et pour la faire désirer et aimer : c'est Catherine Tasca qui a dirigé la maison de la culture à Grenoble avant d'assister Boulez à l'IRCAM puis Chéreau à Nanterre, pour devenir ensuite ministre ; c'est Dominique Wallon, actuel directeur du centre national du Cinéma qu'on a vu à Grenoble puis à Marseille ; c'est Faivre d'Arcier qui, par deux fois, aura dirigé le festival d'Avignon et dans l'intervalle aura été directeur du théâtre et des spectacles au ministère ; c'est Jean Maheu, directeur de la musique, qui présidera ensuite aux destinées du Centre Pompidou puis de Radio France, ou Jean Drucker qui fit ses premières armes auprès de Pierre Moinot avant de faire une brillante carrière dans l'audiovisuel, ou encore Jérôme Clément que j'ai accueilli au ministère en 1971 et qui fut conseiller culturel au Caire avant d'être président d'ARTE [8]. Thierry de Beaucé, Jean-Pierre Angrémy, diplomates, écrivains, ont été dans leurs débuts, des « énarques de la Culture » et je pourrais en citer des dizaines d'autres comme Jean Salusse, Gabriel de Broglie, Pierre Viot, Jean Jenger qui ont fortement marqué leur passage au ministère de la Culture. Il faudrait ajouter que les ministres successifs ont souvent pris soin de choisir les directeurs de l'administration centrale hors du sérail administratif : ainsi des universitaires comme Jean Favier, Bernard Dort, Robert Abirached, Évelyne Pisier, des gens de théâtre comme Jacques Baillon ou des créateurs comme Landowski ou Charpentier. J'affirme qu'aucun ministère n'a fait preuve d'une telle ouverture dans le choix de ses responsables ; et si ce département pèche par quelque côté, c'est plutôt par l'absence d'une vision commune, conséquence de la diversité des profils, que par l'uniformité des esprits et le poids d'une tradition de corps que l'on trouve en revanche dans de grandes maisons comme les Finances, l'Intérieur, l'Industrie, la Défense ou les Affaires étrangères où l'autorité ministérielle peine parfois à s'imposer à une administration compacte et rétive.

J'ai cherché « l'État culturel ». Je ne l'ai pas trouvé et pas davantage une « culture d'État ». Je connais même peu de maisons où l'on ait, comme à la Culture, aménagé autant de contre-pouvoirs. L'administration de la Culture est, dans

---

8. Jérôme Clément, *Un homme en quête de vertu,* Grasset, 1992.

tout l'État, une de celles qui fonctionnent le moins en vase clos. Qu'il s'agisse de commissions d'experts comme il en existe à la Direction des musées, à celle des archives ou du patrimoine, avec la Commission supérieure des monuments historiques, ou des multiples instances dans lesquelles les représentants des professions concernées concourent avec ceux du ministère à la répartition des aides, des subventions, des bourses et des commandes jusqu'à cogérer le service public comme c'est le cas au centre national du Cinéma, le ministère de la Culture est un des lieux de l'État où la concertation et la collégialité sont le plus répandues, à tel point que le ministre peine souvent à imposer une cohérence. Le vrai risque serait que cette concertation se mue en connivence et que ce tissu serré d'agents publics et professionnels soit imperméable aux vraies audaces. Le conformisme des avant-gardes n'est pas plus recommandable que celui de l'académisme, surtout celui des avant-gardes installées dont Pierre Boulez est un exemple illustre ; mais même ce risque-là semble en voie d'être conjuré, du fait de l'émergence d'une nouvelle génération de musiciens comme Dusapin, Levaillant et bien d'autres. Dans le domaine du théâtre, depuis la mort de Vitez, il n'y a plus de « gourou » et la diversité des styles, des tempéraments est encore accrue par la forte présence d'hommes venus d'ailleurs comme Peter Brook et dont certains sont à la tête d'institutions publiques : ainsi Luis Pasqual à l'Odéon et Jorge Lavelli au Théâtre de la Colline. Dans les arts plastiques comme en architecture, les commandes publiques, si elles ont favorisé quelques créateurs en vue, n'ont pas imposé un style officiel : il n'est que de voir les différences entre les compositions de Nouvel et celles de Gaudin, Portzamparc ou Perrault, sans parler, là encore, des étrangers comme Cipriani, Piano ou Norman Foster. L'académisme de la IIIe République, si cher à Marc Fumaroli, et même l'anti-académisme du temps de Malraux, étaient plus proches de ce que l'on appelle aujourd'hui la « pensée unique » que ne le sont aujourd'hui le ministère, ses dépendances et le milieu culturel en général.

Au demeurant, Marc Fumaroli, sans doute mal renseigné,

ne s'était pas aperçu que, depuis quelques années déjà, il n'était plus possible de parler d'*une* politique culturelle ; car avec la décentralisation, l'autonomie croissante des grandes institutions culturelles nationales, le développement du phénomène associatif et du mécénat d'entreprise, l'action collective en faveur de la culture n'est plus unique, mais plurielle, multipolaire au point d'être foisonnante et parfois contradictoire. C'est sans doute à cette mutation profonde, mais non encore pleinement perçue, que l'on doit la métamorphose du paysage culturel en France.

Chapitre VII

MÉTAMORPHOSE DU PAYSAGE CULTUREL

Ceux de ma génération, qui se sont éveillés à la pratique de la culture à la fin des années quarante, et a fortiori nos aînés, ont gardé le souvenir d'une vie artistique riche mais étroite, confinée. Il y avait certes, à Paris, plus de théâtres et de cinémas qu'aujourd'hui ; mais la saison musicale des orchestres Colonne, Pasdeloup, Lamoureux et de la Société des concerts du Conservatoire ne durait que de la Toussaint aux Rameaux et ne se prolongeait que grâce à la venue d'orchestres étrangers. En province, à part quelques villes ayant conservé une tradition lyrique, la musique était rare et le théâtre limité, le plus souvent, aux tournées. Hormis Strasbourg, ce n'est qu'après la guerre que l'on vit naître des festivals comme à Aix-en-Provence et à Bordeaux pour la musique, ou à Avignon pour le théâtre ; c'est à la même époque qu'en divers endroits les centres dramatiques voulus par l'État, ainsi que les orchestres régionaux de la Radiodiffusion française prirent leur essor. Les lieux de culture que nous fréquentions n'étaient guère dans un état très différent de celui que Proust, Barrès et Gide ou, avant eux, Anatole France ou les Goncourt avaient connu. Le Louvre, la Comédie-Française, l'Opéra, mais aussi tous les théâtres, musées, bibliothèques en province comme à Paris, édifiés au XIXe siècle, voire avant, n'avaient pas été modernisés. L'étonnante floraison théâtrale de l'entre-deux-guerres a eu pour cadre des salles anciennes : Hébertot, Atelier, Athénée, le théâtre Antoine et ceux de la Porte Saint-Martin, de la

Renaissance, du Gymnase. Rarissimes étaient les lieux nouveaux : le théâtre des Champs-Élysées datait d'avant 1914 ; les Ambassadeurs et le théâtre Pigalle, disparu depuis, étaient plus récents ; l'Exposition de 1937 avait légué le Palais de Chaillot, et l'Exposition coloniale le musée de la Porte Dorée ; seul le parc des cinémas était jeune, à commencer par les grandes salles du Rex et du Gaumont-Palace de la place Clichy. Quant aux monuments historiques, y compris ceux dont l'État avait la charge, ils étaient noirs, souvent délaissés et, dans les meilleurs des cas, paresseusement entretenus. On y entrait comme à la caserne, encadrés par des gardiens à casquette marmonnant leur texte d'un air absent sous des voûtes mal éclairées. La République s'était bornée à relever les édifices ravagés par les deux guerres, ce qui, dans le Nord, l'Est et la Normandie surtout, n'avait pas été une mince affaire. Quant aux villes elles-mêmes, en dehors de cas exemplaires comme Arras et Saint-Malo, on ne saurait dire que la reconstruction ait restitué leur charme ancien et pas davantage qu'elle ait suscité une réelle invention architecturale, sauf peut-être à Royan ; mais, tant à Amiens qu'au Havre, le vieil Auguste Perret ne fut guère inspiré ; ailleurs [1], c'est un urbanisme simplement correct et une architecture d'une banalité toute administrative qui marquèrent pour longtemps la physionomie des villes sinistrées. Dans les autres pays d'Europe, ce ne fut guère mieux : la pieuse reconstitution des quartiers anciens de Varsovie, de Budapest, de Nuremberg ou de Florence et l'habile reconstruction de Hambourg ne consolent pas de la fadeur de Rotterdam, ou de Cologne. Plus grave, une fois la reconstruction achevée, en France, les maires et l'administration de l'urbanisme, emportés par leur élan, continuèrent à construire aussi médiocrement, n'hésitant pas à sacrifier à l'occasion, comme à Metz, des quartiers entiers.

La IVe République eut quand même, sur sa fin, un grand dessein patrimonial : le sauvetage de Versailles. Grâce aux

1. Et notamment à Brest, à Toulon, ou au Vieux-Port de Marseille, à Tours, à Orléans ou à Caen.

architectes Japy puis Saltet et aux conservateurs Moricheau-Beaupré puis Gérald Van der Kemp, Versailles fut le banc d'essai d'une politique de restauration rigoureuse et ambitieuse qu'André Malraux et tous ses successeurs développèrent à grande échelle par la voie des lois-programmes. Malraux fit plus : en prescrivant, à la suite de Pierre Sudreau alors ministre de la Construction, le ravalement des grands monuments de Paris, il donna un sens à la formule de Le Corbusier qui rêvait du « temps où les cathédrales étaient blanches ». Pour l'opinion, ce ravalement fut perçu comme un dévoilement ; des masses sombres au cœur des villes révélèrent d'un coup leur modénature, leur ornementation, leur rythme et l'on se mit à les regarder vraiment dans leur jeunesse retrouvée. L'exemple fut suivi dans toute la France ; pour la première fois, un acte de politique culturelle frappait l'opinion publique dans son ensemble. De même, la pratique des secteurs sauvegardés, si lente et complexe qu'ait été sa mise en œuvre, eut une valeur pédagogique dont les effets sont encore sensibles ; car la reconnaissance officielle de la valeur patrimoniale d'un ensemble urbain ne se traduisait plus seulement par des interdits, mais par des prescriptions et des incitations destinées à redonner vie, sans les figer, à ces quartiers anciens. Ces initiatives ont suscité un autre regard sur le patrimoine bâti. Quartiers piétonniers ou villages fleuris, aménagements urbains ou sauvegarde de l'habitat rural traditionnel : tout ce qui éduque le regard et incite à la qualité de l'environnement est acte de culture. C'est une œuvre de longue haleine ; après trente ans, on ne saurait la juger accomplie et ni l'école, ni les médias ne jouent bien leur rôle en ce domaine. Encore aujourd'hui, l'opinion s'alarme plus de l'arrachage de trois arbres que de démolitions intempestives, d'injures faites à des perspectives urbaines ou de la désolante vulgarité de ces centres commerciaux et autres « zones d'activités » qui, de Dunkerque à Perpignan et de Brest à Mulhouse, déshonorent uniformément les entrées de nos villes ; du moins l'environnement bâti suscite-t-il désormais, partout et en tout temps, un débat d'opinion.

Avec un service de la création architecturale audacieux et

imaginatif — aujourd'hui étouffé par les lourdes structures de l'Équipement où les ingénieurs font la loi —, le ministère des Affaires culturelles au temps de Malraux et de Duhamel chercha à accompagner et à favoriser l'innovation, en faisant lever une génération d'architectes. Les préfectures créées dans la région parisienne, les maisons de la culture furent, avant la lettre, des « grands travaux » offrant un banc d'essai, mais bien limité, à l'invention. Si les résultats furent inégaux, du moins le souci de la qualité et le sens des formes nouvelles étaient-ils reconnus comme des priorités. Là encore, la politique culturelle fut une pédagogie.

Dans le champ qui lui était propre, Malraux, s'il ouvrit des voies, réalisa assez peu : il fit construire ou aménager les premières maisons de la culture, et lança des chantiers de restauration monumentale ou de sauvetage peu nombreux, mais spectaculaires : Versailles bien sûr où il poursuivit l'œuvre déjà entreprise, Vincennes, merveille oubliée, les Invalides dont il amorça le dégagement, le Louvre où il fit creuser le fossé originellement prévu au pied de la colonnade de Perrault, et Fontevraud qu'il libéra de sa fonction pénitentiaire. Il fit aménager, au Grand-Palais, les galeries nationales qui procurèrent au Louvre les espaces d'exposition dont il était dépourvu. Seuls trois musées furent construits au cours de ces années soixante [2]. Pour le reste, la culture, si relancée qu'elle fût, restait dans ses vieux habits et ses mobiliers de fortune, sous des toits souvent percés, avec des seaux pour recueillir les eaux de pluie, y compris au Louvre.

C'est à partir des années soixante-dix que tout a changé, non seulement parce que Georges Pompidou inaugura avec Beaubourg les grands travaux, mais parce que la politique culturelle, désormais consolidée, fit apparaître des besoins nouveaux. Le souci de faire accéder le plus grand nombre à la culture impliquait la construction ou la réhabilitation de

2. Les musées Fernand-Léger à Biot, Chagall à Nice et celui des Arts et Traditions Populaires au Bois de Boulogne.

lieux appropriés. Par la suite, une prise de conscience générale s'opérant, les élus locaux assurèrent le relais. La décentralisation, décidée par le gouvernement Mauroy en 1982, et qui donna aux élus de redoutables pouvoirs en matière d'urbanisme et de construction, encouragea un puissant effort d'investissement dont la culture sous toutes ses formes fut, à peu près partout en France, une des bénéficiaires.

Le résultat de ces initiatives publiques, et de nombre d'actions privées entraînées par elles, est spectaculaire. Un Français qui reviendrait après vingt-cinq ans d'éloignement serait stupéfait en observant la métamorphose du paysage culturel de la France, qu'il s'agisse de la réhabilitation — on pourrait même parler parfois de résurrection — ou de la construction de lieux de culture.

La France est sans doute avec l'Italie le pays qui possède le plus grand nombre de monuments historiques, civils, religieux, voire militaires ou industriels, des plus illustres aux plus humbles. Il n'est pas, en apparence, de plus lourd fardeau que de protéger et de faire vivre ce trésor de mémoire et de beauté ; mais il n'est peut-être rien de plus précieux pour un peuple soucieux de son identité et qui, du monde entier, attire les visiteurs, tant ce legs des siècles, si bien accordé aux harmonies d'une nature privilégiée, suscite l'admiration et même l'envie. C'est un chantier permanent qu'il faut mener, car il arrive que les cathédrales brûlent, comme à Nantes, ou menacent de s'affaisser, comme à Beauvais, ou encore que les parcs soient dévastés par la tempête, comme à Versailles. Quels que soient les budgets, on ne fera jamais assez. Du moins la nation est-elle aujourd'hui convaincue que le patrimoine, s'il est un fardeau, est aussi une ressource. Comme l'énergie fossile accumulée dans le sol au cours des âges, il est générateur de richesses, par ce qu'il donne à voir et par ce qu'il stimule dans l'esprit des hommes. La cause semble entendue, sur le principe en tout cas : on ne détruit plus guère le patrimoine par inconscience, ignorance ou négligence ; on le restaure du mieux que l'on peut ; on lui procure de quoi revivre, non seulement par la visite, mais par les expositions [3], les spectacles, les colloques, les classes d'enfants, les résidences de créateurs de toute sorte et par des usages profanes, qui vont de l'hôtel de luxe à la colonie de vacances, de la mairie au siège d'entreprise. Le plus réconfortant est peut-être là, dans cette imagination dont on fait preuve désormais pour réutiliser des édifices qui, en d'autres temps, eussent été sacrifiés ; la culture d'aujourd'hui vient au secours de celle d'hier quand elle sauve, à Bordeaux, un entrepôt aux voûtes piranesiennes pour en faire un centre d'art contemporain, à Marseille, la Criée aux poissons du Vieux-Port pour la transformer en théâtre, à Toulouse, la Halle aux grains qui devient salle de concert, tout comme l'Arsenal de Metz. Il est moins original de transformer en musées les palais épiscopaux de Reims, de Troyes ou d'Avignon ; mais sans le réaménagement de l'hôtel d'Assézat, siège traditionnel et un peu somnolent de respectables sociétés savantes, Toulouse n'aurait pas obtenu le don de la collection Bemberg. Si le Grand Théâtre de Bordeaux a fait l'objet d'une restauration exemplaire, de la facture la plus classique, Jean Nouvel n'a gardé, à Lyon, que l'ossature de l'Opéra dont tout l'intérieur a été rebâti. Il n'y a donc pas une doctrine uniforme ; la nature des besoins induit une grande variété de partis architecturaux et de choix d'aménagements. La culture sait en outre être partageuse et ne revendique pas toujours l'usage exclusif des lieux qu'elle permet de sauver : à Rochefort, la Corderie royale de Colbert qui s'étend sur trois cents mètres n'abrite pas seulement un centre culturel de rencontre, mais le Conservatoire du littoral et la Chambre de commerce ; à Marseille, l'hospice de la Vieille-Charité est un lieu d'exposition, mais aussi un centre universitaire, et à Lyon, la halle due à Tony Garnier ne consacre à des spectacles qu'une part de son activité. Il n'est guère de ville en France où n'ait été sauvé et réhabilité, dans les trente dernières années, au moins un monument. Hors des villes, bon nombre d'abbayes, comme à Fonte-

3. Y compris d'art contemporain comme les châteaux d'Oiron en Poitou, de Tanlay en Bourgogne ou de Biron en Périgord.

vraud, à Villeneuve-lès-Avignon, à Pont-à-Mousson, ou des lieux insolites comme la Saline Royale de Ledoux à Arc-et-Senans ont été transformés en centres culturels de rencontre. Une même prise de conscience a conduit à tirer d'un long sommeil de nombreux musées dont on découvre du coup l'étonnante richesse [4].

La France n'est évidemment pas seule à réhabiliter son patrimoine. Des initiatives du même ordre s'observent à Madrid avec le Centre Reina Sofia ou à Barcelone avec le musée Picasso ; à Venise aussi où la Fondation Cini, dans l'île de San Giorgio Maggiore, est peut-être, avec l'abbaye de Royaumont en France, l'exemple le plus ancien de la réutilisation d'un édifice religieux à des fins culturelles et où le Palazzo Grassi est devenu un lieu d'expositions de haute tenue ; mais l'utilisation des halles de Schaarbeek, près de Bruxelles, pour les spectacles, l'installation de la collection Ludwig d'art contemporain dans une ancienne usine d'Aix-la-Chapelle ou le projet de transformation en centre culturel polyvalent de l'ancienne usine Fiat du Lingotto à Turin, par Renzo Piano, montrent que l'architecture industrielle de la grande époque de la fonte, du fer et même du béton peut aussi se prêter à des remplois inattendus.

La France, pour en revenir à elle, ne s'est pas bornée à réhabiliter des lieux anciens ; depuis un quart de siècle, on a beaucoup construit pour la culture. Fort peu de théâtres, sauf dans la région parisienne, mais des opéras à Montpellier et à Nice, des salles de concert à Lille, à Lyon et à Strasbourg, des bibliothèques comme à Bordeaux (dont les collections déjà précieuses viennent de s'enrichir du fonds Montesquieu conservé jusqu'à nos jours par ses descendants au château de la Brède), mais surtout des musées. L'un des premiers, et sans doute le plus original, est le musée archéologique de Fourvière, aux trois quarts enterré au flanc de la colline près du théâtre romain ; les plus récents sont le Carré d'art construit par Norman Foster en contrepoint audacieux

4. C'est déjà le cas de Lyon, Caen, Rouen, Nantes, Quimper ; bientôt Lille, Nancy et Toulouse suivront.

de la Maison Carrée qui lui fait face, à Nîmes, ainsi que le musée de Grenoble dont les collections, anciennes et modernes, comptent parmi les plus riches de France [5]. Sans être toujours d'une architecture aussi intéressante qu'à Tours ou à Euralille, les palais des congrès dont de nombreuses villes se sont dotées offrent à la culture de nouveaux lieux d'expositions, de concerts et de spectacles. La culture antique comme celle de notre temps inspire les initiatives : à Arles, vient d'être inauguré l'Institut régional de la Provence antique, tandis qu'à Poitiers le Futuroscope offre à des foules de plus en plus nombreuses, tout au long de l'année, l'ensemble de la gamme des images animées.

Là encore, la France n'est pas un cas unique. Barcelone avec la Fondation Miró ; Amsterdam et son nouvel Opéra, la Suisse avec la Fondation Gianadda à Martigny offrent de bons exemples ; mais c'est certainement l'Allemagne qui a fait le plus, construisant cinq cents musées, dont trois cents d'art depuis 1960 [6].

Ce réveil culturel ne se réduit pas à des constructions ou à des restaurations réservées à de stricts usages culturels. Ces lieux neufs ou rénovés jouent un rôle déterminant dans l'animation même des villes soit que, situés en leur centre, ils en accroissent l'attrait, soit que, implantés dans des quartiers neufs comme la maison de la culture de Grenoble ou le musée de Villeneuve-d'Ascq, ils contribuent à les humaniser. Indépendamment de ces lieux de culture, c'est le visage même de beaucoup de nos villes qui s'est transformé, par les voies entremêlées de la réhabilitation et de l'innovation. Je ne songe pas seulement à l'heureux développement des secteurs piétonniers mais aussi à la mise en valeur générale de quartiers bien vivants, et nullement transformés en musées ; le meilleur exemple en est le quartier Saint-Jean

---

5. Dans l'intervalle, Saint-Étienne, Nice et Villeneuve-d'Ascq près de Lille ont vu naître des musées d'art moderne ; ce sera bientôt le cas à Lyon, Toulouse et Strasbourg.

6. Parmi lesquels il faut surtout noter ceux de Dusseldorf, Cologne, Munich et Stuttgart et les dix musées construits à Francfort sur la rive du Main.

à Lyon, mais Annecy, Dijon, Montpellier ainsi que Rennes et Strasbourg offrent au passant le charme d'une vraie renaissance. La sculpture en plein air à Grenoble, le remodelage de la place du Palais des Papes à Avignon, l'aménagement de la place des Terreaux à Lyon ou de celle du Capitole à Toulouse ne sont pas de simples travaux édilitaires mais la réalisation de véritables projets culturels qui font partie intégrante de la politique des villes en ce domaine. Celle-ci ne se limite d'ailleurs pas à des équipements spectaculaires ou de prestige ; c'est ainsi que la surface des bibliothèques de lecture publique a doublé depuis 1980 ; dans les dix dernières années, les bibliothèques, notamment de quartier, se sont multipliées, ainsi que les médiathèques qui prêtent des disques, des cassettes vidéo et maintenant des CD Rom. Les écoles de musique et d'arts plastiques se sont également développées, ainsi que les centres et foyers culturels de proximité.

Tous ces efforts n'auraient aucun sens si le public n'y adhérait pas et si ces lieux de culture restaient déserts. On a parfois ironisé sur l'échec des maisons de la culture, dont certaines en effet n'ont attiré qu'un public certes motivé et fidèle, mais restreint ; en revanche, il suffit d'avoir assisté à un concert de Plasson à la Halle aux Grains ou de Lombard au Palais des sports de Bordeaux pour constater qu'un public très mélangé, de toutes conditions, de tous âges et d'une grande qualité d'attention, est désormais acquis à la musique. Il en va de même dans ces musées nouveaux ou rénovés, et dans les théâtres. Les écoles de musique et d'arts plastiques sont pleines. En quinze ans, le volume des prêts des bibliothèques de lecture a doublé. Et si, pendant longtemps, les villes les plus actives sur le plan culturel se sont limitées à une animation saisonnière, à l'occasion de festivals d'été comme à Avignon ou Aix-en-Provence, un gros effort a été fait pour prolonger la vie culturelle tout au long de l'année, et au bénéfice de la population locale. Les festivals ont proliféré ; même s'ils sont de qualité inégale, ils créent une émulation. Des manifestations comme le Printemps de Bourges, les Francofolies de La Rochelle ou les Rencontres interceltiques de Lorient donnent à ces villes moyennes un rayonnement national et même international. Les Rencontres photographiques d'Arles, la Foire du livre de Brive, celles de Pau ou de Saint-Étienne, les Académies musicales de Saintes montrent aussi que l'initiative culturelle n'est pas le privilège des grandes métropoles. À partir des villes qui sont devenues ou redevenues des foyers de culture, s'opère un véritable essaimage : des compagnies théâtrales ou chorégraphiques, des ensembles instrumentaux ou vocaux rayonnent à partir de leur siège, en Bourgogne, en Champagne, en Limousin. La Fondation du Crédit agricole qui encourage les activités culturelles en milieu rural, avec le concours de son réseau de caisses régionales, reçoit chaque année des dizaines de projets qui témoignent d'un réel esprit d'initiative, d'une volonté de réappropriation du patrimoine et d'une ouverture à la culture vivante dans la France profonde.

Cette floraison, cet élan constructeur, cette attitude à la fois plus respectueuse et plus imaginative à l'égard du patrimoine sont réconfortants. Ils démontrent que la politique culturelle, loin d'être une idée abstraite, une invention de ministres ou de technocrates illuminés, répond à une aspiration profonde. Tout ce qui a été réhabilité ou construit en une génération dote le pays pour longtemps de lieux de culture que rien n'empêchera, dans l'avenir, de transformer, améliorer, adapter à de nouveaux besoins mais qui constituent un capital durable. La plupart de ces équipements sont le fruit d'une coopération heureuse entre l'État et les collectivités locales : que l'initiative soit venue du premier ou des secondes, il y a eu, dans presque tous les cas, une conjonction de financements. À partir des chartes imaginées par Duhamel et mises en œuvre par Michel Guy, l'habitude s'est prise d'une concertation entre l'État et les villes. Les conventions de développement culturel lancées par Jack Lang et poursuivies par ses deux successeurs ont en quelque sorte institutionnalisé ce dialogue. On est loin de la « décentralisation » imposée d'en haut, comme au temps de Jeanne Laurent et même de Malraux ; c'est maintenant d'une véritable « décentralisation » qu'il s'agit ; il arrive même que l'État soit obligé de suivre le mouvement, et non plus de le susciter, et qu'on exerce des pressions sur le ministère pour qu'il concoure à des chantiers ou assure la survie de lieux ou d'ensembles culturels dont il n'a pas été l'initiateur. Avant 1970, rarissimes étaient les élus qui, comme Chaban-Delmas à Bordeaux, Defferre à Marseille ou Pflimlin à Strasbourg, s'intéressaient à la culture. Aujourd'hui, il n'est guère de maire qui n'ait compris qu'elle était pour sa ville un élément de rayonnement et d'attraction aussi puissant et souvent moins coûteux et risqué que le sport, et aussi important que les infrastructures de transport et autres équipements directement utilitaires. Lyon, Bordeaux, Grenoble, puis Montpellier et maintenant Lille et Toulouse ont en grande partie bâti sur la culture leur réputation de villes modernes et séduisantes. Les départements et les régions suivent la même voie depuis que la décentralisation a accru leurs prérogatives. Les régions ont quadruplé et les départements quintuplé depuis quinze ans leur effort financier pour la culture. Les communes, actives depuis longtemps dans ce domaine, l'ont doublé ; les dépenses culturelles représentent en moyenne 10 % du budget des villes de plus de dix mille habitants et ce pourcentage moyen monte à 14 % pour les villes de plus de cent cinquante mille habitants. Le total des budgets des collectivités territoriales dépasse, et de loin, le budget du ministère de la Culture et même l'ensemble des dépenses culturelles de l'État.

Il faut cependant se garder de toute euphorie ; l'État transfère plus de charges que de ressources aux collectivités ; celles-ci ne sont pas toujours des modèles de bonne gestion et il est fréquent que la culture soit la première victime des crises financières ou du conflit des priorités. En outre, l'effort en faveur de la culture est inégalement réparti et il arrive, par exemple, que les villes renâclent à financer seules des activités culturelles qui profitent à l'ensemble d'une agglomération, voire au-delà, même si la vie culturelle est génératrice d'activités commerciales, et notamment touristiques, dont elles profitent directement. Qu'il s'agisse des équipements ou du fonctionnement, on doit faire face aujourd'hui à des problèmes de répartition géographique et de péréquation des charges qui obligent à poser le problème de la politique culturelle en termes d'aménagement du territoire. Le gouvernement d'Édouard Balladur l'a d'ailleurs compris et, à l'initiative de Jacques Toubon, a amorcé en ce domaine une utile réflexion qui devra être poursuivie.

*
* *

Je n'ai jusqu'ici parlé que de la « province, mot hideux » que voulait justement bannir Malraux, cette province qui reste si méconnue ; car ce réveil culturel du territoire est mal apprécié au plan national. Les Toulousains et les Strasbourgeois savent ce qui se passe chez eux, mais ils sont bien les seuls. Les Parisiens l'ignorent. Sur ce terrain, nous sommes restés très jacobins, médias compris. Certes, on lit dans la presse nationale des critiques sur une *Bohême* à Toulouse, des *Contes d'Hoffmann* à Lyon ou une exposition Puget à Marseille, François Rouan à Villeneuve-d'Ascq, mais comme s'il s'agissait d'événements en soi, détachés de tout contexte. On se fait une vague idée d'une France festivalière, mais il est difficile d'avoir conscience de la continuité de la vie culturelle nationale, dans la totalité de ses composantes désormais répandues sur l'ensemble du territoire. Il est vrai que l'action permanente d'un orchestre, d'une compagnie théâtrale, d'un musée ou d'un centre d'art ne sont pas des événements, a fortiori s'il s'agit d'une action culturelle en milieu industriel, comme à Montbéliard ou au Creusot. Il faut rendre hommage à des hebdomadaires comme *le Point* ou *Télérama,* à des journaux comme *la Croix, Libération, les Échos* [7] et *le Monde* dans sa nouvelle formule ; dépassant l'événement particulier, ces titres donnent parfois un aperçu sur la vie culturelle d'une ville ou d'une région prise dans sa totalité. Ainsi Marseille, dont l'image, ces dernières années, a été si déplorable, ramenée à ses trafics et à ses

7. Qui, dans l'été 1989, ont publié une série « Citadines » traçant le portrait culturel d'une trentaine de villes, en France et en Europe.

drames, et dont la vie culturelle est d'une grande richesse avec ses sept musées, ses treize théâtres, son Opéra, son ballet conduit par Roland Petit, sans compter l'expérience originale de la Belle-de-mai où un entrepôt de la Seita abrite un phalanstère de créateurs en tous genres. Cent exemples du même type montreraient que, des formes les plus classiques aux plus nouvelles, les villes françaises jouent, chacune à leur façon, la carte de la culture. « Paris et le désert français » est, dans ce domaine, une formule dépassée, même si elle a été ravivée par le mythe des grands travaux.

Ceux-ci, il est vrai, ont été essentiellement parisiens. Tout l'effort des pouvoirs publics pour faire entrer dans une même nomenclature officielle les onze projets situés à Paris et les trente-six répartis sur le reste du territoire ne suffit pas à convaincre l'opinion que la capitale n'a pas été, une fois de plus, favorisée. De fait, aucun des projets réalisés en province, même les plus importants comme la rénovation du musée Saint-Pierre à Lyon ou la bibliothèque de Villeurbanne, n'atteint l'importance et le prestige des grands projets parisiens ; mais c'est ici qu'il faut reprendre la formule de Pascal : il est des cas où « il faut appeler Paris Paris et d'autres la capitale du royaume ». La santé culturelle de la France serait mieux assurée si deux ou trois autres métropoles accédaient à la densité de vie intellectuelle et artistique que l'on observe à Francfort ou à Munich, à Barcelone, à Edimbourg ou à Glasgow ; mais si grands que soient les progrès de la décentralisation, ils ne sauraient effacer dix siècles d'histoire ni remettre en cause la structure unitaire de notre vieille nation ; les grandes villes françaises tireront plus de profit, sur le plan culturel comme sur d'autres, d'une coopération avec d'autres grandes villes européennes que d'une rivalité rageuse avec Paris. C'est d'autant plus vrai que Paris ne cherche plus à écraser la province ou à la vider de sa substance. Au sujet de Beaubourg, Michel Guy avait eu une formule qui, à l'époque, n'était guère qu'un vœu pieux mais qui a marqué une orientation ; il voyait dans ce lieu, encore en gestation, une « centrale de la décentralisation ». De fait, le Centre Pompidou a beaucoup contribué à la promotion de l'art moderne et contemporain dans toute la

France, comme l'ont fait le musée d'Orsay pour la réhabilitation des arts du XIXe siècle et la Cité des sciences de la Villette pour la promotion de la culture scientifique et technique. Orsay et le Grand Louvre ont stimulé la restauration de nombre de musées et la Bibliothèque nationale de France ne prendra tout son sens que par sa mise en réseau informatique avec les autres bibliothèques. On peut tabler aussi sur le rayonnement de la Cité de la musique de la Villette, dont il est permis d'attendre plus d'ouverture et d'éclectisme que du « bunker » de l'IRCAM au temps de Boulez.

L'effort substantiel de l'État en faveur de ces grands chantiers a certainement joué un rôle de stimulant pour l'investissement culturel des villes, à commencer par la ville de Paris qui, pour les équipements de proximité comme pour ses musées, ses théâtres et son patrimoine monumental, et notamment les églises, a, depuis 1977 où elle est devenue une commune de plein exercice, défini et mis en œuvre une politique culturelle fort active. Ses principaux fleurons sont le musée d'Art moderne, Carnavalet, le Châtelet et le Théâtre de la Ville, dont il faut rappeler qu'en plus de sa vocation théâtrale bien assurée, il est la première scène chorégraphique du monde. En réalité, c'est surtout la région parisienne dans son ensemble qui demeure défavorisée sur le plan culturel, bien que bénéficiant de la proximité de la capitale. Les maisons de la culture de Bobigny, de Créteil et celle de Nanterre devenue théâtre des Amandiers, des théâtres comme Gennevilliers, Gérard-Philipe à Saint-Denis, la Cartoucherie de Vincennes sont autant de foyers de culture vivante. On s'en serait à la rigueur satisfait, il y a quelques années encore, si ces lieux de culture ne se trouvaient directement confrontés à ces banlieues abandonnées à la violence et au mal de vivre, où tout discours culturel semble dérisoire, et dont la seule existence marque la limite, et peut-être l'échec, de la politique culturelle.

Chapitre VIII

LE PUBLIC OUBLIÉ

Limite ? Échec ? Voilà de quoi surprendre. Repérer tant d'élans, voir naître une vie de culture dans des lieux improbables en parcourant le pays, ce n'était pas un rêve, mais un témoignage. J'aurais pu donner encore d'autres exemples vécus : ce concert de l'Orchestre national de Lille dans un entrepôt des Trois-Suisses, près de Roubaix, devant deux mille collaborateurs venus en famille et qui applaudissaient avec entrain entre les mouvements de la symphonie de Bizet ; ce château du Grand-Jardin, à Joinville, superbement restauré par le département pour en faire le lieu majeur de la culture en Haute-Marne et où, d'octobre à mars, des concerts de jeunes pianistes attirent, venu de toute la région, un de ces publics en or dont on devine qu'il découvre la musique qu'il entend ; cette abbaye d'Ambronnay, dans l'Ain, devenue l'un des hauts lieux de la musique baroque. Autant de preuves tangibles d'un renouveau voulu de la culture, dans ses recherches, dans ses formes comme dans ses publics.

Que de fois ai-je rencontré des artistes, des animateurs, des élus qui tenaient à me remercier pour l'aide décisive qu'ils avaient reçue, un jour lointain, au temps de Duhamel ! Ayant conduit, à partir de 1981, la construction du musée d'Orsay, j'ai, quand j'y retourne comme simple visiteur, des sujets de réconfort : le musée n'a pas pris une ride, le public paraît s'y sentir bien ; expositions, concerts, conférences s'y succèdent, faisant de ce lieu un espace de culture vivante conforme à ce que nous avions imaginé. J'ai lancé en 1979 un mouvement en faveur de l'engagement culturel des entreprises pour le mécénat, alors pratiquement inconnu en France ; aujourd'hui, si beaucoup reste à faire, ce mécénat a désormais droit de cité. Il soutient ou rend possibles maintes initiatives, souvent novatrices et, ne se limitant pas à son seul aspect financier, suscite un partenariat entre le monde économique et celui de la culture, qui s'ignoraient. Si la crise économique a ralenti un temps l'effort des entreprises, elle n'a pas remis en question l'engagement de la plupart d'entre elles et une relance s'opère maintenant, impliquant un nombre croissant de sociétés sans se limiter aux plus grandes : encore une raison d'espérer.

Il en est d'autres. Ainsi cette Chartreuse de Villeneuve-lès-Avignon, dont je m'occupe depuis près de vingt ans. Peu à peu restaurée, elle est devenue, pour les arts du spectacle et grâce aux résidences d'auteurs et de compagnies qu'elle accueille tout au long de l'année, un foyer de création qui, au-delà des gens de métier, intéresse un vaste public avide de découvrir la création en train de se faire.

À la tête de la première radio de France, je crois avoir prouvé que les contraintes d'un programme commercial qui s'adresse à tous les publics, et dont l'unité de compte est le million d'auditeurs, n'interdisent pas de contribuer à l'éveil culturel de cette vaste audience ; ce que nous faisons, à notre manière, pour inciter le public à lire, à aller à la rencontre du théâtre, de la musique, des musées, des monuments ou du cinéma est admis et souvent suivi d'effet.

Ainsi, dans les différents domaines de mon action personnelle, rien ne me porte au découragement. Tous ceux qui, par profession ou par conviction, sont concernés par le développement culturel peuvent de même trouver dans ce foisonnement d'initiatives des raisons de se rassurer ou d'espérer ; mais, ce faisant, ne sommes-nous pas victimes d'une grave illusion d'optique ?

S'il n'y a pas d'État culturel, il y a un milieu culturel qui n'est pas composé seulement, tant s'en faut, de fonctionnaires ; s'y mêlent tous les professionnels des métiers de la culture et ceux qui les entourent, élus, mécènes, critiques, amateurs éclairés. Nous nous croisons dans les mêmes lieux, à Paris et dans des expéditions en province, voire, pour les plus audacieux d'entre nous, en banlieue ; nous nous congratulons, échangeant nos impressions, partageant nos enthousiasmes et nos fureurs, usant d'un langage d'initiés dont nous ne mesurons pas qu'il peut avoir, sur le grand public, un effet plus dissuasif qu'entraînant. Beaucoup d'entre nous avons, dans nos expériences personnelles, un vrai contact avec le public et sommes en mesure de comprendre ses attentes, ses inhibitions, ses refus ; mais en tant que spécialistes, nous formons corps et, tel un fleuve traversant un lac, nous ne nous mêlons pas vraiment à ce public que nous côtoyons comme s'il était là pour faire nombre, masse anonyme de figurants, dans les événements auxquels nous sommes conviés et où nous paradons. Gavés de découvertes, repus d'émotions en tous genres, sans cesse à l'affût des échecs réjouissants et des réussites inattendues, nous ne résistons pas toujours à la tentation du snobisme et du dénigrement. Réticents à avouer que l'ésotérisme de l'un nous fatigue autant que la platitude de l'autre, gens blasés qui s'émerveillent d'une capacité d'enthousiasme qu'ils croient intacte et de leur prétendue absence de préjugés, nous devons faire l'effet d'une secte. Je ne serais pas étonné que nous fassions prendre en horreur « la culture » par tous ceux qui n'ont pas avec elle ce rapport privilégié. Allant d'un vernissage à une première et d'un festival à un colloque, nous assurant de temps en temps que le public suit, nous croyons que tout va bien. Qu'un film fasse découvrir à un vaste public Marin Marais et la viole de gambe, qu'une chorégraphie de Preljocaj soit programmée à l'Opéra entre Noureev et Jerome Robbins, que de longues files se forment à l'entrée des expositions Caillebotte ou Brancusi, à la FIAC et au Salon du Livre, et voilà, croyons-nous, la culture sauvée et nous autres, gens de culture, justifiés.

Tout cela, qui est vrai, ne saurait nous masquer une réalité fort dérangeante : si positif que soit le bilan de la politique culturelle, l'état de la culture en France ne laisse pas d'être préoccupant.

*
* *

Il ne suffit pas d'offrir la culture. S'il n'est pas question de l'imposer, encore faut-il qu'elle soit demandée et reçue. L'artiste, lui, n'obéit qu'à son inspiration et sa création peut être le résultat d'un combat intérieur, sans qu'il ait à se préoccuper de savoir si son œuvre sera comprise et aimée. Nous savons que beaucoup de chefs-d'œuvre sont nés dans cette superbe indifférence du génie. En revanche, tous ceux qui, à quelque titre que ce soit, sont des médiateurs, ont pour seule mission de rendre possible et heureuse cette rencontre entre les œuvres et le public. Je ne parviens pas à concevoir une politique culturelle qui n'aurait pas comme objectif majeur celui-là ; car s'il s'agit seulement de faire vivre les institutions culturelles pour les habitués, il n'y a besoin ni de ministère de la Culture, ni de politique culturelle. On a vu que quelques bureaux, rattachés à un sous-secrétariat d'État, y ont longtemps suffi.

On se souvient que, pour Malraux, la première responsabilité de l'État était de rendre accessibles les œuvres au plus grand nombre possible et d'assurer la plus vaste audience au patrimoine. La doctrine de l'action culturelle, conçue à la même époque, a créé les instruments, les méthodes, les lieux propres à initier à la pratique de la culture un public plus nombreux et divers que celui qui y a naturellement accès par son niveau d'éducation et son environnement familial et social. Quand, écartant les impressions et les témoignages subjectifs comme ceux que j'ai livrés ici, on interroge les statistiques, on se prend à douter que des progrès réels aient été réalisés dans le sens de cet accès du plus grand nombre à la culture.

Il existe en ce domaine une source précieuse : le département des études du ministère de la Culture a publié en 1990 un ouvrage, déjà cité, *les Pratiques culturelles des*

Français 1973-1989[1]. Cette étude conclut certes à un profond renouvellement de ces pratiques, à la mesure des mutations qu'ont connues la société et l'offre culturelle depuis le début des années soixante-dix ; mais elle insiste également sur la permanence des obstacles à une diffusion des formes les plus classiques de la culture et sur le caractère toujours aussi « distinctif » de la plupart d'entre elles.

Le terme de « distinctif », utilisé dans l'étude précitée, est révélateur de la pensée de Pierre Bourdieu, théoricien de la « distinction » précisément et qui n'a cessé de souligner à travers toute son œuvre la tendance des modèles culturels et sociaux à se reproduire au bénéfice de groupes à peu près invariables. Rien ne permet d'accuser les auteurs de cette étude savante, Olivier Donnat et Denis Cogneau, de parti pris doctrinal. Leur travail est d'une évidente honnêteté et applique à des données chiffrées, incontestables par elles-mêmes, toute la rigueur d'une méthode d'analyse scientifique ; mais à aucun moment, ils ne semblent se poser la question de savoir si les pratiques culturelles, avec ce qu'elles comportent de subjectivité, d'intériorité, se prêtent aussi aisément que les autres comportements sociaux à ce type d'investigation. Pas davantage ils ne semblent être conscients que, contrairement au sport, au tourisme ou à la santé, il existe différentes conceptions de la culture et de sa pratique, et qu'il n'y a pas en ce domaine d'interprétation innocente.

Ainsi, l'étude note comme le principal changement la croissance considérable de l'équipement « culturel » des ménages. La possession de tous les appareils permettant la diffusion, la reproduction ou la confection à domicile de l'image et du son est donc jugée culturelle par nature, du poste de radio ou de télévision à l'appareil photographique et au caméscope. De même, la progression sensible de la durée d'écoute de la télévision est regardée comme un phénomène culturel de première grandeur, ce qui est aussi

1. *Op. cit.*, étude réalisée en 1988-1989 à partir d'un échantillon constitué selon la méthode des quotas, et comprenant cinq mille individus représentatifs de la population française de quinze ans et plus.

incontestable pour un sociologue qui analyse, de l'extérieur, les comportements des groupes humains que discutable pour quiconque raisonne en termes de pratiques culturelles proprement dites.

Plus surprenante est l'affirmation selon laquelle la fréquentation assidue de la télévision ne détournerait pas des « pratiques cultivées ». On avance que les gros consommateurs de télévision sont proportionnellement presque aussi nombreux que la moyenne des Français à lire au moins dix livres par an ou à fréquenter les monuments historiques. Cependant, on sait bien que la télévision est la principale responsable de la diminution par quatre, depuis vingt-cinq ans, de la fréquentation des salles de cinéma, sans parler du théâtre ; et il est clair que, dans une économie déprimée comme celle que nous avons connue à partir de 1990, date de publication de l'étude, la télévision a développé ce rôle de substitut aux pratiques culturelles hors du domicile. Cela n'empêche pas les auteurs, dans le versant optimiste de leurs conclusions, d'affirmer, pour reprendre leur langage, que « la culture d'appartement » ne nuit pas aux « sorties ». C'est là qu'on reste rêveur, car la nomenclature qui en est donnée est conforme à la doctrine du « tout-culturel » qui prospérait à l'époque. On y trouve pêle-mêle la brocante, la fête foraine, le zoo, le match sportif payant aussi bien que le bal public, le concert de rock, l'opéra, l'exposition ou le théâtre. Cette conception pour le moins extensive des pratiques culturelles finit par ne rien prouver du tout. Chacun sait que l'écoute de la télévision ou de la radio peut être par elle-même une manière authentique de se cultiver ou d'en déclencher le besoin, mais il est pour le moins hasardeux d'assimiler tout ce temps d'écoute à une pratique culturelle, comme d'ailleurs toutes ces « sorties ». On finit ainsi par noyer la culture dans le temps libre et à confondre pratiques culturelles et loisirs de masse.

Il en va de même pour le livre et la lecture. Les auteurs de l'étude notent à la fois le recul du livre et la stabilité, voire la progression de la lecture. Ils avancent une hypothèse : le livre pratique, utilitaire, que l'on consulte, se substituerait en partie au livre qu'on lit de bout en bout ; en outre, le progrès sensible de la lecture des magazines compenserait en partie la diminution d'autres formes de lecture. Cela n'empêche pas qu'en 1988 comme en 1981 un Français sur quatre n'a lu aucun livre et que, depuis 1973, la proportion des forts lecteurs (vingt-cinq livres au moins dans l'année) a régulièrement décliné, spécialement chez les plus jeunes. On notera incidemment qu'il faut englober les « romans policiers et d'espionnage » pour faire du roman le genre littéraire préféré des Français au même rang que la chanson en matière de goûts musicaux. On est, là encore, en présence d'une conception tellement étendue du livre et de la lecture que la notion de pratique culturelle finit par perdre tout sens. Je veux bien qu'à l'approche de la révolution multimédia on répute culturel tout geste consistant à tenir entre ses mains un ouvrage imprimé et à en déchiffrer les signes, qu'il contienne des recettes de cuisine ou des poésies, des horaires de chemin de fer, des conseils de jardinage ou de la philosophie, mais, à ce compte, tout est culture et rien ne l'est.

L'étude souligne la part croissante de la musique, toutes catégories confondues, dans la vie quotidienne des Français, qu'il s'agisse de l'écoute et de la pratique instrumentale à domicile ou de la fréquentation des concerts, seul type de « sortie culturelle » à avoir progressé depuis 1973, principalement par le fait du succès de la musique rock dans la population jeune, le léger progrès de la musique classique restant limité à la catégorie des « cadres et des professions intellectuelles supérieures ».

Ce qui a trait, dans l'étude, à la fréquentation des lieux de culture mérite une attention particulière car là, le ton change et l'on passe sur le versant pessimiste de l'ouvrage. À part le progrès de la fréquentation des concerts, déjà noté, les auteurs observent que celle des expositions, des musées et des monuments a augmenté mais plus par accroissement du rythme des visites des habitués que par une extension de leur public. D'une façon plus générale, ils relèvent que le public des lieux et équipements culturels n'a pas augmenté de façon significative, que la structure de ce public a peu évolué socialement, qu'il est moins assidu, notamment pour le théâtre et le cinéma, et qu'il a vieilli, sauf pour la danse.

De toutes ces données, on ne peut que conclure à l'échec de la démocratisation, telle qu'elle était voulue par ceux qui ont conçu la politique culturelle ; plus exactement, cette démocratisation se serait opérée selon des voies toutes différentes de celles qui étaient prévues à l'origine. Les pratiques culturelles de masse seraient aujourd'hui une affaire d'équipement des ménages et de consommation de produits et de services culturels. Quant aux pratiques culturelles classiques homologuées par la tradition, elles resteraient le lot d'un petit nombre inchangé — ce qui donnerait raison à Bourdieu et à quelques autres.

Depuis la publication de cette étude en 1990, je n'ai cessé de tourner ces chiffres dans ma tête, partagé entre mon incapacité à les réfuter rationnellement et ma certitude intime de leur caractère contestable. Ce n'est pas que je n'oserais regarder en face une réalité dérangeante. Je sais bien qu'en dépit de tous les efforts accomplis, la pratique de la culture ne s'est pas généralisée et qu'elle est même, à bien des égards, en régression ; mais je me refuse à conclure que tous les efforts de la politique culturelle auraient été vains, ce que les auteurs de l'étude dont je parle se gardent bien d'affirmer mais qu'ils ne peuvent empêcher d'autres, moins bien intentionnés, de dire à leur place. Le seul argument objectif que je puisse leur opposer tient à la nature des politiques analysées et à leur mode de saisie ; on n'a retenu que ce qui est comptabilisable : des nombres d'entrées ou des achats d'équipements. On ne saurait pourtant réduire la culture à une billetterie ou à un chiffre d'affaires. Il y a des manières de regarder, de parler, d'aimer ou de marcher, de voyager qui sont chargées de plus de culture que le fait d'acheter un livre qu'on ne lira pas, de s'ennuyer au théâtre ou de suivre un groupe dans un voyage organisé. Surtout, je me méfie des statistiques qui, même si elles parviennent à cerner un individu par vingt critères objectifs, ne le rendent pas semblable à un autre et ne permettent pas d'appréhender ce qui se passe dans le secret de son être, là où la culture opère son alchimie. On peut recenser les coureurs à pied, les consommateurs de tranquillisants ou les pêcheurs à la ligne et en tirer des conséquences irréfutables sur l'évolution de ces pratiques. Il est beaucoup plus difficile, pour ne pas dire impossible, de qualifier ce qui est culture et ce qui ne l'est pas et d'additionner des comportements si dépendants de l'intimité de chacun.

Mon expérience personnelle, intuitive, indémontrable me conduit à une tout autre conclusion que celle de l'étude. Je consens que le public des lieux de culture n'a pas substantiellement augmenté si l'on s'en tient au nombre d'entrées enregistrées ; mais j'affirme que ce public a changé, profondément, et que le rapport à la culture d'un nombre croissant d'individus s'est modifié dans le bon sens. Je crois, pour l'avoir vécu dans mon parcours personnel, que dans les milieux modestes qui n'ont pas un accès héréditaire à la vie de la culture, l'inhibition qui existait à son sujet il y a encore trente ou quarante ans se dissout progressivement. Des lieux de culture plus accessibles, moins impressionnants, plus familiers attirent un public nouveau. Je l'ai vu, je l'ai senti cent fois. Je sais qu'un public d'ouvriers ou de paysans à qui l'on propose un spectacle, un concert de qualité, est aisément conquis, pour peu que l'on sache s'y prendre. Je sais aussi qu'à l'inverse une bonne partie de la bourgeoisie ou, si l'on préfère, des cadres ou des titulaires de diplômes de l'enseignement supérieur a complètement « décroché » par rapport aux pratiques culturelles et préfère consacrer son temps au golf, au tennis, aux équipées du bronzage, de l'exotisme facile et de l'incuriosité ambulante. À leur place, nombre pour nombre, viennent au concert, vont au théâtre et dans les musées des gens plus modestes mais plus motivés, ou ces nouveaux diplômés qui ne sont pas des fils d'ingénieurs ou d'avocats et qui ont fait de la culture tout à la fois le levier et la récompense de leur ascension personnelle. C'est ceux-là que j'ai vus à Avignon, à la Chartreuse, à Toulouse ou à Lille et partout où je suis allé, sans instruments de mesure, mais avec des yeux pour voir, des oreilles pour entendre et aussi une sensibilité instruite qui me rend attentif à la qualité d'une écoute, à la densité d'un silence, à la ferveur qui monte quand s'accomplit la magie du théâtre ou de la musique. Statistiquement, je veux bien signer le constat d'échec. Humainement, je le refuse, en ajoutant aussitôt que, politiquement, il m'interpelle, et rudement.

*
* *

Car enfin ce public, à la grande époque, il était l'obsession des pionniers de l'action culturelle. Est-il encore sûr qu'il soit la première préoccupation des ministres et de l'administration de la culture ? J'en doute ; et la façon bruyante dont on a multiplié, dans les années quatre-vingt, les « fêtes » de toute sorte, cet empressement à proclamer que tout était culture me conduisent à penser qu'un populisme culturel plus ou moins conscient s'est substitué à ce service du public qui était notre seule pensée.

Je ne veux pas insinuer que cette étude officielle sur les pratiques culturelles aurait été le moins du monde téléguidée par Jack Lang, alors ministre. Je suis convaincu qu'elle a été conduite en toute indépendance ; mais je ne peux m'empêcher d'observer qu'elle apporte, peut-être involontairement, beaucoup d'eau au moulin du « tout-culturel ». La chanson, le rock, la bande dessinée, les magazines, les sorties en tous genres, les équipements domestiques, tout cela additionné, traité, ventilé fait apparaître une « consommation culturelle » généralisée qui gomme dans une large mesure les différences de niveau social, d'éducation et même de génération et qui, pendant qu'on y est, permet de revendiquer au titre de la pratique culturelle tout l'audiovisuel, en assimilant logiquement le divertissement à la culture. De René Char à San Antonio, de Boulez à Charles Trenet, de Bernard Pivot à Pascal Sevran, tout serait donc culture. Et si les pratiques culturelles « classiques » (l'étude lâche même, de façon révélatrice, le mot de « traditionnelles ») sont stationnaires, voire en régression, et ne concernent que le même public averti, il semble que l'on en prenne son parti.

Dans son livre accusateur et douloureux [2], Michel Schneider qui fut directeur de la musique au ministère de 1988 à 1991 avant de rompre, non sans éclat, avec Jack Lang, révèle ce tour de passe-passe. Il souligne que Lang, abrogeant le décret Malraux sur les missions du ministère de la Culture, mit en premier lieu celle de « permettre à tous les Français de cultiver leur capacité d'inventer et de créer, d'exprimer librement leurs talents et de recevoir la formation artistique de leur choix ». Et Schneider de commenter : « On caricaturerait à peine en disant que, pour Malraux, l'État devait transformer en fait le droit d'accéder aux œuvres d'art et, pour Lang, qu'il devait assurer à tous ceux qui le désirent le droit d'être artiste : droit à la création contre droit à la culture. »

Cette reconnaissance d'un droit à la créativité généralisée, l'expérience a montré qu'elle était purement verbale, ou se réduisait à des courbettes complaisantes, agrémentées de subventions à des rapeurs ou des rockers bien introduits Rue de Valois, à de vieux routiers de la bande dessinée, de la chanson et de la haute couture. Protégée par cet alibi commode et voyant, la politique du ministère de la Culture a insensiblement substitué au service du public la dévotion aux créateurs ou, plus largement, aux représentants des professions artistiques, dont Jack Lang a su, avec une extrême habileté et une omniprésence inégalée, se faire une clientèle.

Que l'on m'entende bien : rien n'est plus vulnérable que la création artistique en tout temps, et spécialement à notre époque soumise à la loi inexorable du marché. Il est du devoir de l'État, dès lors qu'il s'engage dans une politique culturelle, de soutenir les créateurs ; et il n'y a pas manqué, depuis les origines du ministère. Cependant, rien n'est plus difficile que de définir les critères et plus encore l'éthique d'une aide publique à la création. Sur ce point, le raisonnement de Michel Schneider me semble imparable. Selon lui, l'État moderne ne saurait se situer dans la continuité des mécènes classiques, à commencer par les monarques, pour

---

2. Michel Schneider : *la Comédie de la culture,* Seuil, 1990.

l'excellente raison que l'argent public n'appartient pas à ceux qui en disposent et n'est point fait pour magnifier la personne, le parti ou le règne de l'élu du peuple. Et d'ajouter que l'État est, par nature, un mauvais mécène. Autant, dit-il, l'État peut traiter du patrimoine, « objet légitime d'un devoir de démocratisation, car là le choix artistique n'est plus à faire », autant pour la création, qui relève essentiellement du choix individuel, « les principes et les critères de choix dans un État démocratique ne sont pas pertinents... Exprimant leurs goûts propres — s'ils en ont —, les gouvernements manquent à la démocratie. On ne les a pas élus pour ça. Représentant les choix artistiques de la majorité ou de la mondanité, ils manquent à l'art et versent dans l'actuel mélange de populisme et d'académisme moderniste ». Il est difficile d'échapper à ce dilemme, mais un ministre de gauche y est encore plus soumis qu'un ministre de droite. Il y a en effet, à droite, une mauvaise conscience, une timidité et aussi un réalisme qui font que, dans un domaine aussi délicat, on agira avec prudence, souci de ne mécontenter personne, en étant éclectique ou pluraliste. Cela ne conduit pas à des choix bien audacieux, mais du moins l'État ne peut être alors accusé de dicter le goût. C'est encore Malraux, assuré de sa légitimité de créateur et puisant dans son passé et dans son entourage quelques inspirations héritées de la gauche, qui fut, dans le domaine de la création, surtout plastique, le plus directif, avant Lang ; mais ses successeurs se rangèrent, à la seule exception de Michel Guy, à la logique de l'État modeste. Jack Lang, lui, sans avoir les subtilités et les ruses de son maître, François Mitterrand, épousa avec ardeur la logique de l'intervention flamboyante et souvent discrétionnaire, à coups de subventions et de commandes, pour la plus grande satisfaction des bénéficiaires. Il le fit avec suffisamment d'habileté pour que, peu à peu, nul n'ait pu se croire exclu de ces bienfaits, quelle qu'ait été sa tendance, voire sa sensibilité politique. C'est en cela que le ministère de la Culture s'est progressivement transformé en ministère des clientèles artistiques, faisant passer au second plan, quand il ne l'oubliait pas, sa mission au service du public en général.

Pour illustrer cette dérive, j'en appelle à des témoignages portant sur la façon dont on a traité, depuis 1981, les questions de la création et du public.

C'est le cas, pour la musique, du livre de Pierre-Michel Menger *le Paradoxe du musicien* [3]. Bien qu'écrit au début des années Lang, ce livre à bien des égards prémonitoire aboutit à des conclusions voisines de celles de Michel Schneider dix ans plus tard. Pour Menger, l'action de l'État en faveur de la création musicale, expression d'un « volontarisme culturel » aboutit à « la marginalisation administrée ». L'inflation de l'offre de musique contemporaine suscitée par les commandes des ensembles spécialisés et des festivals que finance l'État dans une écrasante proportion s'expose à la réticence du public profane, dérouté par ces œuvres difficiles. Les mêmes critiques, compositeurs et organisateurs de festivals se retrouvent dans les commissions et jurys qui statuent sur les commandes et les subventions, formant « un mécanisme proprement administratif de consécration professionnelle ». Et il ajoute : « Entre les circuits, qui n'existent que par la nécessité de promouvoir le nouveau, et les œuvres, payées à la commande, qui s'ajustent tacitement à la règle du renouvellement esthétique permanent parce qu'elles seront confrontées entre elles devant un public restreint peuplé de professionnels de la création, s'établit une synchronisation aux effets pervers. » Le public, dans ce jeu, fait le mort, comme au bridge.

La situation a quand même un peu évolué, et dans le bon sens. Les courants de la création musicale commencent à se diversifier, sous l'influence d'une nouvelle génération de compositeurs dont j'ai déjà parlé. Les grandes institutions musicales, aujourd'hui plus autonomes et qui ont parfois trouvé dans le mécénat d'entreprise une source nouvelle de financement et, avec elle, une marge supplémentaire de liberté, ont cherché à concilier l'aide nécessaire à la création

3. Pierre-Michel Menger, *le Paradoxe du musicien. Le compositeur, le mélomane et l'État dans la société contemporaine,* Flammarion, 1983.

et le souci d'un public dont le registre s'est considérablement étendu en amont et en aval du répertoire classique de Haydn à Ravel dans lequel il fut longtemps confiné. Il n'empêche que les années quatre-vingt restent un bon exemple d'une politique tournée exclusivement vers la création sans une réelle considération pour les attentes du public.

Un autre témoignage me paraît aussi révélateur et d'autant plus crédible qu'il rend compte d'une double expérience d'universitaire et d'homme de terrain. Jean Caune, professeur à l'université Stendhal de Grenoble, a été comédien et metteur en scène avant de créer le centre d'animation culturelle de la Villeneuve de Grenoble, puis de diriger la maison de la culture de Chambéry. Dans un livre au titre révélateur, *la Culture en action — de Vilar à Lang : le sens perdu* [4], il étudie l'évolution et la dégénérescence, à partir de 1983, du concept d'action culturelle.

Il part de l'idée juste que la culture est dominée par ce qu'il appelle « la problématique de l'écart » : écart entre l'œuvre et le public, entre la fonction poétique de l'objet mis en circulation et sa signification pour le destinataire et, plus généralement, « l'écart propre à toute création artistique entre ce qu'elle veut dire et ce qui est perçu ». Il souligne que l'action culturelle a été conçue, à partir des années soixante, comme une médiation, un ensemble de procédés destinés à réduire cet écart. Ce n'était pas une création ex nihilo ; elle s'appuyait sur des expériences antérieures et principalement celles de la trinité Gémier-Copeau-Vilar, « référence fondatrice du théâtre populaire ». Il insiste sur le fait que Vilar excluait que l'on puisse dissoudre les différences sociales par la production d'un spectacle illusionniste. Il savait que l'existence des classes sociales engendre des inégalités, et en particulier sur le plan culturel ; mais la culture suscite une communion, « croyance partagée dans le plaisir et la connaissance tirés de la fréquentation des chefs-d'œuvre ». On voit la parenté qui existe entre cette conception et celle que Malraux inspira à son ministère, même s'il

4. Aux Presses Universitaires de Grenoble, 1992.

partait d'une vision philosophique bien différente de celle de Vilar et beaucoup plus ambitieuse ; mais la force de la politique culturelle de la Ve République fut d'opérer des choix et de tracer des voies qui purent à la fois durer et évoluer à travers les différences d'approche et de sensibilité des ministres successifs. Chez Malraux, l'action culturelle était, dit l'auteur, « la traduction politique d'une métaphysique exigeante » ou « une idéologie du salut culturel », avant de devenir, avec Jacques Duhamel, plus laïque, si l'on peut dire.

Jean Caune voit à juste titre dans le discours lyrique de Malraux « une ultime tentative de restituer à l'art sa valeur sacrée ». Après les désillusions de mai 68 et avec la fin des « trente glorieuses », on entre dans une période de crise sociale, avec toutes les pertes de sens et de références dont on aura vu, jusqu'à l'époque présente, les effets dissolvants. L'intuition de Duhamel, politique et non plus mystique, fut, sans changer le vocabulaire ni remettre en cause les méthodes, de donner un sens plus contingent et pratique à l'action culturelle : non plus une marche vers le Graal, une quête héroïque du Trésor, mais une manière de trouver dans le patrimoine et les valeurs de la culture le moyen de vivre mieux, individuellement et collectivement, des temps difficiles et de créer un sentiment commun d'appartenance permettant, sinon de transcender les divisions du corps social, du moins de vivre de façon aussi pacifique et féconde que possible une époque d'affrontements et d'incertitudes.

Quand on pense à ce qu'a été la décomposition de notre société depuis le début des années soixante-dix, on se dit que cette conception de l'action culturelle était plutôt pertinente et aurait pu durablement inspirer la politique culturelle. C'est pourtant une autre voie que choisit Jack Lang, par une démarche caractéristique de la gauche socialiste qui eut à concilier ses utopies d'avant 1981 et les réalités que lui fit découvrir l'exercice du pouvoir.

Toute la fermentation intellectuelle du parti socialiste, dans les années d'opposition, avait été alimentée par une contestation de l'« œuvre » en tant que telle et par l'exaltation d'une sorte de spontanéisme culturel. Dans un document intitulé *Orientations générales d'une politique d'action culturelle,* publié en 1975 par le secrétariat national à l'action culturelle du parti, et qu'analyse Jean Caune, on relève des affirmations comme celles-ci : « La culture globale que nous souhaitons développer doit être une culture pour tous... mais il faut aussi que ce soit une culture par tous. Une pièce de circonstance où trouvent à s'exprimer les préoccupations communes de tout un groupe a souvent plus d'effet culturel que la meilleure mise en scène de Shakespeare ou de Brecht... C'est la création en tant que processus et non en tant que résultat qui nous intéresse. »

Je n'ai jamais su si Jack Lang adhérait vraiment à ce genre d'utopie. Il se garda bien en tout cas, devenu ministre, d'en tirer d'immédiates conséquences et il assuma sans gêne, comme je l'ai montré, la continuité institutionnelle de sa mission ; mais deux données extérieures au champ proprement culturel allaient fortement influencer le cours qu'il imprima à l'action culturelle ; l'une est le « chemin de Damas » qu'a représenté pour la gauche la découverte de l'économie de marché ; l'autre est la prise de conscience de la puissance de l'audiovisuel au moment où il acquérait une position dominante dans la vie des individus et de la société.

Il en est résulté la conviction, désastreuse à mes yeux, que les industries culturelles et les circuits d'équipement et de consommation qu'elles engendraient étaient destinées à devenir la voie royale du développement culturel — et que l'universalité et l'instantanéité de l'audiovisuel frappaient d'archaïsme toutes les méthodes de l'action culturelle expérimentées jusque-là. La médiatisation s'est substituée à la médiation ; alors que l'action culturelle se proposait de réduire, laborieusement, l'écart entre l'art et la population, on crut que désormais il n'y aurait plus besoin d'intermédiaire. Comme l'écrit Jean Caune : « Là où l'immédiateté devient valeur, quelle place reste-t-il à la médiation et à la transmission ? Là où la société se veut " branchée " et où la signification s'identifie au " contact ", quelle place reste-t-il pour les apprentissages de la réception esthétique ? La société française, après la fin des ambitions de transformation sociale, se pense et se vit comme une société de communication. »

Dans la réalité, l'évolution sera bien entendu moins tranchée. L'action culturelle ne sera pas remise en question du jour au lendemain ; une direction du développement culturel sera même créée. Si Jack Lang a toujours éprouvé une profonde méfiance envers les « cultureux », son entourage immédiat, et notamment Dominique Wallon, Bernard Faivre d'Arcier, Claude Mollard et Jacques Renard, avait trop l'expérience du terrain et était trop proche des responsables de l'action culturelle pour renier ce qui avait été son combat, y compris quand la doctrine de l'action culturelle avait été exposée aux « dérives droitières », réelles ou supposées, des gouvernements précédents. Il n'empêche que, loin de favoriser le développement des structures de l'action culturelle — maisons de la culture et centres d'action culturelle — l'administration Lang s'est employée, soit à favoriser leur retour à des formules classiques comme le théâtre (aux Amandiers de Nanterre, notamment), soit à organiser leur fusion dans un ensemble plus vaste et flou comme les « scènes nationales », en réduisant à presque rien la polyvalence et l'interdisciplinarité qui avaient marqué jusque-là ces lieux de culture.

Cette mutation profonde fut opérée avec une extrême habileté. L'approche pédagogique et militante du public par l'action culturelle, avec ce qu'elle comportait de patience et de générosité, ne fut ni décriée, ni reniée. On s'employa même à désarmer ce milieu turbulent, mené depuis l'origine par des gens de théâtre. Cela se fit grâce à la manne budgétaire, en les pourvoyant en crédits ou en les neutralisant par des nominations prestigieuses, comme celle de Jean-Pierre Vincent à la Comédie-Française. De plus en plus désireux, pour les meilleurs d'entre eux, de poursuivre une œuvre théâtrale forte, ceux-ci jouèrent le jeu, trouvant plus de satisfaction dans les audaces de leur métier, proposées à un public limité mais motivé, qu'à poursuivre indéfiniment une évangélisation culturelle modeste et lassante qui apparaissait au surplus comme passée de mode. Parallèlement, en effet, la multiplication des grands événements médiatiques et la mise en œuvre du « tout-culturel » donnaient à penser que l'on était passé, là aussi, de l'ombre à la lumière, d'une action obscure aux effets imperceptibles aux fêtes éclatantes de la culture de masse.

L'un des mentors de la culture militante, et non des moindres, a un jour mangé le morceau. C'est Roger Planchon, directeur du TNP à Villeurbanne qui, dès septembre 1981, fit une déclaration que Jean Caune rappelle opportunément : « Le mot culture qui fut utile un temps pour nous faire entendre doit être aujourd'hui abandonné. Il a justifié trop d'entreprises douteuses qui n'avaient rien d'artistique. » Cette déclaration m'avait échappé à l'époque et peut-être n'y aurais-je pas vu malice, si averti que je fusse de la subtilité retorse de Planchon ; mais avec le recul, je l'interprète ainsi : « Maintenant que la gauche est au pouvoir et nous garantit les concours financiers auxquels nous avons naturellement droit, nous n'avons plus besoin de recourir au discours " culturel " fait pour donner mauvaise conscience aux gouvernants de droite et grâce à quoi nous pouvions feindre de leur arracher les subventions qu'ils nous auraient de toute façon accordées. Nous pouvons désormais nous consacrer aux activités, aux formes et aux publics de notre choix, sans avoir honte du caractère élitaire de notre démarche, dès lors que l'État prend en charge, par ses grands projets, par de grandes fêtes médiatiques et par le dogme commode du tout-culturel, l'aspiration à la culture pour tous. »

Devant ce cynisme, je ne peux m'empêcher de penser à tous ceux qui, néanmoins, ont poursuivi le travail ingrat de l'action culturelle de terrain, comme Jean Hurstel à Montbéliard, puis en Lorraine, ou d'autres qui, dans les structures nouvelles mises en place, n'ont pas renoncé à attirer un nouveau public vers les pratiques culturelles par des voies que l'air du temps frappait, croyait-on, d'archaïsme.

Pour être tout à fait juste, j'ajouterai cependant que Jack Lang, qui n'a jamais manqué d'intuition ni de sens politique, a pressenti que quelque chose restait à inventer. S'il a laissé dépérir l'action culturelle, il ne s'est pas borné à mener une politique, qui, d'un côté, mettait l'accent sur de grands événements médiatiques et, de l'autre, favorisait les cénacles les plus fermés de la création élitaire. Il a encouragé des expériences réellement novatrices, notamment dans les banlieues difficiles, où des artistes et des animateurs allaient à la rencontre d'une population abandonnée, les jeunes notamment, pour tenter de susciter une expression positive de leur désarroi ou de leur fureur. C'est une voie nouvelle qui s'est ainsi entr'ouverte, dont nous aurons à reparler.

*
* *

Convié aux fêtes de la musique et de tout le reste, pressé de s'équiper et de consommer des biens culturels, exhorté à profiter de l'explosion des moyens audiovisuels, le public est néanmoins devenu le grand absent de la politique culturelle. Les initiés, ceux de toujours et les nouveaux — car, Dieu merci, le public averti se renouvelle comme je l'ai noté à plusieurs reprises — puisent, eux, dans les formes les plus élaborées de la politique culturelle de quoi satisfaire leurs besoins de découverte et de délectation. Une fois oubliées les fantaisies de la création par et pour tous, les créateurs ont trouvé un ministère prêt à les soutenir sans qu'ils aient trop à se soucier des réactions du public, le droit d'être diffusé accompagnant naturellement, dans leur esprit, le droit de créer. Ainsi pourrait être résumée, de façon certes caricaturale, la philosophie du ministère Lang. Le plus étonnant est que tout cela s'est superposé à une politique culturelle de type classique que Lang a eu la sagesse ou l'habileté de poursuivre. Des masses flattées, des avant-gardes choyées, des marginaux encouragés et les habitués de la culture bien servis : il y en eut vraiment pour tout le monde, sauf précisément pour cet immense public potentiel que l'action culturelle avait rêvé si longtemps de faire accéder à la culture. C'est qu'au milieu de toute cette agitation, souvent brillante et parfois féconde, on l'a perdue en route, l'action culturelle. Elle méritait sans doute d'être profondément repensée, non d'être délaissée par un ministère dont l'un des principaux mérites était de l'avoir inventée de toutes pièces et d'avoir su la faire admettre par une multitude d'intervenants. Du moins, la semence a-t-elle germé. Si le ministère de la Culture, écartelé entre la tentation de la médiatisation à outrance et celle de la bureaucratie routinière, a renoncé au rôle d'inspirateur de l'action culturelle, le relais a été pris, sur le terrain, par ceux qui ont un contact réel avec le public. Ils entretiennent la flamme et ne désespèrent pas que le ministère, un jour, la ravive.

Dans son essai, *La Crise de la culture* [5], Hannah Arendt écrit à la fin des années soixante : « La société de masse ne veut pas la culture mais les loisirs *(entertainment)*, et les articles offerts par l'industrie des loisirs sont bel et bien consommés par la société comme tous les autres objets de consommation... (ils) servent, comme on dit, à passer le temps, et le temps vide qui est ainsi passé n'est pas, à proprement parler, le temps de l'oisiveté... c'est bien plutôt le temps de reste... après que le travail et le sommeil ont reçu leur dû [6]. »

Sombre mais prophétique analyse : le grand nombre n'est-il voué qu'à ce substitut de culture, consommable à domicile ou dans les « fast food » de l'audiovisuel et des fêtes carillonnées du ministère de la Culture ? La politique culturelle est-elle condamnée à délaisser le grand public et à se consacrer au seul public averti ? Il y aurait en tout cas une certaine honnêteté à l'admettre ; mais ce n'est pas la voie qui a été suivie. Depuis quinze ans, les ministres de la Culture, Lang en tête, ont prétendu couvrir tout le champ, de la haute culture sous ses formes les plus sophistiquées à la culture de masse. C'est pourquoi ils ont toujours rêvé, et parfois obtenu, d'être ministres à la fois de la Culture *et* de la Communication.

En arrivant en 1993 rue de Valois comme ministre de la Culture « et de la Francophonie » mais non de la Communication, Jacques Toubon semble avoir pressenti que le public était le grand absent de son ministère ; mais en pour-

5. Réuni avec d'autres sous le titre général *la Crise de la culture*, Gallimard, 1972, repris en 1979 dans Folio-Essais.

6. *Ibid.*, p. 263.

suivant pour l'essentiel l'action de son prédécesseur, il n'a pas inversé la vapeur. Il a laissé un ministère vide d'idées, dont la marge de manœuvre se réduit aujourd'hui à presque rien.

Chapitre IX

UN MINISTÈRE EN ÉTAT DE PÉRIL

ou de la difficulté croissante d'administrer la culture

En ce printemps 1995, où commence le dernier septennat de ce XXe siècle, la situation du ministère de la Culture est, en apparence, saine et sa position bien assurée. Depuis sa création, ce portefeuille prestigieux et convoité n'aura été détenu, à quelques exceptions près, que par des personnalités politiques de premier plan, ou destinées à le devenir. Dans les milieux gouvernementaux et dans l'administration, son existence n'est pas discutée [1]. Tour à tour grossi des Grands Travaux, de la Communication, de la Francophonie, il a échappé jusqu'ici au destin précaire de tant de départements ministériels et aux incessants remodelages dont sont victimes les ministères sociaux. Le fait qu'il soit recentré sur son domaine propre, dans le gouvernement d'Alain Juppé, n'est en rien un abaissement, mais plutôt une consolidation, et même une consécration. Mur des lamentations ou source d'eau vive, le ministère est le lieu vers lequel convergent, pour le meilleur et pour le pire, tous les regards du monde culturel ; si suspect ou anachronique que soit, à certains égards, cet attachement parfois servile et toujours calculateur, il n'en contribue pas moins à donner au ministère un

---

1. Un rapport rigoureux sur les responsabilités et l'organisation de l'État, le rapport Picq, qui préconise le resserrement des structures gouvernementales sur quinze ministères, maintient sans réserve un ministère de la Culture de plein exercice. Cf. *l'État en France,* La Documentation Française, 1995.

poids politique qu'il n'avait pas dans les vingt premières années de son existence. Il est devenu l'un des interlocuteurs importants des élus, parlementaires, maires de grandes villes ou présidents de région ; avec ses directions régionales désormais bien installées, il est doté d'une armature territoriale solide. Son budget s'est à peu près rapproché du 1 % fatidique, que le président Chirac s'est juré d'atteindre, comme l'avaient, de leur côté, promis ses rivaux lors de la campagne présidentielle.

Sur le plan international, le ministère de la Culture est une référence, en termes d'expertise et aussi de prestige, même pour les pays qui ne vont pas jusqu'à le considérer comme un modèle transposable. Sans y être parvenue jusqu'ici, l'Italie envisage périodiquement de centraliser les affaires de la culture entre les mains d'un seul ministre.

En dépit de tous ces éléments favorables, la situation du ministère est cependant fragile et même précaire. Compte tenu du rôle central qu'il joue dans la vie culturelle du pays, son sort ne saurait concerner seulement les spécialistes de l'administration. Tous ceux qui s'intéressent au présent et à l'avenir de la culture en France doivent savoir comment l'État s'organise pour assumer les responsabilités qu'il revendique en la matière. Il y a là une question politique au sens le plus fort du terme et le fait que l'instrument ne soit pas à la hauteur de l'ambition affichée mérite que l'on se penche d'un peu plus près sur ce qu'est aujourd'hui le ministère de la Culture.

*
* *

J'ai rappelé dans un chapitre précédent comment Malraux avait hérité d'un secrétariat aux Arts et Lettres érigé pour lui en ministère de plein exercice. Il l'a organisé de manière pragmatique, hésitante et même timide. On en vient à regretter qu'il n'ait pas pratiqué la méthode de la table rase, en mettant à bas un édifice composite et désuet afin de façonner rationnellement, et en se libérant des pesanteurs d'un passé institutionnel riche d'expériences mais encombrant, l'instrument nécessaire à la conduite d'une politique culturelle digne de ce nom.

Ce n'est pas ce qui fut fait. On laissa en l'état les grandes directions patrimoniales existantes : architecture, musées, archives ; on maintint aussi, dans un premier temps, la direction générale des arts et lettres qui avait pratiquement en charge tout le reste, hormis le cinéma qui conserva son statut ad hoc d'établissement public. Des flancs de cette direction générale émergèrent peu à peu les services nouveaux destinés à donner du corps à l'action culturelle dans le domaine des spectacles, des maisons de la culture, des arts plastiques, puis de la musique. Pierre Moinot, dernier directeur général, conclut à la suppression de cette superstructure devenue, paraît-il, inutile, et qui disparut en effet à la fin des années soixante.

C'est dans cet état que j'ai trouvé le ministère quand j'y suis arrivé aux côtés de Jacques Duhamel en janvier 1971 : trois grandes directions patrimoniales, ainsi qu'une direction du théâtre, des maisons de la culture et des lettres, une direction de la musique, de l'art lyrique et de la danse, un service de la création artistique, un service des enseignements artistiques, le Centre du Cinéma et, déjà, une poussière de services divers (qu'il s'agisse des fouilles archéologiques ou... des commémorations nationales), mais aussi un très utile service des études et de la recherche, créé du temps de Malraux, et dont la plupart des ministres successifs n'ont pas su tirer suffisamment parti. Il m'apparut bientôt que cette structure composite était inadéquate et faisait ressembler le ministère à l'un de ces édifices tarabiscotés qui sont le fruit hasardeux d'initiatives successives. Il n'y avait guère de points communs entre les directions patrimoniales, structurées, riches de leur expérience, fortes de leurs services extérieurs répandus sur tout le territoire et assez proches du modèle ordinaire des administrations centrales de l'État, et les nouvelles entités qui, hormis le fait que, pour certaines d'entre elles, un directeur nommé en Conseil des ministres en avait la charge, ne ressemblaient que de très loin à ce que, dans l'administration, on appelle des directions ; elles ne comptaient guère plus d'agents que la plus modeste des sous-directions d'un grand ministère ; et encore ces agents étaient-ils souvent des contractuels, et non des titulaires ; venus d'horizons divers et généralement très motivés, ce qui est positif, ils souffraient parfois de la précarité de leur situation et d'un manque de polyvalence rendant malaisé un déroulement de carrière normal, comme c'est le cas dans les grandes administrations de l'État.

Toute personne dotée d'un peu d'expérience administrative ne pouvait que trouver insatisfaisante cette structure. Pourtant, je confesse que nous n'y avons pas touché. Je pourrais plaider l'urgence, le manque de temps, la priorité donnée à l'action concrète ; mais pour être sincère, je dois avouer que cette organisation morcelée convenait assez bien à une équipe décidée à prendre à bras-le-corps la gestion de ce ministère et à lui imprimer l'unité de vue et d'action dont il manquait encore. Comme tous les directeurs adhéraient sincèrement aux principes encore neufs de l'action culturelle, c'est au niveau du ministre et du cabinet que s'opéraient naturellement la coordination et la synthèse. Je me souviens qu'à l'époque il m'arrivait de penser que j'étais à la fois le directeur du cabinet et le secrétaire général du ministère.

C'était manquer de recul et pécher par subjectivisme. À maintes reprises, j'ai regretté que nous n'ayons pas procédé à une refonte de ce ministère auquel, en vingt-sept mois, nous parvînmes à donner son assise et sa crédibilité dans l'État. Après nous, d'autres équipes ont taillé, recousu, ajouté à cette organisation déjà complexe et qui l'est devenue davantage encore ; manque de temps ou de volonté, aucun ministre, y compris ceux qui, comme Jack Lang, restèrent longtemps en charge, n'entreprit une réforme des structures. De nouvelles directions sont nées (livre et lecture, développement culturel) ainsi que de nouveaux services (affaires internationales, développement et formation) ; d'autres ont été remodelées, mais sans vue d'ensemble. Avec pas moins de sept directions et une bonne demi-douzaine de délégations et de services divers, le ministère de la Culture est aujourd'hui plus compartimenté que jamais. Cette situation est d'autant plus préoccupante que, comme on l'a noté, chacune des entités qui composent le ministère est, plus qu'auparavant, sous la coupe des professions qui relèvent de leur compétence particulière. Comme il n'y a guère de points communs entre les facteurs d'orgues et les exploitants de salles de cinéma, entre les galeries d'art et les opéras municipaux, les bibliothécaires et les architectes des monuments historiques, la politique culturelle risque de n'être qu'un catalogue de revendications corporatives et un saupoudrage de subventions.

Certains efforts de synthèse ont cependant été tentés. L'un a échoué ; l'autre a réussi.

L'échec est celui de l'action culturelle proprement dite. J'ai dit plus haut l'importance qu'avait revêtue, depuis l'origine, ce concept d'une action interdisciplinaire destinée à proposer une offre de culture, dans des lieux appropriés, à un public nouveau. Née dans l'orbite de l'action théâtrale, du temps de Malraux, cette idée a progressivement pris corps à travers les maisons de la culture et les centres d'action culturelle. À partir de la fin des années soixante-dix, il est apparu nécessaire de faire prendre en charge cette activité par une structure spécifique, distincte des directions spécialisées, et notamment de celle du théâtre. Ce fut l'objet d'une mission puis, avec Jack Lang, d'une direction du développement culturel dont la fonction « transversale » compensait les inconvénients de l'organisation, verticale à l'excès, du ministère. Malheureusement, cette structure ne s'est installée qu'au moment même où commençait à dépérir le concept d'action culturelle. Elle était donc vulnérable et, de fait, disparut en tant que telle dès 1986. D'abord confiée à la direction de l'administration générale dont le titulaire d'alors entendait faire le véritable lieu de la synthèse ministérielle, cette responsabilité interdisciplinaire du développement culturel fut ensuite pour partie rapatriée à la direction du théâtre qui s'employa à l'étouffer. Ce qui en subsiste relève désormais d'une unité du ministère au titre obscur et à l'avenir incertain, « la délégation au développement et aux formations ». Il est révélateur que les tâches les plus originales, les plus porteuses d'avenir, les plus interdisciplinaires par nature, soient ainsi confiées à une structure modeste, marginalisée, dont les moyens ont souvent été utilisés pour parer au plus pressé, alors que, plus nécessaire que jamais, elle devrait occuper une place stratégique au cœur même du dispositif ministériel.

À côté de cet échec, une réussite : les directions régionales des affaires culturelles. Conçues dès le temps de Malraux, mais lancées par Duhamel, les DRAC, comme on les appelle, se sont peu à peu installées sur l'ensemble du territoire. Avec la décentralisation et l'implication croissante des collectivités territoriales dans la politique culturelle, cet échelon local du ministère a pris une place de plus en plus importante. Conduites le plus souvent par des administrateurs de qualité, étoffées par des spécialistes des différentes disciplines, travaillant en contact étroit et généralement confiant avec l'administration préfectorale et avec les élus qu'elles ont contribué à rendre sensibles aux enjeux de la culture, les directions régionales sont devenues une pièce essentielle de l'administration culturelle [2]. Elles présentent au demeurant un avantage inestimable : si l'administration centrale est, comme on l'a vu, excessivement cloisonnée, les DRAC sont, à l'inverse, le seul lieu possible de synthèse interdisciplinaire dans l'administration de la culture, assurant, sur le terrain, une unité de vues que le ministère a peine à réaliser au plan central, en un moment où elle serait pourtant plus nécessaire que jamais.

On voit bien, à partir de cette première approche, qu'administrer la culture n'est pas une chose simple ; mais en prenant la question d'un peu plus haut, on constate que, de toutes les responsabilités publiques, la culture est une des plus complexes et même qu'elle représente un véritable défi pour un État moderne.

---

2. Il n'est pas indifférent de noter que le ministère a eu l'intelligence de les installer progressivement dans les édifices patrimoniaux restaurés pour la circonstance et qui donnent de l'administration culturelle une image tout à la fois attrayante et conséquente.

*
* *

Comparée à d'autres missions de l'État, « la culture » semble à première vue une notion claire et homogène, comme la justice, la défense, l'éducation ou la diplomatie. Pourtant, lorsque l'on y regarde de plus près et que l'on fait l'inventaire de ce qu'elle recouvre, on s'aperçoit qu'il s'agit d'activités et de missions aussi dissemblables et complexes que le sont les modes d'intervention de la puissance publique qui s'y appliquent.

Lors des premiers travaux que les commissions du Plan ont consacrés à la culture dans les années soixante, un classement fut imaginé pour les différentes fonctions que peut assurer l'État en ce domaine : conservation, formation, diffusion-animation, création. Trente ans après, cette nomenclature reste valable. On peut d'ailleurs observer qu'elle pouvait tout aussi bien s'appliquer à des époques antérieures, et même lointaines : celles des rois bâtisseurs et protecteurs des artistes vivants, de la Iʳᵉ République créant des musées pour l'édification de la nation, des régimes successifs qui, tout au long du XIXᵉ siècle, ont mis en place les conservatoires et les autres établissements d'enseignement artistique comme l'École des beaux-arts, mais aussi les théâtres nationaux.

Ces différentes fonctions sont par nature complémentaires : on ne conserve pas pour conserver, mais pour diffuser les valeurs de la culture et pour former ceux qui créeront les œuvres destinées à enrichir un patrimoine sans cesse revisité et renouvelé. Comme celles du corps humain, ces fonctions culturelles, si spécialisées qu'elles soient, ne trouvent ainsi leur sens que dans l'unité qui leur est imprimée, dans le cycle sans fin, vital que leur fusion opère. C'est là qu'apparaît le rôle central de l'État, dans la conception française. Personne n'a jamais prétendu qu'il devait, à lui tout seul, exercer les différentes fonctions dont il est question ici. Conservateurs, formateurs, diffuseurs, créateurs, agissant isolément ou dans des corps, des institutions qui les rassemblent, ont leur tâche propre que, selon les cas, l'État peut définir, orienter, encadrer ou soutenir par des moyens variés. Son rôle est de veiller à l'unité organique de l'ensemble. C'est là que la politique culturelle conçue à partir de 1959, quelles que soient les critiques ou les réserves qu'elle a pu inspirer, a marqué un progrès sensible par rapport à tout ce que la collectivité nationale avait fait auparavant en matière de culture ; elle a donné une unité fondamentale d'impulsion à des actions jusqu'alors dispersées, et elle a suscité des partenaires associés à leur mise en œuvre. Loin d'étatiser la culture, cette politique en a fait au contraire un enjeu national, un élément majeur d'un projet de société, mobilisant de multiples énergies au service d'une même cause.

C'est bien parce que l'État, pour d'évidentes raisons qui tiennent à la nature libérale et pluraliste de la démocratie, se refuse à assumer directement la conduite de ces fonctions que son rôle est complexe ; l'esprit de la politique culturelle et, comme on le verra, les succès qu'elle connaît, rendent même ce rôle de plus en plus complexe et difficile à assumer. Tout est simple lorsque l'État définit un secteur bien circonscrit d'intervention publique et, pour le reste, s'en remet au libre jeu des initiatives privées, comme c'est le cas dans les pays anglo-saxons ou comme ce le fut dans la France de l'Ancien Régime ou au XIXe siècle. Simple également est la situation qu'ont connue l'Union soviétique et les pays socialistes d'Europe centrale et orientale où la culture était un service public comme les autres, assumé directement et dans sa totalité par le pouvoir politique ou sous sa surveillance étroite. Autrement complexe est l'organisation d'une politique culturelle démocratique où la responsabilité générale de l'État non seulement n'exclut pas mais implique d'autres pôles d'initiative soumis à des logiques différentes de celle du service public.

Il suffit, pour mesurer cette complexité, d'envisager l'exercice concret de chacune des fonctions culturelles. Ainsi, la conservation du patrimoine ; l'État est loin d'assumer cette fonction à lui tout seul car elle engage en vérité chacun de nous ; on sait le rôle croissant que jouent en ce domaine les propriétaires privés, mais aussi l'opinion publique et les associations de sauvegarde et de mise en valeur des sites, des quartiers anciens, des monuments. Toutefois, l'État a dans ce domaine un double rôle propre et irréductible : rôle financier d'abord en supportant tout ou partie l'effort de restauration et d'entretien du patrimoine ; mais aussi usage des moyens de contrainte juridique dont il est le seul à disposer, lorsqu'il s'agit par exemple de classer un monument historique, d'interdire la sortie du territoire d'une œuvre d'art ou d'exercer dans une vente publique un droit de préemption au bénéfice des musées nationaux. Cette atteinte caractérisée au droit de propriété n'a jamais été contestée, même aux époques les plus libérales, car elle est justifiée par une sorte de « domaine éminent », pour parler comme les juristes de l'Ancien Régime, que la nation reconnaît à l'État sur le patrimoine quel qu'en soit le propriétaire.

La création, elle, ne saurait donner lieu à des interventions aussi fortes de la puissance publique, même s'il y a quelque chose de régalien dans les commandes publiques d'œuvres d'art ou d'architecture. Le plus souvent, c'est en créant un cadre juridique, économique et social propice que l'État encourage la création ; mais, de plus en plus, il est conduit à mettre en place des mécanismes très sophistiqués d'aide économique et financière ou d'incitation fiscale en faveur de la création : l'avance sur recettes dans le cinéma, l'aide à la première exposition ont été les premiers exemples de ce mode d'intervention qui, depuis une quinzaine d'années, s'est considérablement développé et fait du ministère le gérant ou le tuteur d'une multitude de fonds de soutien ou de péréquation, de systèmes d'aides ou de bourses.

Dans les autres domaines que sont la formation, la diffusion et l'animation, l'État dispose pareillement d'une gamme étendue de modes d'intervention. Il a la capacité d'agir directement comme il le fait en créant et en faisant vivre des établissements publics d'enseignement et en assumant la charge des grandes institutions de diffusion culturelle (de la Bibliothèque nationale à la Comédie-Française et du musée du Louvre à l'Opéra : toutes institutions dont l'accès est, soit gratuit, soit payant mais dans des limites bien inférieures au niveau qui pourrait assurer, sinon la rentabilité, du moins l'équilibre de l'exploitation). Il revient également à l'État d'aider, de subventionner, mais aussi de réglementer, de contrôler l'activité d'organismes de statut privé qui concourent à l'accomplissement de ces missions. Si sa responsabilité dans le domaine de la diffusion et même de la formation est ancienne (l'Académie de France à Rome remonte à Louis XIV), son rôle dans le domaine de l'animation est beaucoup plus récent : limité à l'origine aux lieux hautement spécialisés qu'étaient les maisons de la culture, il s'étend et s'étendra de plus en plus à l'avenir, à la fois quant aux lieux et quant aux catégories concernées ; c'est en effet à la limite de l'action sociale et de l'action culturelle que le grand rendez-vous manqué à la naissance du ministère en 1959 se produira dans les années à venir, à commencer par les quartiers difficiles et la jeunesse désœuvrée dont on commence à admettre que toute action d'envergure les concernant doit avoir une dimension culturelle.

Si théorique que puisse apparaître cette approche du rôle de l'État en matière de culture par les fonctions qu'il exerce, elle contribue à faire comprendre à la fois la permanence de ce rôle à travers les époques et la variété des modes de gestion et d'intervention qu'il implique. Il est des domaines, comme la justice, la défense, la diplomatie ou la police, où l'État assume directement et exclusivement la responsabilité d'une mission d'intérêt public. Il en est d'autres, comme l'éducation, la santé ou les transports, où il gère directement une part importante d'une activité à laquelle concourt parallèlement et sous son contrôle l'initiative privée. Il en est enfin où l'État se borne à fixer un cadre, à définir un ordre, à exercer des missions de contrôle, d'incitation, de soutien, sans se substituer aux initiatives privées qui jouent là un rôle majeur et quasiment exclusif : ainsi en va-t-il de la plupart des actions de l'État en matière économique et financière.

Le propre de la culture, en tant que responsabilité de l'État, est qu'elle relève concurremment de ces trois domaines : mission régalienne quand il appartient à l'État de conserver, de gérer, d'enrichir le patrimoine national et de le mettre à la disposition effective de l'ensemble de la nation ; mission partagée quand il s'agit de gérer des services publics culturels coexistant avec des initiatives d'ordre privé, comme c'est le cas en matière de formation et de diffusion ; mission de régulation dans les domaines d'activités culturelles soumises à la loi du marché, comme le cinéma et d'une façon plus générale les spectacles, la création plastique, l'édition, l'architecture.

C'est donc de toute la gamme des modes d'intervention de la puissance publique que dispose le ministre de la Culture pour l'accomplissement d'une mission dont la cohérence fondamentale est manifeste mais qui s'applique à des domaines très divers et en fonction d'appréciations où la part de la subjectivité, de la mode et des variations de l'opinion est si grande qu'il faut, pour se risquer à agir, et pour opérer à bon escient, un discernement et une sérénité qui comptent parmi les vertus les plus rares de l'art politique. On s'explique que des hommes politiques expérimentés et dignes d'estime s'y soient cassé les dents. La difficulté est d'autant plus grande que, contrairement à des domaines de haute technicité où les recommandations des experts s'imposent d'elles-mêmes, ne serait-ce que faute d'alternative plausible, nous sommes ici dans un secteur où, si nécessaire qu'elle soit, aucune expertise ne saurait commander le choix mais peut seulement l'éclairer. Et ceci à la fois parce que chacun y va de son avis, et que rares sont les cas où une démarche rationnelle suffit à commander la décision. On est dans le domaine des goûts et des couleurs, et même des coups de cœur. Les gouvernants ont parfois scrupule à laisser leur tempérament dicter un choix d'État. Ils s'en remettent alors à la décision collective d'une commission ou d'un jury, qui n'est guère qu'une addition de subjectivités, diluant par là le risque, sans le supprimer. On l'a bien vu dans certains concours d'architecture où le choix, laissé à un jury, même le plus compétent, peut conduire, comme pour l'Opéra-Bastille, à une erreur collective manifeste et irrattrapable. Entre le risque d'arbitraire d'un choix trop personnel et celui d'avaliser la recommandation d'un organe consultatif ou d'une administration prisonnière d'un esprit de corps ou d'une pression corporative, les responsables de la politique culturelle, ministre et parfois président de la République en tête, doivent naviguer au plus près[3]. C'est ainsi qu'il a fallu recourir à François Mitterrand pour revenir sur la décision personnelle fort discutable de son prédécesseur qui voulait fixer à 1830, donc au beau milieu de l'ère romantique, le point de départ des collections du musée d'Orsay, et non à 1848, césure historique incontestable proposée après mûre réflexion par les responsables du projet et validée en fin de compte par le nouveau chef de l'État en 1981. De même, une pression très forte du milieu intellectuel a seule permis d'éviter la scission, à la date de 1945, des collections d'imprimés de la Bibliothèque nationale dans la perspective de la création de la Grande Bibliothèque ; c'est donc l'ensemble des livres qui seront transférés, bien que le projet architectural ait été conçu et choisi sur la base de l'option initiale et qu'il ait donc fallu organiser dans une certaine précipitation une extension considérable des surfaces à construire.

*

* *

Pour ajouter encore à la complexité de la tâche, le ministère de la Culture se distingue par l'hétérogénéité des structures qui, à un titre ou à un autre, relèvent de lui. L'ensemble du système judiciaire, l'appareil de la diplomatie ou de la police, l'institution universitaire ou le système éducatif, si complexes qu'ils soient, sont homogènes ; une administration centrale bien équipée, chargée de proposer au ministre une politique et d'en assurer l'application à travers le réseau hiérarchiquement organisé des échelons d'exécution, consti-

3. C'est Jules Grévy, qui, sous la IIIe République, a le mieux exprimé l'esprit de la médiocrité d'État. Inaugurant un salon, il demande au responsable une impression d'ensemble. « Rien de bien extraordinaire, Monsieur le Président, mais une honnête moyenne. — Une bonne moyenne, très bien ! C'est ce qu'il faut dans une démocratie. »

tue, aux mains du ministre, un instrument à la fois nécessaire et suffisant.

Dans le domaine de la culture, il en va tout autrement, non seulement parce qu'il recouvre des domaines d'activité, des disciplines et des métiers extrêmement différents, mais parce que, comme on l'a vu, les modes d'intervention de l'État sont là très variés et que l'État a, de plus en plus, affaire à d'autres partenaires publics et privés, rares étant les domaines où il peut agir seul. Ainsi, du patrimoine : l'État, en ce domaine, a d'abord un rôle normatif, en élaborant lois et décrets, et par les mesures d'autorité que sont les classements ou les inscriptions à l'inventaire et les prescriptions et interdits qui s'ensuivent ; mais il est aussi maître d'ouvrage des travaux de restauration et d'aménagement des monuments lui appartenant, subventionneur et contrôleur des travaux réalisés sur tous les autres monuments classés, quel qu'en soit le propriétaire ; il est en outre gérant et donc animateur du patrimoine monumental de l'État, disposant à cet effet d'un organisme spécialisé, la Caisse nationale des Monuments historiques ; il a encore une mission scientifique pour tout ce qui concerne le patrimoine immobilier et mobilier, son inventaire, ses techniques de protection et de réhabilitation et, avec le concours d'instances consultatives, il élabore et adapte incessamment une doctrine en la matière, en même temps qu'il doit fixer les principes concernant l'affectation, la visite et l'animation du patrimoine dans son ensemble.

Un autre exemple, concernant le théâtre : la Direction du théâtre et des spectacles a en charge à la fois la tutelle des théâtres nationaux dont les ressources dépendent pour l'essentiel des subventions de l'État, l'ensemble des aides aux centres dramatiques nationaux, scènes nationales, compagnies subventionnées et autres, soit près de six cents organismes. Il a aussi la responsabilité de l'enseignement de l'art dramatique, soit par la tutelle directe des établissements nationaux comme le Conservatoire et l'école de Strasbourg, soit par la surveillance des établissements privés. Il est également chargé de la législation sur les spectacles et des questions sociales relatives à l'emploi dans ce domaine particulièrement complexe si l'on songe au problème, non résolu à ce jour, des intermittents du spectacle. Le théâtre privé ne lui échappe pas, compte tenu de l'existence d'un fonds de soutien placé sous son contrôle.

On pourrait multiplier les exemples. Aucun secteur de la culture ne se gère comme les autres. Chacun a son histoire, ses méthodes, ses traditions propres. J'ai déjà signalé que dans le domaine du cinéma, le Centre national de la Cinématographie représentait une organisation originale où les professions concernées sont partie prenante dans la gestion des systèmes complexes d'aide financière alimentés par un fonds de soutien. Dans le domaine des archives, la direction compétente gère directement le patrimoine que constituent les Archives nationales et exerce une tutelle scientifique et administrative sur les archives départementales ; mais elle a également pour tâche de recueillir, de trier et de conserver ce qui mérite de l'être dans l'immense production de documents de la plupart des administrations publiques, sans compter son intervention croissante dans le domaine des archives privées, notamment des notaires, des entreprises, voire des particuliers qui la sollicitent.

Il résulte de ces exemples que le ministère de la Culture, s'il dispose d'un arsenal enviable de moyens d'action, doit aussi faire usage d'un dispositif d'intervention particulièrement complexe. Il ne lui suffit pas d'avoir dans sa main, comme ses collègues du gouvernement, un écheveau de directions centrales relayées par un réseau régional. La plupart de ces directions sont flanquées d'établissements publics comme la Réunion des Musées nationaux, la Caisse des Monuments historiques, le Centre national des arts plastiques ou celui des Lettres, qui sont, en principe, des instruments commodes d'intervention. Ces mêmes directions ont la tutelle des grandes institutions culturelles. On imagine que, s'agissant de l'Opéra, de la Comédie-Française, de la Bibliothèque nationale, du Centre Pompidou ou du musée du Louvre, dont les responsables dépassent souvent, en autorité et en prestige, des directeurs de ministère changeants, voire interchangeables et dont l'expérience est souvent fraîche, pour ne pas dire courte, l'exercice de cette tutelle est un art périlleux.

La sphère d'action du ministère ne se limite pas à cet ensemble institutionnel sur lequel s'exerce directement l'autorité du ministre. Elle s'étend à l'ensemble des organismes artistiques avec lesquels le ministère a des liens de soutien financier et de partenariat dans ses différents domaines d'action. Au-delà, ce sont les collectivités locales de plus en plus engagées dans l'initiative culturelle ; ce sont enfin les professions de la culture qui, de tout temps mais surtout depuis l'époque de Jack Lang, ont pris l'habitude de considérer les directions comme ayant pour vocation d'être, par ministre imposé, leur porte-parole auprès du gouvernement. Et je n'ai pas parlé des personnalités artistiques, littéraires, voire audiovisuelles qui, individuellement, ont un poids spécifique de notoriété et d'influence et peuvent alternativement être les relais du rayonnement d'un ministre ou, à l'occasion, autant de contre-pouvoirs ou de pôles de nuisance. Il faudrait aussi mentionner le rôle croissant des fondations d'entreprises et d'une façon plus générale, des entreprises pratiquant le mécénat et qui, comme la Fondation France-Telecom (pour la musique vocale), la Fondation GAN pour le cinéma, LVMH pour les grandes expositions, la Fondation Crédit Agricole, la Fondation EDF ou encore la Caisse des Dépôts sont devenues des partenaires de plein exercice de la politique culturelle, à la fois relais financiers et sources d'initiatives.

Un ministre de la Culture se trouve donc en équilibre instable, au sommet d'une pyramide dont on pourrait croire, de l'extérieur, qu'il est le maître absolu alors que son autorité y est limitée, partagée et souvent contestée ; même dans les domaines où il a une prérogative de commandement et où il pourrait en principe exercer un pouvoir hiérarchique, il doit souvent négocier et agir par la persuasion. Il n'empêche qu'on le tient responsable de tout, lui prêtant un pouvoir qu'il n'a pas et que l'on s'empresserait d'ailleurs de lui contester si, le possédant, il s'aventurait à l'exercer.

Les particularités du domaine culturel ont d'autres conséquences ; il s'opère dans les autres administrations une sorte de filtrage grâce à quoi seules les affaires les plus importantes, par leurs enjeux ou par les questions de principe qu'elles engagent, remontent normalement jusqu'au ministre. Au ministère de la Culture, il n'en va pas de même. Tout peut devenir affaire d'État ; ainsi, je ne m'attendais pas à ce que Jacques Duhamel soit appelé à décider de la localisation précise d'un vitrail dans une église ; mais il s'agissait d'un vitrail offert par Chagall et destiné à la chapelle axiale du déambulatoire de la cathédrale de Reims ; il était dès lors inévitable que l'affaire remontât jusqu'au ministre, au moins pour qu'il ratifie la proposition des experts. On pourrait citer cent exemples de même nature qui montrent la complexité de la gestion culturelle publique.

*
* *

L'instrument que découvre un ministre de la Culture lorsqu'il arrive rue de Valois ressemble à un orgue d'une ampleur incomparable avec ses claviers, ses pédaliers et la multitude de ses jeux, un orgue ancien de valeur historique assurée, mais modernisé avec soin. L'apparence est telle. La réalité est moins glorieuse car le bel instrument est essoufflé ; les commandes ne répondent pas toujours aux impulsions et l'air circule malaisément dans les tuyaux. Qui pis est, ces défaillances de l'instrument se produisent en un moment où l'ensemble du milieu culturel, frappé plus insidieusement que d'autres par la crise économique et sociale des dernières années, est en proie à des interrogations qui vont bien au-delà du malaise et de l'anxiété chroniques de gens particulièrement vulnérables parce que plus sensibles et plus exposés que les autres en raison de la nature même de leurs activités.

Où que l'on se tourne en effet, on n'aperçoit que des signes d'inquiétude. Ainsi, même en faisant la part des crispations corporatives et des exagérations verbales de professions habituées depuis près de quarante ans au confort d'un régime national d'aides publiques que menacent au moins à terme le GATT et le Marché unique, les créateurs du cinéma et de l'audiovisuel ont de vraies raisons de craindre pour leur survie [4] ; mais ils ne sont pas les seuls. La crise du marché de l'art pèse sur la création plastique. Si les prêts de livres par les bibliothèques de lecture publique continuent à augmenter, l'édition se bat contre la baisse des ventes et c'est miracle qu'il se publie encore autant de titres [5] ; quelques succès massifs ne compensent pas la diminution des ventes moyennes, sensible surtout pour les ouvrages littéraires, romans ou essais, et même pour les livres d'histoire. Le réseau des libraires continue de se contracter, comme celui des disquaires indépendants qui ne sont plus que deux cent cinquante contre trois mille en 1972 ; le progrès des ventes de livres ou de disques dans les grandes surfaces n'est satisfaisant qu'en apparence car il ne profite qu'à quelques titres à succès dont la vente dans le réseau de distribution classique permettait naguère aux détaillants d'assumer leur mission culturelle de découverte, de conseil et de promotion d'ouvrages plus difficiles.

Dans le domaine du spectacle vivant, la situation n'est guère plus réjouissante. J'ai parlé de cette floraison de concerts, de cet engouement du public pour le théâtre, la danse, et de cet attrait qu'exercent sur tant de jeunes les métiers artistiques en dépit des risques qui leur sont inhérents ; mais les manifestations chroniques des « intermittents du spectacle » ne sont que le signe le plus visible d'une précarité et même d'une détresse générales. Que d'orchestres, de scènes lyriques, de troupes théâtrales et chorégraphiques sont menacés dans leur existence même et frappent à toutes

4. Si cent quinze films ont été produits en 1994, dont quatre-vingt-neuf purement français ou à coproduction majoritairement française, ce chiffre représente une baisse de plus de 20 % par rapport au début des années quatre-vingt-dix. Quant à la fréquentation des salles, elle n'est plus qu'un peu supérieure à cent millions d'entrées annuelles, soit cinq fois moins qu'au début des années soixante-dix.

5. Quarante et un mille titres publiés en 1993 contre vingt-cinq mille en 1981, mais le tirage moyen est de huit mille cinq cents contre près de quatorze mille exemplaires en 1982.

les portes, ministères, collectivités locales et entreprises mécènes de plus en plus sollicitées ! Plus des deux tiers des troupes théâtrales subventionnées par le ministère reçoivent moins de cent mille francs par an. Bien des opéras municipaux sont au bord de la fermeture et l'on admire que certains, comme à Tours, continuent à présenter des créations d'auteurs vivants. Les formations instrumentales sont en outre l'objet d'une concurrence redoutable de la part d'ensembles, de qualité fort inégale, venus d'Europe centrale et orientale et qui pratiquent un véritable dumping.

Si les collectivités locales ont considérablement accru leur effort financier en faveur de la culture, leur gestion n'est pas toujours rigoureuse et les transferts de charges opérés par l'État dans différents domaines comme l'enseignement et l'action sociale imposent, notamment aux régions, des arbitrages dont la culture est souvent la victime, de sorte que les organismes culturels ne peuvent guère compter sur des ressources sûres en provenance de ces collectivités et se tournent à nouveau vers le ministère pour assurer leurs fins de mois et parfois leur survie. Par une sorte d'effet boomerang, la décentralisation des initiatives conduit à la centralisation des risques.

De tous ces facteurs d'instabilité, le ministère de la Culture est loin de porter l'entière responsabilité. C'est pourtant vers lui que se tournent sans cesse tous les acteurs de la vie culturelle, réclamant sa protection et son concours. Dans le même temps, les responsables des grandes institutions culturelles, à commencer par celles qui, comme le Grand Louvre, l'Opéra-Bastille, la Cité de la musique, la Bibliothèque nationale de France, procèdent des grands travaux de François Mitterrand, réclament maintenant les moyens nécessaires à leur lancement ou à leur bon fonctionnement ; mais les institutions classiques comme la Comédie-Française, les orchestres et les centres dramatiques nationaux ne sont pas moins pressantes. Le patrimoine l'est aussi, tout comme les Archives dont on commence à voir que, faute d'effectifs suffisants, elles peinent à exploiter les fonds qui leur ont été confiés et à assurer convenablement leur mission scientifique de consultation à la disposition des chercheurs.

Au total, le ministère de la Culture se trouve aujourd'hui dans une situation paradoxale : il est comme submergé par le mouvement qu'il avait pour vocation de faire naître.

Conçu et équipé pour gérer la part des activités culturelles qui constituent, en divers domaines, un service public de caractère national, et pour subventionner quelques grandes institutions, il se voit désormais en charge, sans l'avoir vraiment voulu, de tout un secteur de la société, dont la part dans l'économie nationale est loin d'être négligeable [6].

Né pour lancer des idées, donner l'exemple et distribuer un peu d'argent, on ne lui demande plus guère, aujourd'hui, d'idées ou d'exemples — mais beaucoup d'argent, et bien plus qu'il n'en a. Du ministre au plus modeste chef de bureau, les responsables de la culture n'entendent désormais parler que de crédits et de subventions. Dépositaire d'un savoir et réservoir d'idées neuves, le ministère de Malraux est aujourd'hui considéré comme une station-service ou comme une caisse de secours.

Ainsi, la politique culturelle est victime de son succès. D'abord marginale et souvent incomprise, elle a fait lever des aspirations et des besoins que les fonds publics suffisent de moins en moins à satisfaire sans que, pour autant, on soit dans tous les cas en présence d'une demande solvable, en termes d'économie de marché. Même si le mécénat culturel s'est, depuis une quinzaine d'années, interposé entre le financement public de la culture et le marché, son rôle, si décisif et dynamique qu'il soit, ne peut être que limité et ne saurait se substituer aux autres ressources de la culture [7].

Qu'on le considère comme corps de doctrine ou comme

---

6. En 1990, le chiffre d'affaires de la culture (dépenses culturelles des ménages, des administrations publiques et des entreprises) représentait cent soixante milliards de francs, soit 2,5 % du PNB (à comparer avec les quelque treize milliards du budget du ministère). Quant aux emplois culturels, ils sont au nombre de huit cent mille.

7. On évalue son apport, en 1994, aux environs de huit cents millions (source ADMICAL). Il s'agit d'une évaluation prudente ; en avançant le chiffre d'un milliard, on reste dans la zone du vraisemblable.

instrument d'action publique, le modèle de développement culturel hérité de Malraux, adapté et mis en œuvre par ses successeurs, a fait son temps. Il est condamné par son succès même, qu'il ne suffit plus à nourrir. Succès réel mais tout relatif au demeurant : on a modernisé et multiplié les institutions culturelles, remodelé le paysage et renouvelé les pratiques de la culture au bénéfice d'un public certes plus averti, plus diversifié, un peu plus nombreux, mais qui reste étroit. Si l'on continue sur cette lancée, le ministère de la Culture suffira de moins en moins à la tâche et sera impuissant à saisir les nouveaux enjeux de la culture dans le monde incertain qui naît douloureusement sous nos yeux. Il perdra de ce fait sa légitimité. Accablé par des sollicitations venues de toute part qu'il peine de plus en plus à satisfaire en dépit de la bonne volonté de ses agents, on voit déjà le ministère se replier sur lui-même dans certains domaines ou, à l'inverse, improviser des expériences qui ressemblent parfois à des fuites en avant. La décentralisation, que le ministère a été l'un des premiers à réaliser concrètement, dans le domaine du théâtre et de l'action culturelle, au cours de ces années soixante où l'État dans son ensemble restait très jacobin, le place aujourd'hui devant des choix auxquels il ne parvient pas à se résoudre. Il devrait en effet se concentrer sur des tâches de conception, d'orientation générale, de conseil et aussi d'inspection, et déléguer à ses directions régionales le soin de gérer les partenariats avec les intervenants de terrain, à commencer par les collectivités locales. Ce sont là des choix douloureux que le ministère hésite à faire, comme s'il craignait de perdre sa raison d'être, alors qu'ils sont le fruit même de sa politique : il y a désormais des partenaires de plein exercice pour la culture.

Les plus lucides des responsables culturels, y compris au sein du ministère, s'inquiètent non seulement de l'insuffisance des moyens, mais de l'inconsistance de la pensée en matière de politique culturelle. Que ce soit dans les partis politiques, au gouvernement, dans les cercles de réflexion ou dans le milieu culturel lui-même, on n'aperçoit guère d'idées neuves. Débordés par la demande, lassés par les effets médiatiques qu'affectionnent par-dessus tout les ministres et leurs entourages, conscients des inadaptations et des carences de l'appareil administratif de la culture, les responsables du ministère parent au plus pressé, chacun dans son domaine.

C'est précisément parce que l'on est dans ce marasme de la pensée et de l'action qu'il faut se préparer à une refondation de la politique culturelle.

Chapitre X

POUR UNE REFONDATION DE LA POLITIQUE CULTURELLE

À ce point de ma réflexion, je dois m'interroger. Traitant de la culture, dans ce livre, en fonction de l'expérience intime que j'en ai depuis l'éveil de la prime jeunesse, et aussi d'un engagement profond de vingt-cinq années, pourquoi faut-il donc que j'en revienne sans cesse à cette idée de politique culturelle et au rôle de l'État ? Et pourquoi aussi cette insistance au sujet d'un ministère de la Culture qui ne m'est rien, sinon un souvenir... ?

Mais quel souvenir ! C'est de lui que procède l'étrange relation que j'entretiens avec cette maison. J'avais quarante ans à peine et un parcours administratif plutôt varié quand je l'ai découverte en 1971, aux côtés de Jacques Duhamel. Je n'ai fait qu'y passer : deux ans et demi comme directeur de cabinet, il y a de cela plus de vingt ans. Presque tous ceux que j'y ai connus alors l'ont quittée, quand encore ils survivent. Ce qui aurait dû n'être qu'une étape dans une carrière est cependant devenu l'engagement d'une vie. J'ai compris, pour dire les choses aussi simplement que possible, que je pouvais là mettre mes quelques capacités au service des valeurs auxquelles je croyais le plus, sans doute parce que la culture avait été pour moi, compte tenu de mon milieu d'origine, une conquête, non un héritage. J'étais en outre désespéré que la maladie empêchât Jacques Duhamel de rester plus longtemps dans ce ministère où il aurait pu encore tant faire. Je me résolus donc à poursuivre à mon niveau ce qu'il avait entrepris, mais par des voies toutes personnelles de témoignage et d'action, en essayant de voir les réalités de la culture autrement que dans la précipitation et les hauteurs trompeuses d'un cabinet ministériel.

Depuis lors, je n'ai cessé de fréquenter la rue de Valois. Je dis bien : fréquenter car, à part les six années pendant lesquelles j'ai présidé l'établissement public du musée d'Orsay, je n'ai eu ni position ni titre officiels dans cette maison, et je me suis bien gardé d'en revendiquer aucun. J'ai vu se succéder une dizaine de ministres et trois douzaines de directeurs, m'efforçant d'entretenir avec eux des rapports confiants, au risque d'apparaître aux yeux de certains comme quelque peu encombrant.

Militant ou observateur des combats pour la culture, j'ai noué avec bien des responsables culturels et des artistes des relations personnelles. J'ai souvent reçu leurs confidences et les ai aidés de mon mieux, quand c'était à ma portée. Être « au service des enchanteurs » est une position qui me convient et la formule est pour moi presque une devise. Certains d'entre eux ont sans doute cru me faire plaisir en me disant, à différentes époques, qu'ils souhaitaient me voir un jour ministre de la Culture. Je mentirais si je disais que je n'en ai pas été touché, ni même que l'idée ne m'a jamais effleuré, du moins dans les années soixante-dix ; car j'ai compris ensuite qu'il fallait à la tête de ce ministère, plus encore que dans d'autres, un homme politique, si possible de grand poids autant que de forte capacité. Et comme j'ai délibérément exclu, pour de profondes raisons personnelles, d'embrasser la carrière politique, je crois être plus utile et mieux à ma place en tentant d'exercer une influence personnelle et durable, libre de toute attache, qu'en faisant le ministre pendant deux ou trois ans.

Que l'on me croie donc si je dis que mon attachement envers le ministère de la Culture est exempt d'arrière-pensées, et tout autant de nostalgie. D'où vient alors que toute ma réflexion sur la culture — et pas seulement dans ce livre-ci — semble tourner autour du ministère, et de la politique culturelle ? Les malveillants verront, au choix, dans cette focalisation le signe de la sclérose mentale d'un sexagénaire, l'incurable mentalité étatiste d'un technocrate ou, plus subtilement, la réaction subconsciente et réparatrice d'un ancien commis de la République passé au service de l'entreprise et qui, quelque part, nourrirait une confuse culpabilité. Ces explications me semblent aventureuses.

Elles le sont d'autant plus à mes yeux que tout me conduit à préconiser un resserrement du rôle propre de l'État en matière culturelle. Ayant en horreur l'idée d'une culture administrée, j'ai toujours pensé que l'un des principaux objectifs de la politique culturelle devait être d'émanciper le plus possible la culture par rapport aux mécanismes publics de soutien d'abord nécessaires à son développement. Il y a vingt ans, dans *la Culture pour vivre*[1], je soulignais que le rôle de l'État devait être « subsidiaire », en un temps où l'Europe n'avait pas encore mis ce terme à la mode. J'appelais de mes vœux la multiplication des partenaires et des acteurs de plein exercice d'un développement culturel dont je n'imaginais pas qu'il puisse être indéfiniment régenté par l'État. Si j'ai, en 1979, contribué à la création d'un organisme de promotion du mécénat culturel d'entreprise, l'ADMICAL[2], c'est précisément pour créer un pôle nouveau d'initiatives culturelles. Je n'ai eu de cesse, depuis, de démontrer que les entreprises mécènes, si elles ne devaient en aucun cas se substituer à l'État dans l'exercice des responsabilités qui lui incombent, pouvaient se constituer en partenaires d'actions publiques en faveur de la culture ou, de préférence, soutenir ou susciter des initiatives que l'État ou les autres collectivités publiques négligent ou sont incapables d'aider ou de lancer. C'est ainsi qu'en quinze ans le mécénat d'entreprise s'est développé et apporte désormais une contribution non négligeable au financement de la culture. Il y a plus : les entreprises ne se bornent plus à répondre à des demandes d'aide qui leur sont adressées par

1. Gallimard, collection « l'Air du Temps », 1975, réédité en 1980 dans la collection Folio (épuisé).
2. Association pour le développement du mécénat industriel et commercial.

des porteurs de projets. Elles définissent de plus en plus souvent un domaine et une méthode d'action et cherchent elles-mêmes des partenaires culturels ou artistiques pour les mener à bien. C'est ce que j'ai appelé le passage du mécénat de contribution au mécénat d'initiative.

Si j'ai insisté sur cet exemple, ce n'est pas seulement en raison de mon implication personnelle dans ce mouvement en faveur du mécénat, c'est parce qu'il est un signe, parmi d'autres, des mutations de la vie culturelle en cours depuis une vingtaine d'années et qui conduisent à repenser le rôle de l'État et les fondements mêmes de la politique culturelle. Car la vraie question qui se pose est de savoir s'il est encore besoin d'une politique culturelle d'État.

J'ai expliqué dans le précédent chapitre que la politique culturelle suivie depuis Malraux était en quelque sorte victime de son succès même. Elle trouve aujourd'hui sa limite dans son accomplissement. Jamais aucun de ceux qui l'ont conçue n'a cru qu'il appartenait à l'État de tout faire ; bien au contraire, comme on l'a vu, dès la naissance des premières maisons de la culture, l'État s'est efforcé de trouver des villes acceptant d'être, à parité, ses partenaires, dans la gestion comme dans le financement. Il en est allé de même dans de nombreux domaines. Parallèlement, le ministère s'est appliqué à faire accéder un plus grand nombre d'activités culturelles à la logique du marché, quitte à corriger les rudesses de ce dernier ou ses conséquences en termes d'inégalités sociales par des ajustements et des mécanismes compensateurs de toute sorte. De fait, beaucoup d'activités, que l'on ose aujourd'hui appeler « industries culturelles », se sont développées selon une logique marchande. Dans bien des domaines, tout ce qui permet à des activités culturelles de s'émanciper par rapport aux soutiens publics est sain.

Sur un autre plan, la politique culturelle n'a jamais prétendu — à l'inverse de la politique audiovisuelle — enfermer la vie de la culture dans les frontières de l'Hexagone. Avant même que le traité de Maastricht n'englobe la culture dans les compétences de l'Union européenne, le ministère de la Culture, en liaison avec les Affaires étrangères, a encouragé le dialogue des cultures et la coopération entre les institutions culturelles d'Europe, et même au-delà de notre continent. J'ai rappelé dans d'autres chapitres la vocation d'accueil de la France aux artistes de toute sorte, venus d'ailleurs ; non seulement les exilés ou les persécutés mais tous ceux, musiciens, peintres, architectes, écrivains, gens de théâtre qui souhaitaient s'installer en France ou y opérer à l'occasion. Depuis la nomination de Rolf Liebermann à l'Opéra de Paris, nombreux sont les responsables culturels d'origine étrangère. Il est peu de domaines, qu'il s'agisse des festivals ou de l'activité permanente des musées, des théâtres, des opéras, du cinéma qui ne pratiquent pas la coproduction ou toutes autres formes de coopération. En même temps, les institutions ou organismes culturels s'organisent en réseaux transfrontières, qui s'étendent souvent jusqu'aux limites de l'Europe, et parfois au-delà. Le ministère de la Culture a joué sans réserve son rôle dans cette ouverture sur l'Europe, mais on peut dire qu'aujourd'hui, elle se réalise souvent sans lui ou hors de son contrôle, tant elle est entrée dans les mœurs.

Une économie culturelle reconnue, une multitude de partenariats, des pôles d'initiative publics, privés ou mixtes en nombre croissant, une vie culturelle de plus en plus ouverte sur l'Europe : toutes ces mutations, dont la plupart se sont opérées depuis moins d'une vingtaine d'années, peuvent être mises au crédit de la politique culturelle qui, selon les cas, les a suscitées, encouragées ou au moins ne s'y est pas opposée. Même si à l'origine, le dessein n'était pas explicite dans l'esprit de ses fondateurs, la politique culturelle a abouti à une véritable émancipation de la culture, à sa prise en charge par une multitude d'intervenants, en fonction d'aspirations diverses, parfois même contradictoires mais qui donnent à la vie de la culture son côté foisonnant, sa dimension plurielle. En dépit de toutes les insuffisances et faiblesses précédemment soulignées, on peut voir là un signe de santé de la culture, ainsi qu'un gage de succès de la politique culturelle. Le soutien de l'opinion, la ferveur du public, la demande sociale, sont ses meilleurs relais.

Dès lors, on ne peut échapper à la question : y a-t-il encore besoin d'une politique culturelle ? Celle-ci n'était-elle pas une rampe de lancement dont l'utilité disparaît dès lors que l'objet est sur orbite ?

Que l'on m'entende bien : j'ai suffisamment souligné, dans les chapitres précédents, la permanence du rôle de l'État dans ce domaine pour ne pas sombrer dans la contradiction ou dans l'inconséquence qui me feraient découvrir tout à trac l'inutilité du rôle de l'État. Qu'il s'agisse de gérer ce qui, de façon permanente, est de sa responsabilité sous l'angle du service public de la culture, ou d'apporter par des subventions ou toute forme d'aide le soutien public désintéressé dont bon nombre d'activités culturelles ont besoin pour ne pas succomber sous les coups sans merci de l'économie de marché et de profit, la puissance publique ne peut se désintéresser de la culture. D'ailleurs, des auteurs aussi différents dans leur inspiration que Marc Fumaroli et Michel Schneider, mais également hostiles à la politique culturelle dans l'état où elle était sous Jack Lang lorsqu'ils ont publié leurs livres, se gardaient bien de s'opposer de façon systématique à toute intervention de l'État. C'est à la politique culturelle, jugée par eux envahissante, visionnaire ou démagogique selon les cas, et auxiliaire consentante de desseins partisans ou personnels, qu'ils s'en prenaient avec véhémence. Il n'en demeure pas moins que, pour eux, tout ministère de la Culture tend, par une sorte de pente fatale, à une conception aussi impérieuse, voire impérialiste de sa mission. Si l'on partage cette conviction, il faut en effet renoncer à une politique culturelle d'État. Il est alors une solution toute trouvée : celle de la Grande-Bretagne. Un secrétariat d'État pour les missions patrimoniales dont l'État ne saurait se décharger, plus une formule inspirée de l'Arts Council, c'est-à-dire un organisme, conseil ou agence autonome, qui recevrait du budget de l'État une somme globale à répartir entre tous les ayants droit de la culture, des lettres et des arts, par l'intermédiaire de comités spécialisés, assistés d'un secrétariat aussi léger que possible, composé d'agents non fonctionnaires. On ne demanderait surtout pas à cet organisme de définir une politique culturelle et moins encore d'avoir une philosophie de la culture, mais simplement de répartir équitablement des aides publiques, sans préjugés ni clientélisme.

Ce n'est pas parce que personne jusqu'ici n'a osé proposer ouvertement pour la France une formule aussi radicale que l'on doit l'estimer inconcevable. Elle est la conséquence logique du procès qui a été fait à la politique culturelle dans son principe. Cette formule aurait sans doute d'autres inconvénients : le repli du patrimoine sur lui-même, le conservatisme ou le corporatisme, ou les deux à la fois, de cette polysynodie culturelle dispensatrice de subventions ; mais du moins on ne risquerait plus de voir un ministre et une administration chargés de toutes les affaires de la culture et qui seraient inévitablement entraînés à définir une politique culturelle, maléfique par nature, si l'on en croit les auteurs précités.

Étant donné les habitudes, bonnes ou mauvaises, prises par tous ceux qui émargent à l'actuel budget de la Culture, et la vulnérabilité réelle de la plupart des activités concernées, on devine le tintamarre, et même le scandale, qu'engendrerait une semblable réforme. Je ne l'évoque d'ailleurs que pour les besoins du raisonnement, car aucun responsable politique, y compris parmi les plus libéraux de la place, ne prendrait le risque de la proposer. Même dans le cas où les finances publiques seraient dans un état plus préoccupant encore que celui que l'on connaît aujourd'hui, les gouvernants préféreraient diminuer aussi sournoisement que possible, à coups de gels et d'annulations de crédits, méthodes éprouvées, les moyens du ministère actuel, plutôt que de se hasarder à le contester.

Ce serait cependant une bien pauvre défense du ministère de la Culture et de la politique culturelle que celle qui se bornerait à invoquer les risques politiques et sociaux de leur disparition. Il ne serait guère plus glorieux de justifier leur maintien par la seule force de l'habitude. À ce compte, le ministère de la Culture ne serait plus que le gestionnaire d'institutions lourdes, trop déficitaires pour être privatisées, et la mutuelle, chargée de couvrir tant bien que mal les risques de professions assistées. Ce serait un ministère de la résignation culturelle, un office des antiquités doublé d'un bureau d'aide sociale.

La question qu'il faut poser sans ambages est de savoir si l'exception française est, à l'heure de l'Europe, à ce point permanente qu'elle implique encore cette responsabilité affichée de l'État, avec son double risque chronique de politisation et de bureaucratie, et son cortège caricatural : les présidents qui se prennent pour des rois bâtisseurs, les artistes de cour, les technocrates omniscients, la nomenklatura culturelle et ses privilèges, les groupes de pression qui dictent leur loi au ministre. Tout ce que l'on peut dire de raisonnable sur la légitimité de l'action de l'État en ce domaine et sur ses racines historiques peut-il encore prévaloir contre les impératifs, plus astreignants aujourd'hui que jamais, d'une réforme en profondeur de l'État, d'un allègement de ses compétences et d'un recentrage sur ses missions de souveraineté ?

Tout en reconnaissant la légitimité du rôle de l'État en matière culturelle, on pourrait soutenir que le succès même des actions qu'il a conduites depuis plus de trente ans devrait justement se traduire par l'éclatement du ministère de la Culture dont les responsabilités seraient réparties entre diverses administrations. Tout ce qui concerne le patrimoine et les missions de formation reviendrait au ministère de l'Éducation nationale, le cinéma à l'Industrie, l'animation et l'action culturelle aux ministères sociaux, à l'Aménagement du territoire, à l'Agriculture. Ce qui a trait aux échanges culturels incomberait naturellement aux Affaires étrangères. Un organe interministériel dépendant du Premier ministre, et assisté, pour la prospective, par le Commissariat au Plan, suffirait à la coordination de ces actions, avec éventuellement le concours d'un simple secrétariat d'État au développement culturel, organe de mission, léger, sans administration rattachée, et placé auprès du Premier ministre dont il pourrait, en cas de besoin, solliciter l'impulsion ou l'arbitrage.

Je n'évoque pas cette hypothèse par pur esprit de provocation ou pour démontrer que je ne suis pas viscéralement attaché à l'existence jusqu'à la fin des temps d'un ministère de la Culture. Oserai-je dire que j'appelle de mes vœux le temps où la culture sera tellement répandue et pratiquée que toutes les prothèses, perfusions et tous les fortifiants que l'État a inventés pour la soutenir ne seront plus nécessaires ? Et s'il faut encore des aides pour que nul ne soit exclu du partage culturel, ce serait un grand progrès de voir les grandes administrations de l'État les attribuer spontanément, comme l'une des composantes de la politique de la ville, ou de l'espace rural ou encore de l'action sociale, et non pour céder aux instances d'un ministère de la Culture.

Il faut bien reconnaître qu'aujourd'hui cette prise en compte de la culture n'est rien moins que spontanée. Le meilleur exemple en est l'Éducation nationale qui, de toutes les administrations, devrait être la plus naturellement sensible à sa responsabilité en ce domaine ; or non seulement notre système éducatif est gravement défaillant, à tous les degrés de l'enseignement, en ce qui concerne l'éveil et l'épanouissement de la sensibilité artistique des enfants, mais après de multiples et vains efforts de rapprochement entre Culture et Éducation nationale, il est notoire qu'une loi votée en 1988 sur les enseignements artistiques est restée lettre morte, en raison de la totale inertie du ministère de l'Éducation.

En réalité, le fait culturel s'est davantage répandu dans la société que dans l'État. Sans parler du mécénat d'entreprise, on a vu que les collectivités locales, plus proches des réalités, ont su prendre des initiatives et assumer des charges, en matière culturelle, bien au-delà de ce que la loi leur imposait, et même en dehors de toute obligation légale. Il n'en va pas de même des administrations de l'État. J'ai pu constater moi-même, au sujet du mécénat justement, combien l'administration des Finances et, dans certains cas, celle de l'Intérieur appliquaient de mauvaise grâce les lois destinées à favoriser son essor. Par des interprétations restrictives, voire abusives des textes et par des formalités inutiles, on s'est ingénié à décourager ou à compliquer l'action de mécénat des entreprises. Il subsiste en vérité dans notre État des traces de la mentalité des légistes de Philippe le Bel : la conviction que l'État détient le monopole de l'intérêt général et que toute initiative, extérieure à lui, qui prétendrait concourir au bien commun est nécessairement suspecte, se situant quelque part entre une congrégation religieuse vue par les anticléricaux du temps du père Combes, et une association de malfaiteurs. De même, une hostilité multiséculaire à l'égard des biens de mainmorte explique les multiples entraves que l'on met à la constitution de fondations en France. Il ne faut donc pas croire que le développement des initiatives culturelles privées soit vu d'un bon œil par l'État. Il a même fallu du temps pour que l'administration de la Culture considère ces dernières sans hostilité.

On ne saurait donc s'en remettre à la disposition naturelle des esprits pour considérer que désormais la culture est partout et spontanément reconnue dans l'État comme un élément substantiel de l'action publique. De Jacques Duhamel à Jacques Toubon, on a dû inventer des procédures, des incitations financières, des conventions très précises pour convaincre les administrations d'intégrer la donnée culturelle dans leur propre action. Rien n'est d'ailleurs plus normal. Prises par leurs propres priorités et par les combats qu'elles mènent dans des conditions presque toujours difficiles, ces grandes administrations n'ont de la culture qu'une idée fragmentaire et souvent inexacte, la confondant selon les cas avec le loisir et toutes les formes ludiques de la consommation ou, à l'inverse, avec des pratiques élitaires qui, à bon droit, leur paraissent hors de saison en ce temps de fracture sociale. Il est révélateur que les élus locaux, confrontés aux difficultés du quotidien, sachent mieux que, des plus modestes actions au service des quartiers ou catégories sociales en difficulté jusqu'aux formes les plus hautes et les plus exigeantes de l'activité culturelle, il y a une continuité qu'il faut à tout prix reconnaître et préserver si l'on veut éviter l'immense malentendu, que dénonçait Hannah Arendt, d'une consommation de masse qui détruit la culture en ayant l'apparence de la répandre.

C'est dans ce contexte d'indifférence ou d'incompréhension que l'on a plus que jamais besoin, et sans doute pour longtemps encore, d'un ministère de la Culture et d'une politique culturelle. Nul ne peut se substituer à ce ministère pour faire entendre, dans l'État, la voix de la culture ; et c'est parce qu'il est au contact des plus hautes réalités de l'art et de la pensée humaine, qu'elles remontent du fond des âges comme ces peintures rupestres découvertes dans l'Ariège ou qu'elles procèdent du travail en cours des plus jeunes des créateurs, qu'il peut être, au sein de l'État, le garant de cette unité de la culture.

S'il ne s'agissait que de maintenir une tradition séculaire d'intervention de l'État dans le domaine des arts ou d'être simplement fidèle à l'héritage gaullien de la Ve République, je ne serais pas convaincu de la nécessité de poursuivre une politique culturelle d'État, au sens où on l'entend depuis Malraux. J'ai montré que le mouvement est lancé, qu'il est irréversible et qu'il est pris en charge, de mille façons, par de nombreux acteurs au sein de notre société. Ce sont, en vérité, des considérations d'avenir qui me font plaider, non pour un simple maintien routinier de la politique culturelle, mais pour ce que j'ai appelé sa « refondation ». Réfléchissant comme citoyen à l'avenir de notre société à partir d'un poste d'observation privilégié, je suis en effet de plus en plus convaincu, de quelque côté que je me tourne, que la plupart des grands problèmes auxquels notre pays est confronté ont une dimension culturelle.

Qu'il s'agisse de l'exclusion, des intégrismes, du racisme et de l'intolérance, du problème des villes, de celui de l'identité nationale face à la mondialisation, ou de l'influence des nouvelles technologies de l'information sur les mentalités et les comportements des générations à venir, aucun de ces problèmes ne pourra être résolu, ni même seulement compris, si leur dimension proprement culturelle n'est pas prise en compte, et d'abord par l'État. Plus que jamais, je crois à la pertinence de l'intuition qui fut celle de Jacques Duhamel au début des années soixante-dix : la culture n'est pas seulement un secteur, mais une dimension d'un projet de société.

À ce titre, elle dépasse évidemment les attributions dont peut être chargé un ministère de la Culture puisqu'il ne se trouve guère de département ministériel qui ne soit concerné, à un titre ou à un autre, fût-ce à la marge. Rien ne justifierait qu'un ministre de la Culture ait autorité sur ses collègues ou soit habilité à les superviser.

En revanche, on ne saurait limiter son rôle à la gestion du service public de la culture. Pour percevoir et faire prévaloir cette dimension culturelle des grands enjeux de société, il faut qu'il y ait dans l'État un lieu reconnu, rayonnant, incontesté, au carrefour de toutes les disciplines de la culture vivante et d'où une parole puisse être émise, fortement, afin que la culture ait sa place, toute sa place, dans un projet politique digne de ce nom.

Une parole modeste, certes. Le temps des grandes incantations est révolu, comme celui des grands projets d'esprit monarchique. C'est une parole politique dont il est question, qui fixe une ambition d'action collective et qui ne se substitue en aucune manière à ce que les écrivains, les artistes ont à nous dire pour nous faire rêver, pour nous révéler ce que nous sommes et ce que nous faisons sur cette planète. La politique culturelle n'a pas à faire la culture, ni même à la dire mais à l'aider à être.

Le lieu d'où peut venir cette parole politique sur la culture, que l'on n'entend plus guère depuis un certain nombre d'années, c'est ce ministère si souvent décrié. C'est à lui, et à l'homme politique qui le dirige qu'il appartient de donner l'exemple, par une gestion inventive de son domaine propre, et aussi de convaincre l'ensemble de ses collègues du gouvernement de prendre en compte la dimension culturelle de l'aménagement du territoire, de la lutte contre l'exclusion ou de la politique de la ville, pour ne citer que quelques exemples. Cette prise en compte est déjà réalisée, sur le terrain, par des associations, des élus, des gens de culture. Encore faut-il que l'État tout entier s'emploie à la généraliser. Le ministère de la Culture y a déjà contribué, par quelques actions d'éclat ou par des voies plus modestes. Il doit désormais le faire plus ouvertement, et de manière systématique. Dans des conditions souvent ingrates, il a réussi à maintenir l'essentiel de ses missions, ainsi que de l'esprit et des espérances dont il a été, à ses meilleurs moments, porteur. Il doit maintenant franchir une nouvelle étape. Si, en raison de son ampleur, la refondation de la politique culturelle que je préconise le dépasse, elle implique d'abord une révision en profondeur de ce ministère de la Culture, décidément incontournable.

Chapitre XI

L'AVENIR DU MINISTÈRE DE LA CULTURE

Que l'on s'en réjouisse ou non, le ministère de la Culture est et sera longtemps encore le lieu géométrique des activités culturelles. J'emploie à dessein cette image, sèche comme un théorème. Je ne dis pas que ce ministère est le foyer de la culture où brûlerait un feu sacré, entretenu par des vestales énarchiques. Encore moins je ne sais quel Saint-Office veillant jalousement à la sauvegarde de la vraie foi culturelle, ni un pavillon de Sèvres où serait conservé le mètre-étalon du bon goût et de la pensée culturellement correcte. Les foyers de la culture sont partout, sauf rue de Valois. On les trouve dans des lieux de recherche comme le Collège de France, les Hautes Études, le CNRS, dans les conservatoires, les théâtres, les ateliers, à la FEMIS [1], bref partout où maîtres et élèves découvrent ensemble les voies de la culture à venir, ou bien dans des lieux comme le Cargo de Grenoble, la Cité de la musique, le Centre Pompidou et bien d'autres moins connus, y compris dans ces centres de rencontre qui me sont chers, comme Royaumont, la Chartreuse ou la Saline royale d'Arc-et-Senans. Non dans un ministère qui est bien le dernier lieu où peut s'inventer la culture. On y fait des lois et des décrets, on prépare des conventions, on répartit des subventions et l'on supervise la

1. Fondation Européenne pour les Matières de l'Image et du Son, qui a succédé à l'IDHEC.

gestion de services publics. Ce ne sont pas de petites affaires qui s'y traitent ; et ces affaires sont décisives pour la bonne santé de la vie culturelle, mais il serait dangereux d'en tirer la conclusion que le ministère serait, par vocation, l'inspirateur de la culture. Cela fut tenté au début du règne de Malraux, parce qu'il fallait bien commencer quelque part, mais par la suite, quand le ministère a prétendu jouer ce rôle, il n'a guère fait que ratifier des modes ou officialiser des emballements.

Même si nous n'avons pas, en cette fin de siècle, le sentiment de vivre une période de haute tension, un de ces moments de grâce où la création explose de toute part et où la vie culturelle foisonne d'inspirations, on ne manque pas de gens qui découvrent et expérimentent dans tous les domaines, y compris celui du patrimoine monumental et artistique que l'on revisite et que l'on fait revivre par des voies souvent très novatrices ; mais ce n'est plus au ministère de la Culture de donner le *la*. Il lui incombe seulement de repérer, de soutenir et de promouvoir ces initiatives. Ce sont là des missions qu'on ne lui conteste pas ; bien au contraire, on lui reprocherait plutôt de ne pas leur consacrer des moyens suffisants et ce sont parfois des collectivités locales ou des entreprises mécènes qui jouent ce rôle nécessaire, pour lequel le ministère est pourtant irremplaçable en raison de la vue d'ensemble qu'il peut avoir de la vie culturelle, en raison aussi de la mémoire qu'il rassemble et de sa capacité d'évaluation de toutes ces expériences qui, validées par lui, peuvent alors être démultipliées.

En vérité, si je dis que le ministère de la Culture est le lieu géométrique des activités culturelles, c'est pour lui reconnaître cette mission plus modeste de carrefour obligé où toutes les disciplines, tous les métiers, tous les problèmes de la culture convergent. Non sous une forme philosophique ou esthétique, mais sous l'angle de l'action et des choix politiques que celle-ci implique.

Ce rôle irréductible et ingrat que le ministère est seul à pouvoir jouer, dans le contexte de notre « exception » à la française, souligne les malentendus qu'engendre ce mot de « culture », si difficile à manier.

Pour chacun de nous, la culture est en effet un vaste domaine aux contours flous où chacun puise pour trouver son bonheur. Rares sont ceux qui se soucient de l'organisation de ce royaume composite où chacun se loge et déambule à son gré. Il n'y a pas deux lecteurs de ce livre qui fassent de la même façon leur miel de culture. Celui-ci sera indifférent au cinéma ou à la danse, ou à la musique baroque dont celui-là fera à l'inverse la quintessence de sa fréquentation des œuvres. Toutefois, pour peu que l'un et l'autre réfléchissent, au-delà de leur plaisir de l'instant, ils reconnaîtront que la vitalité de chacune des disciplines, de chacun des genres importe aux autres, et que nous sommes tous concernés par la santé générale de la culture, y compris dans les domaines que nous ne visitons que peu ou pas du tout. Nous sommes témoins et bénéficiaires des interdépendances qui s'établissent entre les genres. Ainsi, les amateurs d'opéra ont profité du renouvellement apporté par des metteurs en scène formés au théâtre, comme Chéreau et Strehler. Des écrivains comme Cocteau ou Giraudoux en leur temps ont contribué au renouvellement du cinéma. Certaines des grandes œuvres de ce siècle procèdent de la rencontre de génies de disciplines différentes : Ramuz-Stravinski, Claudel-Milhaud, Ravel-Colette, Picasso-Satie. S'il est malaisé d'organiser l'interdisciplinarité, comme on l'a vu avec les maisons de la culture, le courant devrait passer sans peine, surtout aux plus hautes altitudes, entre les créateurs de deux, voire de trois disciplines.

Ces compagnonnages de la création sont toutefois plus rares aujourd'hui que dans la première moitié du siècle car la création elle-même tend à se compartimenter. Il y a plus : l'information mutuelle et la communication entre créateurs de différentes disciplines circulent moins bien que dans le passé, en raison d'une spécialisation de plus en plus poussée. Un cinéaste peut aimer l'opéra, et un architecte le théâtre, mais comme vous et moi, et sans plus de conséquence. Le plus intelligent des chefs d'orchestre aura le point de vue le plus informé et pertinent sur l'état de la musique en France, sur les carences et les erreurs de la politique musicale ; mais il sera hors d'état d'émettre un point de vue qualifié sur l'état de la peinture, du cinéma et du théâtre ; et s'il s'avise de porter un jugement global sur l'état de la culture ou sur la politique culturelle, ce sera par extrapolation de son expérience et de son appréciation de professionnel d'une discipline. Autant dire que la validité de son jugement sera limitée.

Ce qui est vrai au niveau des individus l'est encore plus en ce qui concerne les professions. Le milieu culturel ne se caractérise pas seulement par l'extrême diversité des activités mais aussi par le degré très variable d'organisation des professions et la faible conscience qu'ont celles-ci des solidarités qui devraient les unir. Une semblable perception s'opère à la rigueur dans le cadre d'une interprofession comme le cinéma, la plus structurée de toutes, ou le théâtre et l'action culturelle [2], ou encore la musique [3] mais sous une forme corporative et qui s'élève rarement au niveau d'une réflexion culturelle globale.

Il n'y a aucun lieu organisé, syndical ou autre, où, depuis les architectes jusqu'aux compositeurs en passant par les peintres et les gens de théâtre, tous ceux qui font la culture soient mis en situation de réfléchir ensemble à leurs problèmes communs et à leurs relations avec les pouvoirs publics. L'Académie des Beaux-Arts est le seul lieu où, à l'exception des écrivains, se retrouvent en principe des représentants qualifiés de ces différentes disciplines. C'est ce qui explique le rôle considérable qu'elle a joué pendant fort longtemps, pour le meilleur et parfois pour le pire. Elle pourrait l'assumer à nouveau si elle était également représentative dans tous les domaines de sa juridiction et si elle-même, ainsi que les pouvoirs publics, décidaient de se placer en position de dialogue ; même cantonné à l'expression institutionnelle de courants consacrés et parfois dépassés, ce dialogue ne serait pas inutile, pour peu qu'il parvienne à

2. Avec le SYNDEAC (Syndicat des établissements d'action culturelle) et la SACD (Société des auteurs et compositeurs dramatiques).

3. Avec la SACEM (Société des auteurs, compositeurs et éditeurs de musique).

surmonter le particularisme de disciplines trop souvent juxtaposées, même à l'Académie.

C'est cette absence de lieu de synthèse qui avait conduit Chaban-Delmas et Duhamel à créer le Conseil du développement culturel. L'infortune de cette expérience ne suffit pas à en condamner le principe. Elle mériterait plus que jamais d'être renouvelée [4].

*

* *

D'une certaine manière, c'est donc par défaut qu'au niveau national en tout cas le ministère est le seul lieu où l'ensemble des problèmes de la culture peut être appréhendé en vue d'une synthèse. On peut, on doit même le regretter ; mais en raison du penchant irrésistible de professions vulnérables à implorer en France la protection de l'État, c'est vers le ministère que convergent sans exception tous les métiers de la culture, chacun s'exprimant de façon particulariste, car il n'y a entre eux ni langage commun, ni références homogènes, tant les statuts et les problèmes sont différents de l'un à l'autre. Il fut même un temps où, pour définir un critère d'affiliation des écrivains et des artistes à la Sécurité sociale, on n'avait rien trouvé de plus approprié que de les ranger dans la catégorie des « professions non salariées non agricoles ». La seule référence commune, c'est l'argent, c'est-à-dire les crédits dont procèdent les subventions, et c'est pourquoi le seul thème fédérateur est ce 1 % du budget de l'État pour la culture que l'on cherche à attein-

4. Le Conseil économique et social, où les activités culturelles ont une représentation spécifique, a fait des efforts méritoires pour traiter certains sujets d'ordre culturel. Les positions sur la culture d'une assemblée regroupant principalement des représentations des organisations patronales, mutualistes, agricoles et des syndicats ouvriers n'est pas sans intérêt, même si les rapports du Conseil n'ont qu'une audience limitée. On citera notamment les rapports sur le théâtre (Pierre Dux), sur le mécénat, sur la création audiovisuelle (Danièle Delorme), sur la culture et l'économie, sur l'architecture et le cadre de vie, sur l'organisation du spectacle vivant.

dre depuis un bon quart de siècle. Ce ne sont, en vérité, ni le ministre, ni le ministère qui sont considérés par les gens de culture, c'est leur budget. À l'image de l'âne portant des reliques de la fable et « recevant comme siens l'encens et les cantiques », tout ministre ferait bien de s'aviser que ce n'est pas lui,

> « ... c'est l'idole
> À qui cet honneur se rend
> Et que la gloire en est due ».

Même s'ils retenaient cette leçon d'humilité, le ministre et le ministère devraient considérer que leur devoir n'est pas seulement de traduire en termes communs — qui ne sauraient être uniquement exprimés dans le langage des chiffres — les aspirations diverses et souvent contradictoires des professionnels. Il ne se limite même pas à en faire une synthèse qui risquerait d'être technocratique ou corporative, ou les deux à la fois. Il lui revient de les confronter aux aspirations exprimées ou latentes du public, dont j'ai noté qu'il était le grand absent du débat culturel. Chaque profession prétend sans doute connaître les besoins du public et pouvoir parler en son nom. On a vu, à propos des prix du livre, combien il était difficile d'arbitrer entre les souhaits des professions et l'intérêt du public. Il en va de même dans la plupart des domaines de la culture et l'un des aspects les plus préoccupants de la dérive qui, depuis plus de dix ans, conduit les ministres de la culture à être exagérément sensibles aux revendications catégorielles est cette incapacité croissante de tous les responsables à placer au premier rang des priorités l'intérêt du public. Si les éditeurs s'étaient avisés de demander des quotas pour contingenter le nombre de romans traduits en français, ou les gens de théâtre pour imposer sur les scènes françaises une limitation des pièces étrangères, il y a fort à parier que les plus récents ministres se seraient empressés de s'aligner à grand bruit sur ces positions protectionnistes, sans se demander si elles allaient dans le sens des attentes du public et du rayonnement bien compris de la culture française.

On voit combien est délicate la position d'un ministre de la culture, placé au carrefour des exigences des gens de culture, divisés et peu sensibles aux intérêts qui leur sont communs, et des aspirations des publics condamnés le plus souvent à choisir au sein d'une offre de culture, certes diversifiée mais qui ne correspond pas nécessairement à leurs goûts profonds ou à leurs attentes plus ou moins explicites. Le ministre doit aussi tenir compte, et de plus en plus, des attentes des collectivités locales qui ont part à l'initiative culturelle sans avoir les moyens d'en assumer toutes les conséquences financières. Il est enfin aux prises avec les orientations, voire les exigences, de son administration même qui, obéissant à sa logique interne, se fait sa propre idée du développement culturel et met toute sa science à l'imposer comme seule pertinente.

En écrivant ces lignes, je m'avise que c'est peut-être une idée de technocrate que de rêver ainsi à une politique culturelle qui prétende être la synthèse de tant de points de vue différents, contradictoires même, et tous aussi légitimes les uns que les autres. On a vécu des périodes en France, où le cinéma, la peinture et le théâtre se portaient fort bien sans que nul se soucie, dans l'État, de l'harmonie de leur commun développement ; mais j'ai trop en mémoire les plaintes et les inquiétudes d'artistes italiens ou tchèques, américains ou japonais, pour négliger la chance que représente, en dépit de ses dangers et de ses carences, une responsabilité d'État en matière de culture, qui devrait permettre d'établir un climat général d'harmonie et d'interdépendance dynamique entre toutes les disciplines artistiques et de leur offrir un cadre cohérent de développement.

La question qui se pose est de savoir si, tel qu'il est, le ministère est en mesure de jouer ce rôle de lieu géométrique de la vie culturelle. Son organisation interne, son mode de fonctionnement, la façon dont il exerce ou délègue ses responsabilités, l'esprit même selon lequel il pense et agit sont-ils conformes aux exigences de cette mission de synthèse qu'il est seul, jusqu'à nouvel ordre, à pouvoir remplir ?

Aujourd'hui, le ministère de la Culture fait voir, dans son

organisation, les strates des priorités successives et la marque des influences de professions désireuses d'avoir leur petit ministère au sein du grand. Il serait donc à repenser entièrement si l'on voulait qu'il joue vraiment son rôle dans la conception et la mise en œuvre de la politique culturelle stricto sensu, et aussi dans la prise en compte, au sein de l'appareil d'État tout entier, de cette dimension culturelle dont j'ai dit qu'elle devrait être une des composantes majeures d'un projet politique au sens plein du mot.

Mon propos n'est pas ici de bâtir un organigramme mais seulement de désigner les défis que le ministère doit relever pour être en mesure de jouer pleinement à l'avenir le rôle qui fonde sa légitimité.

*
* *

Le premier de ces défis est jusqu'à présent le mieux perçu et des initiatives importantes ont été prises pour le relever : le ministère ne doit plus retenir entre ses mains des tâches de gestion pure, mais se concentrer sur ses missions de conception, d'impulsion, d'orientation, ainsi que d'évaluation et d'inspection.

Disposant d'un réseau complet de directions régionales, le ministère s'est engagé, non sans une certaine lenteur, dans la voie de ce que l'on appelle, dans le langage administratif, la « déconcentration », qui est un desserrement au plan territorial des responsabilités qui continuent à incomber à l'État. Cette déconcentration est le pendant de la décentralisation qui s'effectue, elle, au profit des collectivités territoriales élues que sont les régions, les départements et les communes. On comprend combien il est important que ces collectivités trouvent sur place des interlocuteurs qualifiés de l'État pour les éclairer et parfois les guider dans l'exercice de leurs responsabilités culturelles dont elles ont compris l'importance pour l'animation et le rayonnement de leurs communautés. Dotées de spécialistes en matière de patrimoine, de musique, d'arts plastiques et d'action culturelle, les directions régionales des affaires culturelles doivent être, sous l'autorité des préfets de région, en mesure de jouer ce rôle. Le ministère leur a effectivement délégué des responsabilités, et aussi des crédits que l'on appelle « globalisés » et dont les DRAC assurent en principe librement la répartition. En théorie, l'évolution est accomplie ; en pratique, elle reste à parfaire. Il est significatif, par exemple, que les effectifs de l'administration centrale soient restés à peu près stables alors qu'un nombre important de tâches ont été transférées aux directions régionales ; et les collaborateurs spécialisés de ces directions ne voient pas toujours reconnue par l'administration centrale l'autorité qui devrait être la leur. Il demeure dans l'administration culturelle une sorte de jacobisme latent qui explique, sans la justifier, cette résistance des services centraux à jouer complètement le jeu de la décentralisation et de la déconcentration, bien que ce double mouvement soit à la fois irréversible et indiscutable du point de vue démocratique. Le ministère de la Culture devrait cependant se convaincre qu'il est de l'intérêt même de la politique culturelle que les élus soient conseillés, et assistés, au besoin, par des représentants qualifiés de l'administration culturelle. Cela implique évidemment que les services centraux soient capables de concevoir et de formuler les orientations générales qui sont le cœur même de leur mission — ce qui est plus ardu que de gérer jusqu'au plus petit détail une multitude de dossiers particuliers.

C'est ainsi que les grandes directions du ministère avaient l'habitude d'agir. Longtemps, en effet, le service public de la culture s'est confondu avec la gestion directe des institutions culturelles. Ainsi, jusqu'à Malraux, il n'y avait pas de directeur du musée du Louvre, lequel était en fait une confédération de musées représentés par ses sept départements [5], dont le vrai patron était le directeur des Musées de France en personne ; encore le premier directeur du Louvre, nommé par Malraux, n'était-il que *primus inter pares.*

---

5. Peinture, sculpture, objets d'art, dessins, antiquités gréco-romaines, antiquités orientales, antiquités égyptiennes.

Jusqu'aux années quatre-vingt, le Louvre a donc fonctionné selon un modèle très proche du système napoléonien. Tout remontait au directeur des Musées, y compris l'importante question de savoir si un groupe d'auditeurs de RTL pourrait visiter l'exposition Manet au Grand-Palais un mardi, jour de fermeture. Quand j'ai eu la charge de construire le musée d'Orsay et de préparer son ouverture, j'ai osé suggérer qu'on lui attribue le statut d'établissement public afin qu'il ait l'autonomie nécessaire pour affirmer son identité, sous le contrôle, bien entendu, de la direction des musées et toutes garanties étant prises au sujet de l'unité et de l'intégrité des collections nationales dont Orsay n'est qu'un des dépositaires. Je mesurais ce qu'une telle proposition, pourtant innocente et réaliste, avait de suspect aux yeux des conservateurs de musées, comme d'ailleurs du ministère des Finances qui trouvait plus commode d'exercer une tutelle étroite sur un ministère bien centralisé. De fait, un complot subtil, remontant jusqu'à l'Élysée par des voies latérales que j'avais des raisons personnelles de deviner, parvint à bloquer mon projet. J'eus, quelques années plus tard, la satisfaction de constater que j'avais eu raison trop tôt. L'idée avait fait son chemin et ses adversaires les plus résolus la recommandaient pour le Grand Louvre, qui est donc aujourd'hui un établissement public. Versailles l'est aussi et d'autres grands musées, dont Orsay, le deviendront un jour. Ce n'est pas là une simple question d'organisation bureaucratique. L'administration centrale d'un ministère participe de la permanence sacro-sainte de l'État ; il faut savoir qu'elle vit, ou dans l'éternité, ou dans le cadre de l'annualité budgétaire. Ainsi, il n'y a pas, pour elle, de perspectives autres que celle de l'infini du temps et celle de l'année budgétaire. À l'inverse, une institution culturelle a besoin de vivre comme une entreprise, toute préoccupation de profit étant bien entendu exclue ; j'entends par là qu'elle est une communauté humaine de travail qui doit se fixer des objectifs à moyen terme et se mobiliser pour réaliser un projet dont elle doit pouvoir vérifier et faire évaluer l'accomplissement à l'échéance de cinq ans par exemple. À l'État d'assurer, par son contrôle, la continuité des vues et la permanence des missions. Aux institutions, encadrées mais autonomes, de réaliser un projet à moyen terme conforme aux orientations générales fixées par l'État.

La direction du patrimoine commence aussi à moderniser la gestion des grands monuments, souvent confiée jusqu'ici à un gardien chef et à un comptable, sous la surveillance épisodique d'un architecte en chef des monuments historiques, alors qu'ils devraient depuis longtemps être gérés comme des entreprises culturelles de plein exercice, non pour devenir des lieux de loisirs mercantiles comme certains le craignent, mais là encore pour définir et mettre en œuvre un projet culturel de fréquentation et d'animation.

Signe des temps : on vient de découvrir, après quelques siècles, qu'une institution aussi auguste que la Comédie-Française n'avait pas la personnalité juridique. Elle est une société de comédiens auprès de laquelle siège, au nom de l'État, un administrateur général ; mais du point de vue du droit strict, la Comédie-Française en tant que telle n'existait pas. On a donc décidé, en 1995, de lui conférer le statut d'établissement public dont on peut espérer que, sans rien lui enlever de la noblesse de sa mission, il permette à l'illustre théâtre d'agir comme un adulte à part entière dans le monde des « temps difficiles ».

Dans bien des domaines, l'institution culturelle doit être ainsi dépoussiérée, et dégagée de tous ces archaïsmes qui l'alourdissent.

Rien, en vérité, ne rassure davantage l'administration que d'avoir affaire, comme au bon vieux temps, à des structures homogènes et interchangeables sur lesquelles elle peut exercer ses prérogatives éternelles de l'autorité hiérarchique, du contrôle et de la tutelle, et qu'elle peut manœuvrer comme une armée en campagne. Quelque progrès qu'elle ait pu faire dans le sens de l'émancipation de ses « administrés » et de la concertation, elle reste dominée par cette culture du commandement qui ne s'épanouit jamais autant, comme dans l'armée, que lorsqu'elle s'applique à la gestion sourcilleuse du moindre détail — à coups de bordereaux et de formulaires.

L'administration de la culture n'échappe pas à ces travers.

Il faut pourtant qu'elle s'accoutume à une réalité nouvelle, beaucoup plus diversifiée et mouvante, et peu propice à l'exercice de cette autorité verticale et sans réplique. Il y a dans tous les secteurs dont le ministère s'occupe, une multitude d'intervenants de statuts très variables, allant du grand établissement public au particulier artiste, écrivain, galériste ou propriétaire de monument classé, en passant par les fondations, associations et toutes les formules du droit des sociétés, y compris la coopérative ouvrière de production que l'on rencontre dans le milieu théâtral. Gérer cette complexité est plus délicat qu'exercer une autorité hiérarchique sur un paysage uniforme. On sent parfois une méfiance de l'administration devant ces organismes qui obéissent à d'autres logiques, surtout quand ils ne tiennent pas leur existence et leur légitimité entière du ministère lui-même. Je l'ai bien vu à propos des centres culturels de rencontre, très divers en dépit de leur vocation commune d'être des foyers de création et d'expérience installés dans de grands monuments ; la formule associative confère à leurs équipes d'animation une stabilité et une indépendance qui font de ces centres, selon la formule de Serge Antoine, l'un de nous, des « ports francs de la culture ». Cette particularité ne nous fait pas toujours voir d'un bon œil par les bureaux...

Le ministère de la Culture a néanmoins pris son parti de cette diversité et compris qu'il s'épuiserait à agir à la place de tous ces relais et partenaires que la politique culturelle elle-même a suscités. Allégées de ces gestions qui les encombrent, les directions du ministère pourront mieux jouer le rôle qui leur revient dans la conception et la mise en œuvre de la politique culturelle. Se pose alors la question de savoir si elles ne doivent pas être regroupées, afin d'être les instruments de cette synthèse culturelle qui est la mission même du ministre et qu'il peine de plus en plus à réaliser.

Le rapport Picq déjà cité [6] recommande ce resserrement des services centraux « sur leurs missions de législation, de programmation et d'évaluation », et le transfert des tâches

6. *Op. cit.*, p. 66 et sq.

de gestion, soit aux directions régionales, soit à des agences ou établissements spécialisés. Par voie de conséquence, il suggère la réorganisation de l'administration centrale en trois directions générales : patrimoine, arts vivants, administration ; à plus court terme et à titre de transition, il suggère des rapprochements entre des directions proches par leur objet ; théâtre/musique, musées/monuments ou musées/arts plastiques, archives/livres.

On devine les résistances qu'une refonte aussi radicale ne manquera pas de susciter s'il se trouve un ministre assez courageux pour la décider. Il n'est pas sûr qu'un schéma à ce point carré et théorique, qui par exemple ne dit mot du cinéma, soit réalisable. Il n'est pas démontré que regrouper toutes les missions patrimoniales ne soit pas le type même de la fausse bonne idée ; il serait par exemple préférable que la direction actuelle du patrimoine reprenne intégralement les responsabilités qui lui sont revenues en 1995, à l'initiative du nouveau ministre Philippe Douste-Blazy, en matière d'architecture, d'urbanisme et de sites, plutôt que de fusionner avec la direction des musées. En revanche, le regroupement des musées et des arts plastiques, auquel avait en son temps songé Michel Guy, serait une idée plus dynamique. Quant à la réunion sous une même direction de tout ce qui a trait à l'écrit, archives, bibliothèques, lecture et livres, elle aurait une cohérence qu'on a dû pressentir lorsque l'on a nommé le directeur des Archives de France, Jean Favier, à la tête de la Bibliothèque nationale de France. Il suffirait, en allant dans le sens préconisé plus haut, de conférer la personnalité juridique et une autonomie de gestion à cette grande institution culturelle que sont les Archives nationales, pour donner tout son sens à une direction chargée de l'ensemble des problèmes de l'écrit, en un temps où la civilisation de l'image en remet la suprématie en cause. On voit que, loin de se limiter à un problème technique de refonte d'organigramme, ce sont des choix de politique culturelle, au sens le plus ample, que symboliserait une réforme des structures.

Elle induirait aussi une mutation des mentalités de l'administration culturelle qui, dans ses services les plus anciens comme dans ses unités récentes, s'est toujours fait une règle de traiter en détail les problèmes de gestion des services publics et des institutions de la culture. J'ai montré, par des exemples, que tout problème culturel, fût-ce la programmation d'un opéra, le choix d'une restauration monumentale ou l'acquisition d'un tableau, pouvait prendre dans certains cas le caractère d'une affaire d'État. Et il ne s'agit pas d'obliger un ministre à renoncer à ce pouvoir d'évocation des affaires sensibles. L'organisation du ministère doit cependant être conçue de telle sorte que ni son chef, ni ses directeurs ne soient tentés de tout régir ; ils doivent laisser à des responsables qualifiés la tâche de conduire, au contact des réalités du terrain, et du public, des institutions qui ont leur vie propre et que l'on ne saurait plus regarder comme de simples dépendances (des « services extérieurs » comme dit dans sa sécheresse le langage bureaucratique) d'administrations centrales.

*
* *

Cette distance prise par le ministère par rapport à la gestion directe des services publics de la culture l'aiderait à relever le deuxième des défis devant lesquels il se trouve placé.

Habitué à gérer pour son propre compte des institutions ou à ne traiter les acteurs de la vie culturelle que selon les méthodes éprouvées et toujours un peu paternalistes de la subvention et de la tutelle, le ministère a quelque peine à définir une ligne de conduite envers un ensemble d'activités, d'entités, d'organismes qui, s'ils concourent tous au développement culturel, obéissent à des logiques différentes : celle du marché, celle de la mission d'intérêt général, celle du mécénat d'entreprise quand il ne s'agit pas purement et simplement de celle des saltimbanques, des comédiens errants comptant chaque soir la recette, des éternels enfants de la balle. Dès lors que l'État prendrait son parti de voir exercer les responsabilités culturelles par une multitude d'acteurs aux statuts différents mais qui concourent tous à un même objectif de développement culturel, il pourrait, prenant de la hauteur, traiter enfin le problème de la culture dans sa globalité contemporaine, c'est-à-dire, notamment, en termes d'économie culturelle.

Voilà un bien grand mot, et aussi une manière vulgaire et provocante, diront certains, de traiter un problème aussi noble que la culture. Pourtant j'atteste, à partir de mon expérience personnelle et de cent témoignages, que ce qui nous rapproche, nous les responsables culturels, depuis les directeurs d'opéras, de festivals et de musées jusqu'à ceux qui ont la charge des centres culturels et des compagnies théâtrales les plus modestes, ce sont les mêmes problèmes rebutants, lancinants mais incontournables d'agios bancaires, de retards de subventions, de cotisations sociales, de programmation d'investissements, de précarité d'emploi pour nos animateurs, nos comédiens, nos musiciens. À part quelques grands secteurs d'industries culturelles comme le cinéma et l'édition, nous connaissons tous les mêmes angoisses, partagés que nous sommes entre l'idée très haute que nous nous faisons, à tort ou à raison, de notre mission, et l'impression de n'être pas pris tout à fait au sérieux par les élus, par les agents économiques de toute sorte que nous côtoyons, à commencer par les banquiers, et d'être traités comme des mineurs sous tutelle ou des incapables majeurs par une administration qui considère de fort haut nos méchants problèmes de fins de mois.

Beaucoup d'entre nous préféreraient assurément vivre dans une atmosphère franciscaine où l'on s'en remettrait à Dieu pour le pain du lendemain ; certains ont peut-être la nostalgie des conforts de la subvention assurée et des déficits toujours couverts en fin de compte par un État pingre mais bon prince. La plupart des responsables, parce qu'ils vivent pleinement immergés dans la société réelle, au milieu de gens qui se battent sans avoir toujours la consolation qui est la nôtre d'exercer une mission noble entre toutes, demandent à n'être considérés ni comme des assistés, ni comme des suspects. Nous savons que les activités culturelles de toute nature sont créatrices de richesses et d'emplois, tout autant que porteuses de rêves. Nous acceptons qu'elles soient soumises, comme toutes les autres, aux rigueurs de la législation fiscale, du droit du travail et de la Sécurité sociale et à toutes les contraintes d'un État de droit ; mais nous voudrions au moins que leur spécificité soit prise en compte et qu'un ministère de la Culture reconnaisse et assume une bonne fois, à l'égard des milieux qui relèvent de sa juridiction, et par rapport au reste de l'appareil d'État, cette originalité de l'économie culturelle. Des ministères comme ceux de l'Agriculture, de l'Industrie, de la Santé qui ont affaire à des professions bien plus nombreuses et dont la contribution à l'économie nationale est incomparablement plus importante que celle de la culture, ont depuis longtemps acquis un poids suffisant pour faire prendre conscience à l'État tout entier de la nécessité de reconnaître à ces activités la place et les droits qu'elles méritent. Les gens de culture ne demandent pas autre chose. Ce n'est pas un hasard si le secteur culturel qui, sous cet angle, a le plus obtenu est celui à qui est reconnu depuis longtemps un statut industriel : le cinéma. Pour le reste, le ministère de la Culture ne pèse pas d'un poids assez lourd dans la vie gouvernementale. Seule l'affaire du GATT a fourni à un ministre de la Culture, Jacques Toubon, l'occasion de peser de façon déterminante sur la position gouvernementale au prix, il est vrai, d'une adhésion inconditionnelle aux vues des professions du cinéma et de la production audiovisuelle qui ont su jouer habilement de leur impact médiatique ; mais il s'agit presque d'un contre-exemple. Il montre que le ministre de la Culture, s'il doit être à l'écoute des professions qui relèvent de lui, ne saurait se borner à être leur porte-parole. Trop absorbé par ses missions propres et croyant encore qu'il est non seulement le garant, mais le gérant de la culture, le ministère ne s'est pas assez préoccupé jusqu'ici de la prise en compte des intérêts économiques et sociaux de l'ensemble des métiers de la culture. « L'exception culturelle », c'est aussi cela, et si le ministre de la Culture attend les situations de crise pour proclamer doctement que les biens et les services culturels ne sont pas « des marchandises comme les autres », il s'ensuivra une banalisation de la culture, ramenée aux normes les plus sommaires de l'économie de marché.

Je ne brandis pas là un épouvantail, pour les besoins de ma dialectique : il n'est que de voir l'érosion, pour ne pas dire la quasi-disparition des missions culturelles d'un service public de la télévision de plus en plus dépendant de la ressource publicitaire. On a vu aussi que certains monuments historiques étaient menacés d'être transformés quasiment en parcs de loisirs pour assurer leur subsistance. Philippe de Villiers avait là-dessus, pour Versailles, des idées très audacieuses au temps du libéralisme triomphant de la première cohabitation. Le vent a tourné et il semble que la droite, revenue au pouvoir, ait compris, GATT aidant, que la culture méritait un traitement spécifique qui ne saurait se limiter à des subventions publiques, ni viser à la rentabilité commerciale, mais implique un traitement très fin. Il faut tout à la fois encourager tous les acteurs de la vie culturelle à progresser dans le sens d'une grande rigueur de gestion qui s'impose autant au secteur public de la culture qu'au secteur privé, et protéger par des régimes adaptés la spécificité de ces activités, comme on le fait, par exemple, pour la recherche scientifique.

*
* *

Le troisième défi que doit relever le ministre de la Culture s'énonce en termes simples : le succès même de la politique culturelle de la Ve République a fait lever une masse considérable de besoins, dans tout le pays et dans tous les secteurs. Ce patrimoine que l'on redécouvre et que l'on veut réhabiliter, ces arts vivants, du spectacle notamment, dont l'exploitation n'est qu'exceptionnellement rentable et qu'il faut soutenir, tout comme la création sans laquelle notre identité culturelle ne serait qu'une mémoire, tout cela demande beaucoup d'argent. Ni les collectivités locales, ni le mécénat, ni le marché — c'est-à-dire ce que chacun de nous paie pour la culture en achetant un livre ou une place de spectacle — ne sauraient y suffire, en dépit de leur contribution croissante. L'effort financier de l'État reste donc, à vue humaine, indispensable, alors qu'il n'est question que de rigueur budgétaire. Il est capital qu'à peine élu à la tête de l'État, Jacques Chirac ait confirmé son intention de porter à 1 % le budget de l'État pour la culture ; mais on ne sait pas suffisamment que, par rapport au 0,91 % actuel, cette augmentation, pourtant non négligeable, d'environ 10 %, risque d'être complètement absorbée par les besoins nouveaux des institutions nées des grands projets de François Mitterrand, à commencer par la Bibliothèque nationale de France dont personne n'oserait prétendre qu'elle peut se passer des moyens nécessaires à son fonctionnement normal, inévitablement coûteux. Il en va de même pour l'Opéra-Bastille, pour la Cité de la musique, sans parler des travaux nécessaires à la consolidation du Grand-Palais et de la rénovation urgente du Centre Pompidou ou de ce que Versailles requiert pour répondre, sans risquer de se dégrader, à l'attente de ses millions de visiteurs venus du monde entier. Avant d'être seulement obtenus, ces crédits supplémentaires pour la culture sont déjà absorbés par des urgences ou des priorités qu'aucun ministre ne peut contester.

J'ai eu, dans le passé, à gérer ce budget de la culture. Tous ceux qui, comme moi, ont fait cette expérience savent qu'elle oblige à arbitrer entre des besoins tous légitimes, mais qui ne peuvent être également satisfaits. Ils savent aussi que le succès d'une politique culturelle dépend de l'existence d'une masse de manœuvre limitée, de l'ordre de 5 à 10 % du budget total, qui n'étant pas affectée aux missions classiques, aux dépenses incompressibles, aux engagements irrévocables, permet d'encourager les innovations, de donner leur chance à des initiatives inédites, de soutenir les risques de la création. D'année en année, cette marge s'est réduite. En créant un fonds d'innovation culturelle, pâle reflet du fonds d'intervention culturelle des années soixante-dix, Jacques Toubon a tenté une timide percée. Si le ministère ne retrouve pas, au-delà du 1 % promis, cette marge de liberté, toute refondation de la politique culturelle n'est pas seulement promise à l'échec, elle est strictement impossible et il faut oublier tout ce que j'ai dit à son sujet.

*
* *

On en vient ainsi au quatrième défi du ministère de la Culture. Si l'on admet que la culture n'est plus seulement un secteur, mais une dimension de l'action gouvernementale, il est clair que d'autres ministères doivent la considérer comme entrant dans leur sphère propre de responsabilité. Politique de la ville, action en faveur des minorités, aménagement du territoire, animation du milieu rural, éducation, formation, insertion professionnelle, santé, famille, commerce extérieur, télécommunications : la dimension culturelle est partout. Il serait plus simple d'énumérer, s'il s'en trouve, des secteurs de l'appareil gouvernemental qui ne soient pas impliqués : même le ministre de la Justice, avec sa population pénitentiaire et l'éducation surveillée, ou celui des Anciens Combattants, chargé de la sauvegarde des lieux de la mémoire guerrière, ont quelque chose à voir avec la culture.

Il ne saurait être question que le ministère de la Culture transfère à d'autres départements ministériels les charges budgétaires qui résultent de ses propres compétences. Pas davantage, il ne saurait leur dicter une conduite ; du moins peut-il les aider à prendre conscience de leur responsabilité culturelle, directe ou indirecte. C'était l'objet même du fonds d'intervention culturelle dont j'ai plusieurs fois parlé ; s'il a eu le tort de le supprimer, Jack Lang a su, par d'autres voies et grâce à son entregent, engager certains de ses collègues du gouvernement dans la voie d'une coopération, notamment dans les ministères de la Défense, de la Santé, de la Justice et même de la Mer.

L'heure n'est plus à relancer simplement ce genre d'initiatives ponctuelles, dépendantes des bonnes relations entre collègues d'un même gouvernement ou de la complicité de quelques hauts fonctionnaires lucides. C'est une conscience culturelle qui doit naître à la fois dans l'ensemble de l'administration et au niveau du gouvernement tout entier.

S'agissant de l'administration, j'ai à plusieurs reprises insisté sur l'absence criante, dans l'état actuel de son organisation, d'une structure interdisciplinaire ou transversale, capable d'appréhender le problème de l'action culturelle dans l'ensemble de ses composantes. Il ne s'agit pas de revenir aux formules du passé, que ce soit celui de Malraux, de Duhamel ou même de Lang. Le monde a changé dans l'intervalle et l'attente de culture, quand elle existe, ne peut plus être satisfaite par la délivrance d'un message venu d'en haut ou par la fourniture tous azimuts de prestations uniformes. Les besoins sont infiniment divers, souvent informulés et parfois inattendus quand ils viennent à être explicités. Pour être à l'écoute, attentive et modeste, humble même, de ces aspirations, il ne faut pas s'enfermer dans la citadelle d'une administration qui se croirait détentrice d'une vérité. Les meilleurs agents du ministère de la Culture, notamment parmi ses corps d'inspection, savent combien cette capacité d'attention et de compréhension à l'égard de ce qui s'opère sur le terrain leur permet de jouer pleinement leur rôle en ce qu'il a de plus positif. Dans d'autres administrations de l'État, notamment dans des domaines comme la Jeunesse et les Sports, l'Action sociale, l'Aménagement rural, l'Environnement et même l'Éducation nationale ou l'Équipement, il existe des agents qui ont la même ouverture d'esprit. Il me semble qu'une agence nationale de l'innovation culturelle, rattachée au ministère de la Culture mais qui aurait une compétence interministérielle, avec des correspondants dans les différents ministères concernés, pourrait être l'instrument dont l'État a besoin pour prendre en compte la dimension culturelle de l'action publique dans son ensemble. Il ne s'agirait pas d'imposer des formules conçues d'en haut, mais de repérer, d'encourager et d'étendre des expériences de terrain, quelles qu'en soient la nature ou l'origine, et qui apportent des solutions innovantes à des situations qu'une administration centrale de type classique est hors d'état de résoudre, et même de comprendre. Cette agence, véritable administration de mission, devrait être un organe léger, très souple, constamment renouvelé, soucieux avant tout d'aider et même, tout simplement, de faire connaître ce qui s'invente partout en France pour répondre au besoin de culture.

Avec un semblable instrument, un ministre de la Culture aurait quelque chance d'être moins prisonnier de son administration et de ses pesanteurs bureaucratiques et corporatives. Il y puiserait en outre les éléments de son nécessaire rayonnement gouvernemental.

La culture, en effet, n'aura vraiment la place qui doit être la sienne dans l'État, tel qu'il est en France, que si le ministère de la Culture est, quels que soient la personnalité et le profil du titulaire du portefeuille, tenu pour l'un des plus importants. Les meilleurs des ministres de la Culture de la Ve République ont tiré leur position et leur influence de leur personnalité particulière, de leur poids politique ou des relations spéciales qu'ils avaient su établir avec le chef de l'État. Souvent, ils se sont davantage souciés d'entretenir cette position personnelle que d'en faire bénéficier le ministère lui-même. Le moment est venu de rendre objective et permanente cette place de la culture dans l'appareil d'État, afin que le milieu culturel compte moins sur le ministre que sur le ministère, tant qu'il sera nécessaire d'en avoir un.

L'idée très particulière que se font les gens de culture de « leur » ministre est en effet une des composantes de l'exception culturelle française. Les enseignants, les militaires, les magistrats, les médecins et même les artisans sont sans doute attentifs, lorsqu'un gouvernement est constitué, à la personnalité du ministre dont ils relèvent ; mais on a du mal à imaginer ce qu'est un ministre de la Culture pour les gens de culture. On est plus près du roi thaumaturge, guérissant les écrouelles, que de l'occupant provisoire d'un fauteuil ministériel. Le long séjour de Jack Lang, avec deux intermèdes, avait un peu déshabitué le milieu culturel du phénomène chronique des changements de ministre. L'arrivée de Philippe Douste-Blazy a réveillé les fantasmes de la petite classe : tout le monde a voulu le voir, le toucher, l'inviter, connaître ses goûts, ses auteurs favoris, les musiques de sa préférence, et aussi les raisons de sa nomination, ses ambitions de carrière, son poids politique, ses filières d'influence.

Il y a sans doute quelque chose d'assez immature dans ce genre de réactions, et il faut au ministre, comme c'est le cas avec le jeune maire de Lourdes, beaucoup de sagesse et d'humour pour résister à ces vapeurs d'encens et au risque d'ivresse qu'il y a à se voir ainsi courtisé par de plus illustres que lui, dont il n'eût pas imaginé qu'ils fissent preuve de tant d'empressement à son endroit. Du moins peut-il tirer de cette aura qui lui est instantanément conférée et qu'il lui reste à mériter et à entretenir, un poids politique propre à faire avancer les affaires de la culture dans l'État et jusqu'à son sommet.

Le temps presse, car les quelques années qui nous séparent de la fin du siècle seront décisives, non seulement pour le succès d'une politique culturelle renouvelée, mais pour la cohésion sociale du pays, sans parler des enjeux européens, de plus en plus indissociables de notre propre avenir.

Chapitre XII

DE QUELQUES ENJEUX CULTURELS DU PROCHAIN SIÈCLE

« Dire que l'art est inutile
est un guet-apens que nous tendent
les forces du mal. »

GIORGIO STREHLER

(entretien avec Olivier Schmitt
Le Monde, *9 juillet 1995)*

Il en va de la culture comme de l'environnement. S'il ne s'agit que de notre confort individuel, toutes les menaces qui pèsent sur le monde peuvent nous paraître abstraites, et à la limite indifférentes. Il n'est pas nécessaire d'être d'un égoïsme forcené pour se persuader que l'on pourra vivre encore longtemps de façon saine et paisible dans un monde pourtant menacé de souillure. De même, s'agissant de la culture cultivée ou savante — qu'on l'appelle comme on voudra, le lecteur sait bien qu'il s'agit de « notre » culture, celle de nos curiosités et de nos enchantements —, peu importent en définitive les formules choisies pour sa gestion et sa diffusion : ce choix peut intéresser en nous le citoyen, non l'amateur qui pensera trouver toujours matière à délectation.

J'ai préconisé des solutions pour la relance et le renouvellement de la politique culturelle. J'y crois sincèrement. Il en est sans doute d'autres. Je ne prétends pas détenir la pierre philosophale ; mais même si mes suggestions ou d'autres n'étaient pas retenues, et que la politique culturelle continue sur sa lancée, la culture n'en mourrait pas, au moins pour ceux qui en font leurs délices, voyant en elle — ce qui est parfaitement légitime — une source inépuisable de bonheurs de l'esprit et de la sensibilité. Ceux-là sont en droit de considérer mes vues sur la politique culturelle comme sans portée pour leur sort personnel ; et je ne saurais obliger quiconque à partager l'ambition d'un développement culturel visant à étendre la diffusion de la culture au plus grand nombre possible.

C'est à ce point du raisonnement qu'il faut revenir à la comparaison entre culture et environnement. Le drame de Tchernobyl et quelques autres nous ont fait prendre conscience d'une solidarité planétaire. L'explosion d'une centrale nucléaire, l'éruption d'un volcan, à des milliers de kilomètres de distance, peuvent avoir une incidence sur la qualité de l'air que l'on respire dans la garrigue cévenole ou dans le bocage vendéen. Nul ne peut plus être indifférent aux mesures qu'il y a lieu d'adopter au niveau des États et de la communauté internationale ou à la discipline que chacun de nous doit s'imposer pour conjurer ou réduire ces risques. « Ne demande pas pour qui sonne le glas. Il sonne pour toi... »

Le glas de la culture ne sonne pas à nos oreilles, et cependant... Je sens dans l'air les premières vibrations de quelque chose qui lui ressemble et à quoi nul ne peut être indifférent.

En France, comme dans toute l'Europe, la culture a été longtemps un privilège, réservé à ceux qui, par le niveau de leurs connaissances et par leur aisance, pouvaient accéder aux œuvres de l'esprit. Cependant, avant même les progrès matériels et intellectuels qui ont marqué, partout en Europe, les deux derniers siècles, il y avait une certaine forme de partage culturel, grâce à quoi le peuple entier communiait, fût-ce de loin, dans certaines valeurs de l'âme et de l'esprit. Ce fut, historiquement, le plus bel apport de la chrétienté à la civilisation. Par ses édifices, ses rites, ses chants, son art, ses clercs, ses pèlerinages, la chrétienté a été le ciment culturel de l'Europe. Même divisée contre elle-même et au prix de tant de souffrances et d'iniquités, elle a fait boire tous nos peuples aux mêmes sources. Aucune des étapes de la laïcisation de nos cultures, depuis l'humanisme de la Renaissance jusqu'au marxisme en passant par le siècle des Lumières et la Révolution, n'a vraiment rompu le fil qui, par les Églises chrétiennes, nous reliait aux sources judéo-gréco-romaines de notre civilisation. Depuis le Moyen Âge, les affrontements avec l'Islam, que ce soit en Espagne ou en Europe centrale et orientale, ont renforcé cette communauté de valeurs, qu'ils ont même enrichie dans bien des domaines, notamment les mathématiques et la philosophie. Ce qui compte surtout, c'est que, dans nos sociétés d'Occident, le plus humble, le plus ignorant des êtres pouvait au moins accéder aux miettes du festin de la culture. Je ne cherche pas à idéaliser des âges qui furent sombres, et pas seulement aux temps médiévaux ; l'inégalité devant la culture a été — et reste — un des échecs de nos sociétés ; mais si inégal que fût le partage, nul n'en était en principe exclu. C'est l'accès à ce fonds commun de valeurs et de références qui a permis la fusion d'ethnies, de communautés que tout séparait, y compris la langue native. Les nations, dont la nôtre, se sont constituées ainsi. Vécue au niveau le plus populaire et quotidien, la culture a été le terreau de l'organisation politique des nations.

En outre, dans tous nos pays, la culture savante n'a cessé de s'inspirer de la culture populaire, que ce soit en musique, en littérature ou dans le théâtre. Cette source a puissamment contribué à donner à chacune des cultures nationales ou régionales de l'Europe sa saveur singulière : du fado portugais au chant corse, des légendes celtiques à la commedia dell'arte, des fêtes flamandes aux carnavals rhénans, nous savons tous ce que nous devons à cet héritage venu du fond des siècles.

En apparence, rien n'a changé et l'on pourrait même affirmer que le partage culturel s'opère mieux que jamais, non seulement dans chacun des pays d'Europe, mais dans leurs relations mutuelles. Nous sommes aujourd'hui plus attentifs aux cultures des autres et, tourisme et médias aidant, nous avons même une conscience plus vive et plus répandue de notre communauté culturelle européenne. Dans chaque pays, et en France notamment, on peut affirmer que les conditions d'accès à la culture sont plus égalitaires — ou moins inégalitaires — qu'elles le furent jamais dans le passé. La politique culturelle de la seconde moitié de ce siècle n'a fait qu'accentuer — je crois l'avoir montré — un mouvement de démocratisation bien antérieur, et qui ne s'est pas limité à la culture.

Cependant, quelque chose est en train de se rompre. On

parle beaucoup, depuis quelque temps, de fracture sociale. Il faudrait traiter aussi de la fracture culturelle ; même si elle peut sembler n'être qu'un des aspects de cette fracture sociale, elle me paraît d'une autre nature, qui la rend justiciable de remèdes plus complexes, et à beaucoup plus long terme. Elle est si grave qu'elle menace la tranquillité même de ceux qui, vivant à l'aise dans la fréquentation des œuvres de l'esprit, se jugent à l'abri de toutes les nuisances, comme on l'a cru longtemps dans le domaine de l'environnement, dans celui de la santé ou de la sécurité, avant de commencer à comprendre que les vrais dangers n'épargnaient personne, sans distinction de lieu, de fortune ou de race.

Cette fracture culturelle se manifeste par divers signes. Le plus grave d'entre eux est que la culture de chrétienté s'est évaporée ou dissoute. Perte de mémoire, perte de racines, perte de foi : les phénomènes se conjuguent pour rendre incompréhensible une part capitale de notre héritage culturel. Je n'en donnerai qu'une preuve : au Grand-Palais au cours de l'hiver 1994, l'exposition Caillebotte, peintre estimable mais secondaire, a eu beaucoup plus de succès que la grande rétrospective consacrée au même endroit au plus grand peintre français avant Cézanne, Nicolas Poussin. Comme toute la peinture impressionniste, celle de Caillebotte est aisément accessible à tous, alors que l'œuvre de Poussin est à peu près incompréhensible pour quiconque ne dispose pas d'un fort bagage mythologique, biblique, chrétien. Indépendamment des aspects spirituels de cet affadissement de la foi, la raréfaction de la mémoire chrétienne a de lourdes conséquences sur le plan culturel.

Un autre aspect de la fracture culturelle est le fait que, dans beaucoup de pays, et spécialement en France, la culture populaire est sclérosée, réduite à l'état de folklore touristique ou de ressassement nostalgique, en dépit des efforts sincères déployés, en Bretagne par exemple et à un moindre degré dans les provinces occitanes, pour faire revivre ses antiques joyaux. Ce qui s'y substitue, et définit désormais le profil culturel courant des masses populaires, est un ensemble de loisirs répondant à des références désormais planétaires et dont les origines, le plus souvent américaines, ne sont même pas reconnues comme telles par ceux qui en usent ; d'où, par réaction, un réflexe de défense identitaire qui prend parfois — nous y reviendrons — des formes inquiétantes.

Il ne s'agit pas ici de contester la qualité de la musique rock par exemple, ni certaines trouvailles de la bande dessinée, ni la part de créativité que des Français ont pu mettre dans la transposition chez nous de ces modes d'expression cosmopolites. Il peut même y avoir des aspects authentiquement culturels dans leur pratique et dans les manifestations de masse auxquelles ces genres donnent lieu. Il est vrai aussi qu'il s'agit d'expressions auxquelles participe, sans discrimination ni exclusive, l'ensemble des générations les plus jeunes — ce qui est positif sous l'angle de la cohésion sociale. J'observe seulement que, par rapport à la culture populaire d'antan, il s'agit d'un monde en soi, pratiquement détaché du reste de la culture et qui se suffit à lui-même, selon un mode de fréquentation plus proche de la consommation banale que d'une pratique active — au moins pour le plus grand nombre.

Il y a plus grave encore. J'ai déjà signalé que la plupart des grands problèmes qui se posent à notre société avaient une dimension culturelle et je suis convaincu que si cette dimension n'est pas prise en compte et traitée par les voies appropriées, ces problèmes ne seront pas vraiment résolus. Peu importe à la limite que l'on parle de fracture culturelle ou de composante culturelle de la fracture sociale. Ce qui compte, c'est de faire intervenir la donnée culturelle dans l'analyse et dans le règlement de ces grandes questions de société qui commandent notre avenir.

C'est le cas de ce que l'on appelle l'exclusion, sous toutes ses formes. Chacun sait que, loin d'être uniquement un problème matériel de ressources et d'emploi, l'exclusion s'opère d'abord dans les têtes. Elle risque, si elle continue à sévir, de rendre totalement académique tout débat sur l'accès à la culture. Plus encore, elle laissera en dehors de la vraie dignité humaine tous ceux que l'on aurait, par hypothèse, pourvus des moyens matériels de revenir dans le champ de la vie sociale mais qui, faute de se reconnaître si peu que ce soit dans ce qui constitue l'âme et l'esprit communs de la société, resteraient mentalement des exclus, et deviendraient à terme des rebelles. Ce n'est pas une France à deux vitesses qui se profile, mais deux France. Une petite France en marche, ouverte aux courants de la pensée et de l'art, et conforme en cela à sa grande tradition — et une autre France en recul, sans repères, dépossédée de son héritage de valeurs et de mémoire sans pour autant être en mesure de s'enrichir de ce que d'autres cultures, d'Islam, d'Afrique ou d'ailleurs, pourraient lui apporter. En effet, ce genre de fusion ne peut s'opérer qu'à haute température, et si l'esprit de la nation, sa culture sont suffisamment actifs pour accepter le mélange. Une société culturellement froide, inerte, ne peut se prêter à cette alchimie.

Toutes les méthodes de l'action culturelle, y compris celles qui visaient ce que l'on nommait en 1968 le « non-public », ont été conçues à une époque où l'exclusion n'était guère qu'un échec individuel et non ce désastre social massif qu'elle est aujourd'hui. On vivait encore sous l'empire de l'utopie républicaine d'une société d'égaux partageant les mêmes valeurs ; il ne s'agissait que de rendre possible un accès à la culture considéré par hypothèse comme désiré ou acceptable par tous. Les réels efforts accomplis en ce sens n'ont eu que des résultats limités, notamment à l'égard des publics ouvriers et paysans, les plus éloignés des pratiques culturelles ; mais dans le contexte d'une société homogène où chacun tirait encore un profit, certes inégal mais néanmoins général, de l'élévation du niveau et de l'amélioration du genre de vie, le progrès de l'accès à la culture n'a pas été nul. Il est clair à présent que ces méthodes de l'action culturelle ne sont en aucune manière adaptées à des situations d'exclusion, et qu'il faut en inventer d'autres, notamment en suivant les voies explorées par quelques pionniers.

Un autre défi auquel notre société est confrontée est constitué par les intégrismes et les fondamentalismes de toute nature. Ils ne sont plus une menace extérieure, quasi exotique et justiciable de mesures de simple police ou de haute sécurité. Ils risquent tôt ou tard de miner de l'intérieur notre société, si ce n'est déjà fait, comme certains symptômes le font redouter. Sous prétexte de faire prévaloir le sacré, et d'une façon générale, ce qui dépasse l'homme, ils s'emploient en réalité à le soumettre. Le plus grave est que ces attitudes engendrent des réactions de défense qui sont une autre forme d'intégrisme, plus laide et plus dangereuse encore, car venue, non de l'extérieur, mais des profondeurs les plus obscures de notre propre histoire, que l'on aurait pu croire réduites à l'état de laves inertes et que l'on voit aujourd'hui réactivées. Intolérance, rejet de l'autre, xénophobie et même racisme : qui ne mesure la régression qu'engendreraient pour notre société ces comportements, s'ils s'étendaient au-delà de la fraction déjà importante qui les adopte, fût-ce occasionnellement ? Ceux qui les prônent, avec un aplomb croissant, remettent en cause ouvertement tout ce qui, depuis le XVIIIe siècle, n'a pas seulement représenté la marche vers la démocratie institutionnelle, la proclamation et l'aboutissement laborieux des droits de l'homme, mais aussi et peut-être surtout les fondements culturels de la République.

L'activité culturelle, par la liberté, les audaces et parfois les provocations qui la caractérisent depuis toujours, a été longtemps un sujet d'ardentes controverses gauche-droite. Jusqu'aux années soixante et même un peu au-delà, une bonne partie de la droite était culturellement réactionnaire ; on a gardé le souvenir des philippiques et des censures de Jean Royer à Tours et de quelques autres élus obscurantistes. Les événements de 1968 ont marqué un changement. L'époque de Pompidou, de Chaban-Delmas et de Duhamel, puis la décrispation giscardienne et Michel Guy ont conduit la droite à une attitude plus ouverte à l'égard de la culture. L'alternance de 1981 et la décentralisation ont fait le reste. Chacun garde ses goûts, ses préférences et l'on connaît des élus de gauche qui sont moins progressistes et ouverts que des élus de droite ; mais on pouvait penser que l'intolérance en matière culturelle n'était plus qu'un mauvais souvenir, jusqu'à ce printemps 1995 où un vent mauvais s'est levé dans certaine villes du Midi de la France. La culture et les artistes se sont trouvés tout de suite au centre des polémiques et l'on perçoit déjà les premiers signes d'un discours anticulturel.

Autre défi : la mondialisation des échanges matériels et immatériels qui expose nos sociétés, non seulement dans leur économie, mais dans leurs mentalités, leurs pratiques et jusqu'à leur langage, aux rudesses d'une compétition généralisée, souvent sauvage, à la standardisation sous l'empire d'un système de références dominant, et à un jeu de rapport de forces où la France et l'Europe risquent d'avoir le dessous. Là encore, le danger est grand d'une réaction de repli, protectionniste et stérilisante, qui irait à rebours des voies du progrès, lesquelles ont toujours impliqué l'échange et la confrontation à d'autres systèmes de valeurs. La participation sans complexe à ce monde sans frontières rend nécessaire que chaque nation, chaque groupe humain connaissent et fassent vivre leur identité propre, dont la culture est l'une des principales composantes, la plus insaisissable peut-être, mais la plus décisive. Le problème se pose pour la France, mais aussi pour les autres nations d'Europe, et aucune d'elles ne peut prétendre le régler isolément — ce qui suffirait pour donner un sens à l'Europe de la culture.

Il est encore un défi qui frappe de front l'ensemble des pratiques culturelles et des conditions mêmes de l'activité de l'esprit. Il s'agit des mutations technologiques de la communication. On les voit s'opérer à grande vitesse sous nos yeux, modifiant de fond en comble les données de base de l'élaboration et de la transmission du savoir, ainsi que celles de la diffusion de la culture, voire des modes de la création intellectuelle et artistique. Il est évident que les conditions de la rencontre et du partage en matière de culture vont s'en trouver bouleversées. Ma génération aura connu le passage de la TSF à la télévision numérique, de la machine à calculer mécanique à l'ordinateur, du phonographe au disque compact : ses pratiques culturelles en ont été considérablement transformées, dans le sens de la facilité d'accès, de l'aisance et du confort des pratiques. Pour autant, notre rapport à la culture n'est pas devenu, pour l'essentiel, très différent de ce qu'il était au temps de Diderot ou de Renan. Il n'en va plus de même aujourd'hui, pour les plus jeunes d'entre nous. Les aînés que nous sommes peuvent, du moins les plus vifs, maîtriser parfaitement ces instruments de la culture électronique sans perdre leurs anciens repères. Il n'est pas évident que cet équilibre soit durable. Il est déjà difficile de retenir l'attention d'étudiants d'aujourd'hui par un discours sans images, tant ils ont vécu, depuis leur plus tendre enfance, dans l'univers de l'audiovisuel. On a tenté récemment une expérience dans une université parisienne, à partir d'un cours choisi délibérément dans le domaine le plus abstrait : les mathématiques ; un auditoire a assisté au cours lui-même, prononcé par le professeur dans un amphithéâtre ; un autre, comparable en tous points, s'est vu projeter la cassette vidéo du même cours : le résultat est que ce second public a davantage retenu l'enseignement, transmis par l'image, que le premier qui l'avait entendu de la bouche même du professeur. Signe des temps que cette prévalence de l'image sur la réalité de la parole.

Tous ces défis — il en est d'autres encore — concernent non seulement la société tout entière mais chacun de nous ; dans tous les cas, ce sont les plus jeunes, et les générations à venir, qui sont d'abord visés et menacés. Tous ceux qui ont été formés avant les temps de fracture que nous vivons, y compris la génération de 1968 et même celle qui l'a suivie, ont été imprégnés de l'héritage chrétien et humaniste dont le rejet bruyant et délibéré lui-même était encore une façon paradoxale de le reconnaître, à défaut de l'assumer. Mais après ? L'école est dès aujourd'hui, dans bien des endroits, non plus un havre où des enfants se prépareraient paisiblement à la pratique de la vie sociale, mais le siège des tensions et des violences de la vie ordinaire. C'est miracle que les enseignants continuent à croire en un métier qui n'a jamais été aussi difficile. Il serait injuste d'imputer à des maîtres aussi dévoués les carences d'un système éducatif qui ne cesse pourtant de se réformer sans jamais parvenir à être à jour.

Nos comportements et nos pratiques en matière de culture auront-ils encore un sens pour les prochaines générations, qu'il s'agisse de la lecture, du culte de la mémoire, de la participation au spectacle vivant, et d'une façon générale, de nos modes de fréquentation des œuvres, tous domaines où nous vivons encore, nous autres, sur l'héritage de plusieurs siècles de pratique humaniste de la culture ? À certains signes, qu'il s'agisse de l'intérêt des jeunes pour le cinéma en salle, pour la musique vivante, pour la danse, pour les voyages « intelligents », on peut croire qu'ils nous suivent, à leur façon ; mais sur d'autres plans, ils sont à des années-lumière de l'idée que nous nous faisons de la culture, y compris dans son héritage chrétien devenu indéchiffrable pour beaucoup. Mort de la culture humaniste ou invention d'une nouvelle culture ? Question sans réponse, bien sûr, mais ô combien lancinante pour les anciens que, déjà, nous sommes...

Dans la conclusion de *la Culture pour vivre,* m'adressant à ceux qui avaient vingt ans en 1975, j'écrivais : « Il existe vraiment un risque sérieux que bientôt la culture ne soit qu'une mince flamme entretenue par de petites communautés de clercs au milieu d'un monde barbare. » On ne saurait dire que nous en sommes arrivés à ce point, mais la question demeure plus pressante que jamais.

*
* *

Tous ces sujets sont au cœur de la problématique sociale et du projet politique de la France d'aujourd'hui. Leur solution n'incombe pas seulement à l'État. Les collectivités locales, le monde associatif, les entreprises, les syndicats, les Églises sont pleinement impliqués dans leur règlement. Certaines initiatives comme celle de Martine Aubry avec la Fondation agir contre l'exclusion (FACE) ont même pour objet de réunir ces partenaires : entreprises, associations, collectivités publiques. Le traitement d'ensemble de ces questions dépasse évidemment la politique culturelle qui est l'objet de ce livre, car on est loin du champ d'action classique d'un ministère de la Culture. Ce dernier ne saurait revendiquer aucune compétence exclusive en ces matières, sauf à devenir le gouvernement à lui tout seul. Il lui incombe cependant d'être, d'une manière ou d'une autre, présent sur ces différents fronts car, dans l'état actuel de notre organisation publique, il est le seul garant de la continuité de la chaîne culturelle qui s'étend des activités d'animation les plus modestes jusqu'aux sphères les plus hautes du patrimoine et de la création.

Dans cette perspective, je suis convaincu que toute réflexion sur l'avenir de la culture et de la politique culturelle qui ignorerait les grands enjeux que je viens d'énumérer, manquerait son but.

Exclusion

« Appelle-t-on les autres des inclus ? » peut-on lire sur une affiche dans l'une des salles de la Laiterie, cette friche industrielle qui héberge à Strasbourg un centre européen de la jeune création et où travaille depuis quelque temps cet infatigable franc-tireur de la culture qu'est Armand Gatti.

Exclusion : la faveur nouvelle dont ce mot est l'objet laisse perplexe. On dirait que son emploi systématique au sujet de situations toutes déplorables, qui sont autant de signes d'échec de notre société, mais fort différentes les unes des autres, est fait pour tenir lieu d'explication devant un phénomène qui nous frappe de stupeur et que nous ne maîtrisons pas.

Être exclu, c'est être rejeté ; ce peut être aussi, et de manière plus passive, sentir, à tort ou à raison, que l'on n'est pas accepté. Il y a ceux qui ont perdu leurs repères et ceux qui ne les ont jamais trouvés. Ceux qui se sentent entre deux cultures et ceux qui ne se situent dans aucune. Ceux qui voudraient s'insérer dans la société, fût-ce par ses marges, ceux qui s'y refusent et ceux qui ne le peuvent, en auraient-ils l'envie. Ceux dont l'exclusion signifie l'échec, après un parcours normal plus ou moins long, et ceux dont elle marque, à l'orée même de la vie, le fatal rejet.

« On crève de solitude et d'ennui avant de crever de faim », a-t-on pu entendre dans un colloque à Bruxelles. Phénomène mental autant que matériel et social, l'exclusion est évidemment un fait culturel, mais là encore avec bien des variantes. Certains exclus peuvent avoir eu antérieurement un accès à la culture et une pratique de celle-ci ; l'exclusion est alors une privation : perte de goût, de sens, de possibilité d'accès. Elle est vécue comme un retranchement, une humiliation ou subie comme une fatalité. Pour d'autres, ce n'est pas d'une privation qu'il s'agit, mais d'une absence de toute référence culturelle. C'est là que réside la plus grande interrogation. Certains ont fait remarquer que l'exclusion était un fait individuel et une somme de cas particuliers, ce qui la différencierait fortement du sentiment de solidarité, de communauté même qui, dans sa dure condition, caractérisait le prolétariat. Il y avait une culture ouvrière. Il peut y avoir une culture prolétarienne. Peut-il exister une ou des cultures de l'exclusion ? Si oui, n'y a-t-il pas un risque d'enfermer ceux qui s'y reconnaîtraient dans une sorte de réserve, à l'image de ces léproseries de l'Inde où l'on survit, mais définitivement en marge ? Ou bien une action culturelle spécifique en faveur des exclus n'est-elle qu'un moyen subtil d'apprivoiser des êtres marginaux, et à la limite de les récupérer, ou de tenter de le faire en se donnant bonne conscience ? Et n'y a-t-il pas un danger d'assimiler à l'exclusion toutes les situations socialement difficiles et de ranger sous l'appellation de culture de l'exclusion, en bloc, tout ce qui exprime par les mots, les gestes, la musique, le malaise des banlieues, le désarroi d'une jeunesse désœuvrée, le malvivre des immigrés ? À ce compte, une bonne part de la culture des jeunes, si ce terme a un sens, pourrait passer pour le reflet authentique des phénomènes d'exclusion, alors que tous les exclus ne sont pas des jeunes, pas plus que tous les jeunes ne sont des exclus. Il n'est pas évident qu'un chanteur ou même un cinéaste bien installé dans le système, et si sincères que soient ses intentions, puisse se prétendre l'interprète authentique des tourments et des rages des exclus, même si son talent lui permet d'en présenter une vision artistique véridique et généreuse.

Les exclus sont d'une certaine façon parmi nous, tout en étant à l'écart. La société dans laquelle nous sommes insérés, ils l'ont sous les yeux. Elle n'est pas pour eux une terre promise, qui serait lointaine. Elle est là, autour d'eux, terre refusée dans laquelle ils sont pourtant physiquement immergés. Ils en voient les richesses dont ils sont privés et qu'ils tentent parfois de s'approprier violemment, sans comprendre que ce ne sont ni les voitures, ni les appareils électroniques, ni les billets de banque qui constituent le vrai trésor de cette société : c'est sa culture, où l'on n'entre pas par effraction ; il faut en avoir les clés pour la posséder. Devant d'autres situations d'injustice et de rejet, les générations antérieures, parce qu'elles étaient plus homogènes socialement, culturellement et même du point de vue ethnique, luttaient méthodiquement par l'organisation, le regroupement en associations, en syndicats, en partis. C'est l'inadaptation de ces structures de combat ou leur rejet qui tout à la fois crée et traduit ce phénomène insaisissable et polymorphe qu'est l'exclusion et explique qu'il débouche souvent sur la violence. Pourtant, je ne peux m'empêcher de discerner une lueur d'espoir jusque dans certaines mobilisations désordonnées et sporadiques contre les forces de l'ordre, et les institutions en général : ne s'opèrent-elles pas au nom de valeurs comme la fraternité, la solidarité, le refus du racisme et l'aspiration, si confuse qu'elle soit, à une société plus juste ?

Dans un chapitre précédent, j'ai ironisé sur l'idéologie de bazar qu'exprime le thème du « tout-culturel » que l'on a, un peu injustement peut-être, attribué à Jack Lang. Il est vrai qu'on ne prête qu'aux riches et qu'à force de vouloir plaire aux jeunes à coups de Zénith et d'encensement du rap et du tag, à force aussi de flatter également Boulez et Manu di Bango, Robert Bresson et Nique-Ta-Mère, Lang fournissait une profusion de verges aux docteurs outrés de la culture savante. C'est cette « mise à plat » de la culture, cette égalité, complaisamment proclamée par certains, de toutes les formes d'expression qui justifient des réserves, plutôt que l'attention, légitime en elle-même, que méritent ces nouveaux genres, musicaux ou plastiques. Ils sont le signe d'une époque et valent bien la valse-musette et les comiques troupiers du début de ce siècle, qui, il est vrai, n'émouvaient pas outre mesure les ministres de la République.

Il n'est pas anormal que des responsables politiques s'intéressent à toutes les formes d'expression qu'affectionne la jeunesse, qu'elle soit nantie ou, comme on dit pudiquement aujourd'hui, « en difficulté ». À ce titre, Jack Lang a eu raison d'y porter attention et de favoriser des rassemblements de jeunes de toute condition où régnait quelque chose qui ressemblait à de la ferveur et où, peut-être, bien des exclus se sont sentis, pour un moment, intégrés.

Il est normal que des élus locaux, partant de la constatation que le désarroi des exclus s'explique par l'absence de perspectives et le désœuvrement qui les rend même inaptes aux pratiques élémentaires du jeu et du sport, aient créé des équipements de proximité, souvent avec le soutien de l'administration de la culture et de celle de la jeunesse et des sports. L'erreur serait de considérer que la multiplication de ces lieux simples d'accueil et d'activité, si nécessaire qu'elle soit, puisse être, à elle seule, la solution. Quand tous ces jeunes auraient appris à jouer au babyfoot ou à faire de la poterie en écoutant des musiques à la mode, on ne les aurait pas pour autant intégrés. Ces initiatives nécessaires n'ont donc de sens que si elles sont accompagnées d'actions d'insertion économique et sociale. L'expérience précitée de FACE témoigne de ce que des associations, des entreprises, des municipalités peuvent réaliser en ce domaine, en créant sur place des emplois d'un type nouveau pour ces catégories défavorisées.

On pourrait penser que la responsabilité de la société envers les exclus, surtout les plus jeunes d'entre eux, s'arrête là et que le reste, notamment leur éveil culturel, relève de la libre initiative de chacun ou des modes classiques de l'action culturelle. Croire cela, c'est condamner les exclus à rester hors du champ de la culture, et donc les maintenir dans un état de vulnérabilité mentale et psychologique qui expose leur intégration économique et sociale elle-même à l'échec, à plus ou moins court terme. On m'objectera que la société a déjà tant à faire sur ce plan matériel qu'il serait exagérément ambitieux, et même utopique, de prétendre la charger d'une responsabilité encore plus complexe. Cependant, un certain nombre d'expériences prouvent que la lutte contre l'exclusion doit, pour être pleinement efficace, avoir une dimension culturelle.

De natures très diverses, ces expériences ont en commun l'audace et l'exigence. On ne saurait prétendre qu'elles soient transposables à l'ensemble des situations d'exclusion, dont j'ai dit l'extrême diversité et le caractère souvent insaisissable. On ne trouvera pas un nombre suffisant d'artistes, de créateurs, d'animateurs assez disponibles et motivés pour aller partout où il faudrait pour les démultiplier ; du moins l'exemple peut-il inspirer quantité d'initiatives plus modestes, et donc plus accessibles.

J'ai parlé plus haut d'Armand Gatti. Voilà de longues années déjà que cet errant poursuit une marche singulière, en marge de toutes les normes et conventions, à partir du théâtre que Vilar lui a appris. Depuis une quinzaine d'années, avec sa compagnie bien nommée « la Parole errante », il poursuit, de Marseille à Toulouse et à Avignon, et maintenant à Strasbourg, la même étrange aventure : donner à des marginaux, chômeurs, toxicomanes, SDF, délinquants, une chance de réhabilitation, mais en visant très haut et sans crainte de les désarçonner. À ceux qu'il appelle ses « loulous » et qui ont de dix-huit à quarante ans, il propose de retrouver la dignité par « l'accès à une parole forte », car pour Gatti le mal absolu est l'exclusion de la parole. Il offre à ses stagiaires, à travers l'expression théâtrale, la possibilité de « maîtriser le langage pour pouvoir dialoguer avec leur destin ». Il n'hésite pas à confronter son petit monde à des thèmes philosophiques ou scientifiques ardus, comme dans son *Kepler le langage nécessaire* monté à Strasbourg en 1995, en sollicitant le concours d'universitaires, de chercheurs et d'étudiants. On peut juger cette expérience subversive, mais aussi fragile, car tout entière fondée sur le charisme d'un homme. Il n'empêche que les témoignages concordent : « Gatti ne résout pas les problèmes de chacun, ne gère pas des vies, mais communique une force. » Par son art, il offre une chance à ceux qui n'en avaient plus.

Si original et inclassable qu'il soit, Gatti n'est cependant pas seul à ouvrir des voies nouvelles, en travaillant dans les milieux les plus défavorisés. À Montbéliard, puis à Freyming-Merlebach et à Strasbourg, Jean Hurstel poursuit par d'autres voies un cheminement tout aussi audacieux ; il préside l'association Banlieues d'Europe, créée en 1990. Ce réseau international s'est donné pour mission d'« articuler le langage artistique avec les autres langages — langues orales, récits, mémoire — des banlieues-monde de notre continent ». Liverpool, Lisbonne, Berlin, Budapest, Bruxelles comme Strasbourg, Lille et Lyon sont parmi les points d'ancrage de ce réseau.

Un autre réseau, « Trans-Europe-Halles », fondé par Philippe Grombaer, qui a sauvé de la destruction les Halles de Schaerbeek dans la banlieue de Bruxelles, réunit une vingtaine de centres culturels indépendants installés dans d'anciennes usines, à Bergen, Zurich, Amsterdam, Luxembourg, Poitiers, Marseille. Dans ces lieux, pluridisciplinaires, une programmation intensive de spectacles vise à attirer un public resté jusqu'alors à l'écart des manifestations classiques de la culture.

Il faut rendre cette justice à Jack Lang que, dans les dernières années de son ministère, avec Hélène Mathieu alors responsable de la délégation au développement et aux formations, il a su utiliser la formule des contrats de ville pour encourager un certain nombre d'expériences, allant de la relance d'un cinéma de quartier à Montreuil à la création d'ateliers musicaux dans l'Artois minier ; cette méthode a aussi permis d'installer des chorégraphes dans des zones particulièrement difficiles comme les quartiers Nord de Marseille ou le Val d'Argent à Argenteuil. On imagine les obstacles et les risques d'échec auxquels sont exposées des initiatives de ce type. Pourtant, quand elles parviennent à s'enraciner, comme la Compagnie « Traction avant » de Vénissieux, elles deviennent de véritables pépinières de talents : ainsi, l'un de ceux qui y a appris le théâtre, Thierry Renard, a fondé une maison d'éditions et une revue et a créé l'Espace Pandora pour organiser des lectures publiques et des ateliers d'écriture au profit, là encore, d'un public nouveau, que les formes habituelles de l'action culturelle n'avaient pas touché.

J'ai déjà parlé de Royal de Luxe, né, à Aix-en-Provence à la fin des années soixante-dix, du théâtre de rue et qui, après une longue errance sur les routes de France et d'Europe s'est fixé à Nantes avec l'aide de la ville. Son spectacle, *la Véritable Histoire de France,* l'expérience du Cargo en Amérique latine et le *Peplum* présenté au Havre en 1995 attirent eux aussi un public nouveau, tout comme le Théâtre du Jour installé par Pierre Debauche dans un entrepôt désaffecté d'Agen. Dans cette même ville, la municipalité a transformé un cinéma, le Florida, en un centre consacré aux musiques amplifiées où les jeunes peuvent à la fois se former, répéter, jouer et assister à des concerts dans un lieu central qui est aussi un espace de convivialité, contribuant ainsi à leur insertion sociale. Jean-Claude Casadesus qui, dans le Nord, multiplie depuis quelques années les concerts pour les jeunes, spécialement dans les quartiers défavorisés afin, dit-il, « de leur rendre Schubert ou Ravel aussi familiers que Patrick Bruel », note qu'il n'y a pas de délinquance dans les écoles de musique.

La Fondation FACE a tenté à Vaulx-en-Velin, avec le concours de Guy Bedos, une expérience aussi originale en invitant des jeunes de toutes origines à exprimer sur scène leurs problèmes ; il en est résulté un spectacle, *Quartier libre,* qu'on a pu voir ensuite à Paris et grâce auquel ces comédiens de hasard ont trouvé une chance d'intégration.

Le théâtre et la musique ne sont pas les seuls champs de ces expériences nouvelles. Le peintre Gérard Garouste a fondé dans une propriété près d'Évreux, la Source, une association pour l'intégration des enfants en difficulté par l'initiation à l'art contemporain. Dans des ateliers de dessin, de peinture, mais aussi de cinéma, de musique et de théâtre, avec le concours d'autres artistes comme Buren, Starck, Boltanski, Combas, les frères di Rosa, Gérard Depardieu, il cherche à éveiller un désir, une curiosité chez ces enfants que leurs conditions de vie privaient de toute motivation.

L'exclusion, le plus souvent, se cache. Vécue parfois dans la honte et fréquemment dans la résignation, elle ne saurait être réduite à son aspect rebutant de violence destructrice. Que de fois, devant des scènes complaisamment rapportées par les médias et qui ne concernent que quelques bandes rageuses, ai-je pensé à la gêne, à la souffrance de ceux qui, ayant les mêmes raisons de se révolter, assistent impuissants à ces manifestations qu'ils n'approuvent pas, mais dont le résultat est de les retrancher davantage encore de la communauté sociale.

Les initiatives audacieuses dont j'ai fait état vont au-delà des traitements sociaux ordinaires des situations difficiles. On ne saurait en conclure que l'exclusion culturelle est désormais un problème maîtrisé ou que l'exclusion est partout justiciable de solutions culturelles. Il ne s'agit que d'expériences, qui ne peuvent être extrapolées à l'infini. Chacune d'elles a sa spécificité, et l'on a vu qu'elles requièrent le concours de créateurs d'exception, par le talent et par la conviction. Ceux-là ne courent pas les rues...

Au reste, ce serait une illusion de croire que tous ceux qui ont bénéficié de ces initiatives sont touchés par la grâce et voient d'un coup tous leurs problèmes règlés. Nombre d'entre eux retombent dans une vie sans horizon après un moment d'espoir, voire d'exaltation. Du moins une chance leur a-t-elle été donnée, et nul ne peut dire qu'elle ne portera pas ses fruits un jour ou l'autre. Ce que je voulais montrer, c'est qu'il n'y a pas de fatalité, et que les êtres les plus exposés peuvent, dans certaines conditions, se révéler plus sensibles à l'éveil culturel que ceux qu'une situation plus ordinaire maintient dans un état de confort ou de relative quiétude moins propice à ce sursaut de l'être. L'éveil culturel peut aussi, dans certains cas, être le facteur décisif de l'insertion, et non sa conséquence — ou sa récompense.

Que le théâtre, la musique, le dessin, la danse, sous toutes leurs formes, puissent aider certains des moins avantagés de nos semblables à dire leur détresse ou leur révolte, à en découvrir le sens, et, par là, à se trouver et à s'affirmer, n'est-ce pas la noblesse de la culture ?

Identité

Voilà bien des années déjà que, dans les cénacles internationaux, le thème de l'identité culturelle est traité. Lorsque j'étais à l'Unesco dans les années soixante-dix, il tenait une place considérable et même envahissante dans tous les débats. Les pays du tiers monde en faisaient le support d'un combat post-colonial et s'en servaient pour s'affirmer contre un Occident encore dominateur. Dès cette époque, j'étais frappé par l'ambivalence de cette notion d'identité. Légitime affirmation de soi, comme chez l'adolescent par rapport aux adultes, elle peut aussi aboutir à la négation de l'autre, à son rejet et à une sorte d'autisme collectif, dans les pires des cas.

On pouvait penser que cette réaction crispée et souvent agressive était le propre de jeunes États soucieux de se faire respecter lors de leur entrée sur la scène internationale. On voit maintenant que de vieilles nations — qu'il s'agisse de l'Iran, du Québec ou de pays d'Europe — adoptent la même attitude pour s'affirmer et se protéger, quand elles n'en tirent pas argument, comme dans les pays de l'ex-Yougoslavie, pour justifier les pires intolérances et les exactions qui les accompagnent. D'une façon plus générale, tout ce qui conduit aujourd'hui à la mondialisation, à la globalisation des échanges en tous domaines, nourrit par réaction un besoin d'identité. À l'intérieur de chaque société même, les mécanismes d'uniformisation conduisent à de semblables réflexes identitaires. Communautés locales, minorités ethniques, ensembles linguistiques, groupes ayant en commun des intérêts, des convictions, des mœurs même, entendent s'affirmer et être reconnus dans leur spécificité. On l'observe en France comme ailleurs, bien que chez nous le problème ne se pose pas de façon aussi dramatique que dans d'autres pays, y compris les plus proches comme la Belgique où la tension chronique entre les communautés linguistiques fait peser une menace sur ce qui reste de l'unité nationale. Pour s'en tenir à notre cas, on ne peut manquer d'observer que la nation s'est construite sur le refus du particularisme et l'exaltation d'un citoyen abstrait, fondement de l'égalité des droits et de la souveraineté du peuple. Voici maintenant que la démocratie met l'accent sur le pluralisme en tous domaines et l'affirmation des droits, non plus seulement des personnes mais des communautés de toute nature qui entendent être reconnues dans leur différence, considérée par définition comme valorisante et digne de respect. Nous n'en sommes pas encore aux extravagances du langage « politiquement correct » de la société américaine, où les nains sont définis comme des personnes *« vertically challenged »* (ayant un défi de verticalité), mais à certains signes, nous nous en rapprochons.

Ce mouvement général de revendication d'identité pose mille problèmes de caractère politique, juridique et social qui sont étrangers au champ de notre analyse ; mais qu'il s'agisse d'en étudier les causes ou de réfléchir aux solutions, on ne peut faire, là encore, l'économie d'une réflexion d'ordre culturel au sens large.

Ce qu'il y a de plus troublant dans l'ensemble des manifestations identitaires, c'est qu'elles traduisent une double peur : peur de l'autre et peur de l'avenir. Certes, ce sont des réflexes inhérents à la nature humaine ; mais la culture, c'est toujours une peur dominée ou sublimée ; c'est aussi l'acceptation du risque, qu'il s'agisse de l'altérité, de la confrontation à d'autres cultures, ou de l'innovation, du changement. Une société qui refuserait l'échange, cherchant avant tout à se protéger contre ce qu'elle considère être des agressions, et qui se replierait dans son passé par peur d'affronter l'avenir, ne serait pas une société culturellement saine.

Nous ne sommes pas éloignés d'une semblable attitude de refus et de repli. On ne saurait bien sûr pratiquer l'amalgame entre d'inacceptables manifestations d'intolérance, de xénophobie voire de racisme, et des revendications identitaires qui, dans bien des domaines, tendent à préserver des intérêts légitimes ou à sauvegarder des particularités qui sont des composantes de notre identité nationale. Pas davantage on ne saurait confondre l'intégrisme sous toutes ses formes, qu'il soit religieux ou politique, avec ce qui, dans de nombreux domaines, relève d'un légitime attachement au passé, de l'exaltation de la mémoire et du souci de plus en plus général de sauvegarder ce qui la constitue et l'entretient. Il n'en reste pas moins que l'on assiste à une multiplication d'actions défensives qui, si compréhensibles qu'elles soient, imposent des contraintes, limitent la liberté de l'autre et nous préparent mal à la confrontation avec d'autres cultures et avec notre propre avenir.

Ainsi, dans le domaine du cinéma, de la fiction audiovisuelle ou de la chanson, où les œuvres françaises ont en effet à subir la rude concurrence anglo-saxonne, aucune des mesures de soutien, d'incitation et d'accompagnement à la création n'est jugée suffisante par les professions intéressées, qui ont obtenu des pouvoirs publics l'édification d'un arsenal impressionnant de quotas et de normes diverses pesant d'ailleurs exclusivement sur les diffuseurs audiovisuels [1]. De même, le juste souci de protection de la langue française contre l'invasion de termes étrangers, notamment anglo-américains, a conduit au vote de la loi imaginée d'abord par Catherine Tasca et qui porte pour la postérité le nom de Jacques Toubon, loi qui va jusqu'à édicter des sanctions pénales en cas d'infraction. Même si le Conseil constitutionnel en a censuré les aspects les plus ouvertement contraires au principe de la liberté d'expression, cette loi, d'application au demeurant problématique, place la France dans une situation d'exception par rapport à ses partenaires européens, tout comme son protectionnisme audiovisuel d'ailleurs. À moins de considérer les Allemands, les Italiens, les Espagnols comme des peuples décadents, ayant renoncé à leur identité culturelle, cette singularité française n'est pas sans poser quelques problèmes quant à la confiance que nous

1. Un esprit naïf pourrait penser que cette noble cause conduirait à imposer de semblables contraintes aux salles de cinéma, mais tout le système de soutien public au cinéma repose sur une taxe parafiscale assise sur le prix des places ; le cinéma américain alimente donc majoritairement l'aide au cinéma français et personne n'envisage de tarir ou de restreindre cette source.

avons dans la vitalité de notre culture. Certains de nos amis étrangers, parmi les moins malveillants, s'étonnent de ce contraste entre notre haute idée de nous-mêmes, et cette attitude défensive, protectionniste à l'égard de notre culture. Se porte-t-elle si mal qu'elle ait besoin de toutes ces prothèses et faut-il que notre tradition étatiste conduise ainsi systématiquement aux mesures de coercition juridique dans des domaines touchant d'aussi près l'activité de l'esprit et la liberté qui, depuis 1789, est censée la caractériser ? Je dois dire, preuves à l'appui, que soulever une telle question expose au risque de passer pour défaitiste, et mauvais Français à la solde de l'étranger. Dans des discussions de ce genre, l'exemple du Québec est immanquablement invoqué — ce que je ne puis entendre sans un réel malaise. Je connais assez le Canada français pour savoir à quels défis nos cousins sont exposés, et qui justifient là-bas certaines protections, même si elles alimentent un nationalisme dont les conséquences sur l'avenir du Canada en tant que tel sont redoutables, au point que la tentation sécessionniste est indéfiniment repoussée ; mais il faudrait vraiment que la France doute d'elle-même pour se comparer à une communauté francophone minoritaire immergée dans un univers culturellement dominé par les États-Unis.

La même attitude frileuse, et parfois malsaine, s'observe au sujet du rapport des Français à leur passé, et à leur mémoire collective. Il y a certes quelque chose de réconfortant dans cet engouement de l'opinion pour le patrimoine, mais il faut y regarder de plus près. Il s'agit d'un phénomène récent, dont Pierre Nora, dans un entretien au *Monde* [2], n'a pas tort de situer l'origine dans l'Année du Patrimoine, en 1980, décidée par Valéry Giscard d'Estaing. Il note que, dès ce moment, des sondages ont révélé la mutation de sens du mot « patrimoine », dont la traditionnelle acception juridique, et même notariale, a fait place à l'idée de bien collectif. Il observe que c'est à partir de 1974, début de la crise et fin des « trente glorieuses » que notre vieille société paysanne

2. *Le Monde,* 29 novembre 1994.

a lâché ses derniers feux mais que, du même coup, la longue durée, découverte par les historiens à la suite de Fernand Braudel, a « percuté le cœur de la France profonde ». Par voie de conséquence, le goût très français pour le souvenir et les commémorations a pris une signification plus forte. Ainsi, selon Pierre Nora, « la commémoration du millénaire capétien, en 1987, n'est compréhensible que dans ce mouvement de récupération totale du passé de la France, qui s'accompagne d'une réévaluation des vestiges du passé sous toutes ses formes. Le patrimoine connaît là un seuil. Il ne s'agit pas d'une extension de ses objets, mais d'un changement de statut. On est passé d'un patrimoine matériel à un patrimoine immatériel, d'un patrimoine à caractère historique à un patrimoine à caractère mémoriel... Le patrimoine n'est plus l'inventaire des chefs-d'œuvre totémiques de la grandeur nationale... mais le bien collectif d'un groupe particulier qui déchiffre dans sa récupération une part essentielle et constitutive de son identité : patrimoine paysan ou corse, breton, occitan, des fabricants de sabots ou des chauffeurs de locomotives... »

On retrouve là l'ambivalence de beaucoup de démarches identitaires : édification d'une conscience barbelée, l'identité est souvent un refus autant qu'une affirmation, une appropriation privative plutôt qu'une attitude d'appartenance. Elle présente aussi, dans de nombreux cas, les caractéristiques d'un refus de l'avenir, d'une sorte de repli matriciel. C'est Georges Duby qui observe : « Une société qui se cherche des assises et se réconforte en s'abîmant dans son passé a finalement peur d'elle-même. » Cette attitude se généralise. Pierre Nora remarque encore : « L'arrivée dans le champ patrimonial de domaines infinis crée une forme d'encombrement qui confine au vertige : on ne peut transformer la France entière en musée de la France. Ce vertige exprime à beaucoup d'égards des craintes, des refoulements qui ne sont pas toujours sains. Ce n'est pas un hasard si l'intérêt pour le patrimoine s'appuie souvent sur une vision apocalyptique de l'avenir. On n'est pas loin d'une impasse quand on réclame le classement de l'Hôtel du Nord, sur les bords du canal Saint-Martin, où le film de Marcel Carné n'a lui-même jamais été tourné puisqu'il a été réalisé dans les studios de Billancourt. »

Parce qu'il a été analysé, non sans raison, comme une salutaire réaction contre l'ivresse technologique et consumériste des années de croissance accélérée, cet engouement pour le patrimoine sous toutes ses formes a pu dans un premier temps être considéré comme un progrès culturel. Il est vrai que, sur bien des plans, il s'agit d'un phénomène positif, mais ambigu. Les interrogations de Pierre Nora rejoignent celles que Françoise Choay a exprimées dans *l'Allégorie du patrimoine*[3]. Elle observe que la culture occidentale s'est constituée et a pris conscience d'elle-même dans la redécouverte et l'inventaire de la culture antique à laquelle elle s'est livrée systématiquement à partir de la Renaissance, puisant son inspiration dans cet héritage, mais sans renoncer à inventer des formes neuves. Le miroir des antiquités pour les humanistes, celui des monuments historiques (médiévaux notamment) pour les romantiques furent, pour Françoise Choay, une « structure narcissique originelle et féconde » ; mais elle considère qu'aujour-d'hui elle s'est figée : « Le miroir du patrimoine sur lequel nous nous penchons avec passion a perdu son rôle créateur pour une fonction de défense et de conservation d'une idée de nous-mêmes... En tant que fonction narcissique, le culte du patrimoine n'est justifiable qu'un temps : temps de reprendre souffle dans la course du présent, temps de réassumer un destin et une réflexion. Passé ce délai, le miroir du patrimoine nous abîmerait dans la fausse conscience, la fiction et la répétition... Dès lors qu'il cessera d'être l'objet d'un culte irraisonné et d'une “ mise en valeur ” inconditionnelle, l'enclos patrimonial pourra devenir le terrain sans prix d'un rappel de nous-mêmes à l'avenir. »

Ces réflexions pertinentes ne concernent pas seulement le patrimoine monumental, ni même l'ensemble des patrimoines intellectuels et artistiques dont le ministère de la

3. Françoise Choay, *l'Allégorie du patrimoine,* Seuil, 1992, et notamment le dernier chapitre « La compétence d'édifier ».

Culture a la charge, depuis les incunables des bibliothèques jusqu'aux œuvres audiovisuelles. C'est de l'ensemble des héritages du passé qu'il s'agit, tout ce qui contribue à la mémoire collective. Ayant la chance d'avoir la meilleure école historique du monde, la France est bien placée, compte tenu aussi de la richesse de son patrimoine, pour définir une attitude imaginative et vraiment moderne en ce domaine.

L'approche du troisième millénaire serait une excellente occasion pour mener une réflexion collective et pluridisciplinaire de haut niveau sur l'héritage non seulement du siècle, mais du millénaire qui s'achève. On pourrait à cette occasion tenter d'exorciser une bonne fois les démons qui hantent notre inconscient collectif et qui nous empêchent encore de porter un regard lucide et serein sur des périodes de notre histoire comme la Commune et Vichy. Ce serait aussi une occasion de couper court à une tendance révisionniste des milieux d'extrême droite dont on n'a pas encore mesuré toute la perversité et qui tend à une relecture tendancieuse de toute notre histoire sans se limiter, comme jusqu'ici, à Jeanne d'Arc et au chevalier Bayard. On se souvient que le débat national sur la ratification du traité de Maastricht avait conduit certains à agiter le spectre d'une perte de l'identité française. Les prochaines étapes de la construction européenne et l'approche de la fin du siècle font craindre le réveil d'une grande peur millénariste contre laquelle il n'est que temps de s'armer.

Puisque l'ère des grands travaux immobiliers semble s'être achevée avec le second septennat de François Mitterrand, ce serait un grand chantier, immatériel celui-là, pour la nouvelle présidence : une réflexion nationale sur le patrimoine de la France, non refermée sur elle-même, mais axée sur ce qu'elle doit au reste de l'Europe et ce qu'elle lui a donné, et s'ouvrant sur des propositions pour le bon usage de ce legs dans les temps qui viennent. Voilà un domaine où le ministre de la Culture et celui de l'Éducation, qui ont tant de mal à coopérer, pourraient prendre une initiative conjointe en y associant l'université, les académies et les médias. Les Français d'aujourd'hui sont assez férus d'histoire pour prendre au sérieux ce vaste inventaire et cette réflexion collective sur notre passé. La mode est aujourd'hui aux « rendez-vous », comme celui de 1997 ou 1999 pour la monnaie unique. Le rendez-vous culturel de l'an 2000 n'est pas moins considérable. Il serait déplorable qu'il ne se traduise que par un feu d'artifice ou un défilé le 31 décembre 1999 sur les Champs-Élysées, après un classique dépôt de gerbe sur la tombe du Soldat inconnu. Ce que l'on a retenu du bicentenaire de la Révolution, ce sont moins les paillettes d'un événement sans lendemain que le travail des historiens qui, comme François Furet, ont su, non pas clore les études sur cet événement fondateur, mais faire admettre l'achèvement d'un cycle long de mutations, ouvert en 1789 et dont notre société actuelle, dans ses structures et ses principes comme dans ses mentalités, marque le terme. Aujourd'hui, c'est sur l'ensemble des douze ou quinze cents ans de l'histoire française, dans toutes ses composantes, que devrait porter une réflexion libératrice.

Je dis bien libératrice car je crains, comme en témoignent, parmi cent autres, quelques-uns des exemples précités, l'enfermement dans le passé. Nous et plus encore ceux qui nous suivront sommes simultanément menacés par l'oubli, l'absence de mémoire, le rejet du passé et, à l'inverse, par la pesanteur d'un héritage figé. Le cardinal Lustiger aime à parler de « mémoire vive ». C'est réintroduire la liberté dans la fidélité à l'héritage. C'est ce qui manque dans la plupart des démarches contemporaines qui tendent à la recherche d'une identité. On le voit dans le domaine du patrimoine monumental ; après tant d'époques de vandalisme, ou de restaurations fantaisistes, qui ne valaient guère mieux, les progrès de la connaissance, de la réflexion et des techniques ont conduit à des normes et à des méthodes de réhabilitation beaucoup plus respectueuses ; mais ce regard du puriste sur une architecture réduite à elle-même, regard désincarné, est une anomalie dans l'histoire ; dans le passé, tous ces monuments et édifices que nous regardons en eux-mêmes étaient vus et traités en fonction de leur usage, avec une allègre liberté d'emploi et de transformation, que nous pouvons juger souvent intempestive, mais qui est la loi même de la vie. Les débats passionnés autour de la pyramide de Pei ont bien montré la difficulté que nous avions à accepter l'insertion du geste créateur dans l'héritage des siècles. Le devoir de vigilance, de rigueur scientifique et de fidélité à l'histoire ne saurait paralyser la création. C'est seulement s'il est incorporé au cycle de la vie que le patrimoine peut aider de façon positive à l'affirmation de notre identité. Si nous en avons une vue figée, il nous étouffe, jusqu'à ce que l'on s'en libère de la pire façon, en le niant par la destruction, l'abandon ou la dénaturation. Françoise Choay n'a pas tort de critiquer certaines « mises en valeur » tapageuses, purement commerciales, toutes formes de « consommation patrimoniale qui tend à devenir consumation »[4] ; mais entre ces excès et ceux d'une conservation intégriste qui serait à elle-même son propre objet, il y a place pour tout ce qui recycle le patrimoine dans la vie et en fait le support de cette mémoire vive, elle-même matrice de notre identité.

Multimédia

Toutes les mutations culturelles survenues depuis un siècle, par l'effet des progrès techniques, ont engendré des modes d'expression dont on a pensé, dans chaque cas, qu'ils condamnaient les précédents. Au prix, parfois, de sévères mutations, ceux-ci ont résisté. La photographie n'a pas plus tué la peinture que le cinéma n'a marqué la fin du théâtre, et la télévision celle de la radio. Pour la première fois cependant, on est en droit de se demander si une révolution technologique n'est pas en train de remettre en cause l'un des modes majeurs de la vie de l'esprit : le livre et, au-delà, l'écrit lui-même.

On hésite à dire que le multimédia est le changement le plus important depuis la naissance de l'imprimerie, tant les affirmations péremptoires de ce genre ont été démenties

4. *Op. cit.*, page 186.

dans le passé ; en outre, le multimédia n'est pas né du jour au lendemain, comme apparaît un astre nouveau. Il n'est que l'interconnexion de découvertes acquises et de technologies maîtrisées : l'ordinateur, l'écran électronique et le téléphone ; mais comme la fission nucléaire libère une formidable énergie, la combinaison de ces trois composantes crée une force qui ne se réduit pas à l'addition de leurs performances respectives. Elle les multiplie et les diversifie à l'infini [5]. Parce que le phénomène s'opère sous nos yeux, dans une relative confusion, et s'accompagne de discours fracassants, d'initiatives publiques et privées plus ou moins désordonnées, qu'il se développe mondialement et de façon expérimentale et qu'il échappe plus ou moins aux systèmes de normes et de contrôles laborieusement mis en place par les États et par la communauté internationale pour les télécommunications et la télévision, la révolution multimédia suscite autant de perplexité que d'enthousiasme.

Je me garderai de jouer les spécialistes et même les praticiens. J'écris à la main, j'aime musarder dans les dictionnaires à la recherche d'une référence et, si équipé d'engins que je sois, et entouré de gens habiles à les manier et à m'en faire profiter, je travaillerai encore à l'ancienne, pour l'essentiel, dans le temps qui me reste à vivre ; mais j'encourage mes proches à entrer hardiment dans ce nouvel univers de la connaissance et de la communication. J'entends me garder, devant ces perspectives nouvelles, si déroutantes à plusieurs titres, d'une ivresse moderniste aussi bien que d'une crispation nostalgique. Je ressens surtout une immense curiosité devant une mutation qui s'annonce capitale et que ses enjeux culturels désignaient à l'évidence pour conclure ce livre.

---

5. Joël de Rosnay, dans *l'Homme symbiotique* (Seuil, 1995), explique bien que le multimédia n'a été rendu possible que par la conjugaison de deux procédés révolutionnaires : la numérisation qui permet de traiter les informations (son, image, texte, logiciels) avec un même langage universel, une sorte d'« esperanto des machines à communiquer » — et la compression qui permet de faire circuler dans des réseaux déjà installés comme le téléphone et le câble des quantités beaucoup plus importantes d'informations.

La question centrale est, à mon sens, la suivante : tout le rêve de l'homme depuis les débuts de l'homo sapiens est d'accéder le mieux possible à la connaissance dans toute son étendue. Si le multimédia, sous sa forme actuelle et plus encore dans les nouvelles combinaisons qui, n'en doutons pas, surviendront bientôt, représente un saut non seulement quantitatif, par la masse des données disponibles, mais qualitatif, par la prodigieuse facilité d'accès et d'exploitation qu'il permet, alors il faut saluer comme une providence ce progrès décisif dans l'aventure humaine. Encore faut-il le faire en toute lucidité, sans négliger les dangers de cette mutation, et, en prenant les initiatives de sauvegarde et de bon usage qu'elle appelle afin que ce progrès scientifique et mental ne se traduise pas par une régression sociale et culturelle.

Une des questions les plus préoccupantes pour les hommes d'aujourd'hui est de savoir si le multimédia va tuer le livre qui est l'un des fondements de notre culture. C'est la question que pose, entre autres, Fabrice Piault dans un livre récent [6]. Raisonnant comme un « enfant du livre » que le multimédia interpelle, l'auteur voit dans ce grand changement la perspective d'une « heureuse démocratie du savoir ». Il opère une utile distinction entre le livre comme objet, que le multimédia menace en effet, au moins à terme, et l'écrit qui voit s'ouvrir devant lui de nouvelles perspectives.

Cette distinction me paraît capitale. Je ne parviens pas à croire à la disparition du livre imprimé, comme objet culturel, matière à possession, support de sensibilité et de mémoire personnelle. Je ne doute pas cependant qu'il sera détrôné et que ses incommodités relatives l'obligeront à céder la place, pour beaucoup de ses usages présents, au multimédia. En revanche, l'écrit, qui est l'âme même, la substance du livre, me paraît réhabilité et voué à un avenir qu'on ne lui voyait plus.

Souvenons-nous en effet que nous vivons depuis quelques

---

6. Fabrice Piault, *le Livre : la fin d'un règne,* Stock, 1995.

décennies sous l'empire de l'image. Nous n'avons pas manqué de prophètes pour dénoncer cette dictature de l'image, de la communication de masse, et la passivité qu'elle impose à des téléspectateurs asservis. On a même démontré que la parole s'effaçait derrière l'image, qui seule comptait et impressionnait la mémoire et l'esprit du receveur. Déjà, la multiplication de l'offre audiovisuelle à travers le câble, le satellite, le magnétoscope et les vidéogrammes, a rendu au consommateur une certaine capacité d'initiative et de choix, en même temps que la télécommande et les techniques d'interactivité lui permettaient d'être moins passif. Avec le multimédia, l'image, le son et le texte sont rendus interdépendants, aucune de ces composantes ne pouvant se substituer aux autres ; et surtout, celui qui pratique le multimédia est nécessairement actif. Il reçoit moins qu'il ne cherche. C'est son impulsion qui commande tout le processus, que sa passivité à l'inverse bloquerait.

Au stade actuel de son développement, le multimédia semble donc représenter un progrès et un antidote par rapport aux dangers de l'audiovisuel d'hier et d'aujourd'hui. Il serait toutefois léger de céder à l'euphorie. Les experts du Media Lab de Boston nous annoncent de nouveaux progrès qui ne laissent pas d'être inquiétants à plus d'un titre : même si les travaux sur l'identification visuelle et la reconnaissance de la voix par l'ordinateur n'avancent que lentement, le temps viendra où cette machine se comportera comme un être humain avec qui l'on dialoguera de façon « personnalisée ». On prévoit aussi des filtres qui sélectionneront à la place de l'usager les informations qui sont de nature à l'intéresser, en fonction des choix qu'il aura préalablement arrêtés. On imagine même des journaux électroniques qui ne comporteront qu'une édition, celle de chaque individu, en fonction du type d'informations qu'il aura souhaité recevoir. La vidéo holographique permettra peut-être un jour d'avoir à domicile une image à trois dimensions. De telles perspectives, si excitantes qu'elles soient en elles-mêmes, ont de quoi faire frémir, à la fois dans la mesure où elles peuvent déshumaniser la communication, détruire le lien social et subjuguer les esprits plus fortement encore que les petites images plates de notre télévision.

On ne saurait donc adopter une attitude béate de confiance inconditionnelle devant ce qu'annonce le multimédia, même s'il se présente aujourd'hui sous les formes rassurantes d'un CDI ou d'un CD Rom permettant à loisir de visiter l'Ermitage ou le Louvre, ou de l'accès à un réseau grâce auquel on peut aussi bien consulter la collection du *New York Times,* le catalogue de la bibliothèque du Congrès ou converser avec un parent lointain. Nous n'en sommes qu'aux débuts et dans une phase où il ne s'agit que de mettre en commun des instruments éprouvés. C'est l'exact moment où le Musée imaginaire de Malraux devient possible. Ce qui suit peut ressembler au « meilleur des mondes » d'Huxley ou au cauchemar d'Orwell.

Si nous ne pouvons ni prédire, ni maîtriser l'avenir, nous avons cependant la capacité de définir et de tenter de réaliser les conditions culturelles d'un bon usage de cette révolution amorcée.

Et d'abord en rappelant quelques vérités élémentaires que les facilités du langage contemporain feraient vite oublier. Ainsi, il faut souligner que l'interactivité, dont on se gargarise, n'est pas l'échange ; elle n'est qu'un substitut, artificiel, largement anonyme et dépourvu de tout contenu affectif. L'interactivité ne met pas nécessairement en présence des êtres ; elle n'est parfois qu'une méthode de comptage, un instrument statistique ; elle est dans le meilleur des cas une communication abstraite et si elle rend possible un rapport aléatoire ou voulu entre les êtres, il y a loin entre cette relation dématérialisée et ce qui fait la force et aussi la surprise, le charme du rapport réel, physique, entre des êtres de chair et de sang.

On ne peut davantage être indifférent à l'origine des données accessibles par le multimédia. Sans doute, les modes de diffusion et d'exploitation sont-ils de portée universelle et contribueront, plus encore que les satellites de télédiffusion, à abattre les frontières et à rendre toute censure inopérante. Cependant, les produits et les données qui fournissent la substance de cette communication sont et seront marqués par les références des systèmes dominants, notamment celui des États-Unis. Les structures de la pensée et les méthodes de l'esprit humain vont avoir tendance à s'uniformiser — ce qui est sans doute, sur le long terme, une pente naturelle de l'histoire et n'est pas sans présenter des avantages pour l'humanité en général et, en particulier, pour des pays ployant sous le faix de l'intégrisme ou de toute autre forme de totalitarisme — mais fera perdre au monde une part de cette diversité des cultures qui l'a jusqu'ici marqué.

Les progrès déjà constatés de l'image virtuelle que l'on a vu insérée dans des films de fiction rendront possible à l'avenir toute sorte de manipulations psychologiques et politiques. Il y avait, à tort ou à raison, dans les esprits de ce temps, une sorte de croyance en la vérité de l'image. Traitée comme elle peut l'être désormais, elle perdra peut-être de sa crédibilité, non de sa fascination.

Je reconnais raisonner comme un vieil humaniste égaré dans un monde pour lequel il n'est point fait, et qui est capable de perdre des heures pour aller voir de ses yeux sur un mur d'Ombrie ou de Toscane une fresque de Piero della Francesca et d'éprouver là, jusqu'aux larmes, une émotion que ne lui procurera pas la plus parfaite des reproductions, ou d'accepter l'inconfort et la promiscuité d'une salle de concert pour voir et entendre Alfred Brendel, grand oiseau déplumé, jouer en grimaçant une sonate de Beethoven. Ce personnage décadent que je suis, et qui pourtant ne déteste pas chanter à tue-tête, quand il est seul, *Don Carlos* ou *la Flûte enchantée* qu'il écoute sur le lecteur de disque compact de sa voiture, ni savourer, allongé sur son lit dans le silence de la nuit, les sonates pour violoncelle seul de Bach, celui-là prétend que la fréquentation des œuvres, qu'elles soient musicales ou plastiques, requiert la présence réelle et que tous les prodiges de l'électronique, si irremplaçables qu'ils soient, y compris pour lui-même, ne prévaudront jamais contre cette toile, là devant moi au milieu d'une foule de visiteurs du Rijksmuseum d'Amsterdam, peinte il y a trois cent cinquante ans par la main de Rembrandt, ou contre la fin du *Soulier de satin* écoutée aux petites heures du jour, dans la cour d'honneur du Palais des Papes d'Avignon, la conscience plus aiguisée que jamais après la tentation du sommeil. Nos cadets, à qui nous avons appris ces joies reçues de nos aînés, le savent encore et partagent sans doute notre préférence ; mais qu'en sera-t-il de leurs enfants ? Il y a une sensualité de la culture que tous les progrès techniques n'ont pas réussi à évincer, jusqu'à une époque récente, et dont je me demande si ce monde électronique de réseaux, d'écrans et de signes parviendra à préserver le goût. On peut aujourd'hui circuler à loisir dans l'abbaye de Cluny reconstituée par les ordinateurs d'IBM, mais qui peut prétendre que ces images superbes d'un monument disparu puissent susciter le même frisson sacré que la visite de Moissac ou de Vézelay qui fait encore de nous les frères des anciens pèlerins ?

On voit que la révolution multimédia oblige à se poser bien des questions quant à nos habitudes mentales et nos pratiques sociales et culturelles. Les autoroutes de l'information se profilent devant nous qui sommes plutôt familiers des sentiers de grande randonnée de la culture. Il serait aussi dangereux et irresponsable de rejeter ces fabuleux outils que de les considérer comme de simples gadgets, des accessoires commodes et innocents de la vie professionnelle et familiale. Tout est concerné : la communication proprement dite, la gestion sous toutes ses formes, l'activité ludique et domestique, mais aussi la recherche, l'éducation, la formation et la culture. Là est peut-être la chance que nous offre la révolution multimédia : que l'homme éclaté d'aujourd'hui se réunifie en se définissant par rapport à des procédés qui le saisissent, l'interpellent et le servent dans tous les aspects de sa vie.

De toutes les remises en question qu'annonce cette révolution de la connaissance, celles de la politique de l'éducation et de la politique culturelle sont certainement les plus profondes. Il y a peut-être là une chance unique de les réconcilier enfin, après tant de navrants échecs. À condition de secouer nos préjugés.

Cessons par exemple d'édifier des barrières entre l'école sanctuaire, les médias suspects et la famille démissionnaire. L'un des mérites du multimédia de demain, c'est qu'envahissant tout sans vraiment se substituer à rien, il unifiera la société plus que ne l'ont fait les médias audiovisuels d'aujourd'hui et suscitera, par contrecoup, un besoin plus fort d'identité, de singularité, d'affirmation personnelle et collective. Il ne s'agit plus de protéger l'école mais de l'ouvrir, d'accumuler les contraintes sur les médias mais de les banaliser, de déculpabiliser les familles mais de les responsabiliser à nouveau. Les petits campagnards de la génération de mon père qui quittaient l'école à treize ans apprenaient la vie sur les chemins autant qu'en classe, au catéchisme et en famille. L'école osait s'affirmer élémentaire, c'est-à-dire fondamentale ; les enseignants prétendaient au titre de maître et se donnaient pour mission d'instituer des hommes et des citoyens. Il faut retrouver, à un niveau plus sophistiqué, cette unité organique de la formation à travers tous les canaux par lesquels elle passe, admettre que les médias y ont leur part, ne serait-ce que par la différenciation que l'on voit se creuser entre les médias de pur divertissement et ceux de formation et de culture — même si je crois que tout média a une vocation d'éveil culturel. Apprenons à nos enfants la maîtrise d'un audiovisuel à l'égard duquel notre liberté de choix et notre distance critique ne peuvent que croître, plutôt que de les inciter à redouter ce croquemitaine médiatique, qui ne devrait plus faire peur à personne. Quant à la famille, je rêve au temps peut-être proche où, autour de l'écran électronique, elle se retrouvera enseignante, comme à l'époque des devoirs sous la lampe, des veillées devant l'âtre et des récits des anciens.

S'agissant de la politique culturelle, la révolution multimédia nous oblige à nous demander si nous ne sommes pas en retard d'une guerre, comme au temps des pantalons garance et du refus des chars d'assaut. Notre modèle de l'homme cultivé n'est-il pas devenu anachronique à l'ère de l'homme branché ? Ne devons-nous pas, au-delà des ajustements et des innovations que j'ai précédemment suggérés, revoir de fond en comble un modèle de développement culturel conçu il y a près de quarante ans ?

Je crois le contraire. Dans la caverne de l'ordinateur, ce sont des ombres qui passent sur la paroi électronique. Ombres superbes, profuses, apparemment soumises au bon vouloir de celui qui les convoque. D'une certaine manière, personne ne peut rivaliser avec ces ombres-là qui apporteront à chacun les données de toute la connaissance et les reflets exacts, mais désincarnés, de toute la littérature et de tous les arts. Il faut en prendre son parti, mais il convient d'opposer au monde hyperrationnel du calcul binaire, de l'ordinateur infaillible et de l'écran universel, les turbulences de la vraie vie, qui est ailleurs. Il n'est pas une institution culturelle, pas un musée, pas un théâtre, modestes ou de haut niveau, qui ne soient plus nécessaires que jamais, sur l'ensemble du territoire et pour le plus grand nombre. De même qu'il faut, de manière plus impérative qu'auparavant, donner toute sa place à l'éducation artistique à l'école, car nos enfants manient déjà mieux et avec plus d'entrain la souris de l'ordinateur que le crayon ou le pinceau, nous devons sans complexe multiplier pour tous les occasions de contact avec la culture vivante. C'est la tâche, renouvelée, d'un ministère de la Culture, mais aussi de l'État dans toutes ses composantes, ainsi que de l'ensemble des partenaires publics et privés, nationaux et locaux, qui aujourd'hui sont, tous ensemble et sans hiérarchie, les agents du développement culturel.

Pour tous ceux-là, il n'est qu'une mission : oser apprendre à ceux qui nous suivent, en nous inspirant des austères leçons de notre héritage et de notre expérience, la gestion avisée de la surabondance des données, l'éthique du choix, la distance par rapport aux machines, l'esprit critique en constant éveil mais aussi, par-dessus tout, l'indispensable ferveur, et, inlassable, universelle, la curiosité.

Dans le secret des cœurs, le reste est silence.

Janvier-Juillet 1995.

TABLE